George Bidwell

Synowie Pat

Przełożyła z angielskiego
Anna Bidwell

Wydawnictwo „Książnica"

Tytuł oryginału
Pat's Sons

Koncepcja graficzna serii i projekt okładki
Marek J. Piwko

Logotyp serii
Mariusz Banachowicz

Ilustracja na okładce
© Matt Wright

For the Polish edition
Copyright © by Wydawnictwo „Książnica", Katowice 2006

ISBN 83-7132-836-2
      978-83-7132-836-7

Wydawnictwo „Książnic
Al. W. Korfantego 51/8
40-160 Katowice
tel. (032) 203-99-05, 25
faks (032) 203-99-06
Sklep internetowy: http:.
e-mail: ksiazki@ksiaznica.com.pl

Wydanie pierwsze w tej edycji
Katowice 2006

Skład i łamanie:
Z.U. „Studio P", Katowice

ROZDZIAŁ PIERWSZY

I

Na krańcu Irlandii, wysuniętym najdalej na południowy zachód, ujście rzeki Kenmare wcina się głęboko w ziemie hrabstwa Kerry. Potęga atlantyckich przypływów łagodnieje tutaj, chociaż podczas sztormów fale wzbijają się wysoko, spienione wiry wnikają do skalistych zatoczek i podwodnych jaskiń, które pocięły wybrzeże na plaster miodu, a spiętrzone grzywacze zalewają skarpy. Po południowej stronie ujścia leży wioska Clogbur, a tuż naprzeciw niej wąska smuga morza oddziela wysepkę zwaną Shelkin. W połowie XIX wieku wysepka nie była zamieszkana, natomiast szczyciła się ruinami twierdzy, w której dawnymi czasy zwykł się chronić wódz imieniem O'Driscoll, gdy go przycisnęli wrogowie. Kto stanie na skarpie i rozejrzy się wokół, łatwo pojmie, że ujście stanowiło idealne leże dla przemytników i ich kontrabandy.

Pewnego dnia z początkiem roku 1855 na wyspie Shelkin istotnie krzątała się banda złożona z tuzina przemytników. Chowali do sklepionych podziemi, korytarzy i komnat, często zatarasowanych zawalonymi murami, sporą ilość kontrabandy: trunków w beczułkach i skrzynkach oraz najdelikatniejszych jedwabi wyładowanych o świcie owego deszczowego dnia z francuskiego statku, który w zamian zabrał ładunek owczej wełny i skór z runem. Towary z tej wymiany, gdyby przechodziły przez oficjalne porty, podlegałyby wysokim opłatom celnym wzbogacającym skarb znienawidzonej angiel-

5

skiej administracji, pozwalającym na utrzymywanie hord policji i regimentów żołnierzy.

Zanim kontrabandę schowano, deszcz ustał. Wystawiono wartownika, a pozostali przemytnicy, rozłożywszy grube płaszcze na porośniętych mchem, do połowy zawalonych ścianach jednej z komnat, rozsiedli się i powyciągali zapasy żywności. Paru tylko miało strzelby, reszta — maczugi zwane *shillelags*. Spodziewali się teraz kilkugodzinnego czekania. Dopiero po zapadnięciu ciemności przewiozą zdobycz na ląd stały, oddzielą część do dyspozycji okolicznych dworów i probostw, a resztę kontrabandy przetransportują do punktu zbiorczego w pobliskich górach, skąd będzie przewożona na północ i wschód kraju furmankami, ukryta pod ładunkiem torfu albo ziemniaków. Przemyt był dobrze zorganizowany. Sporo mieszkańców nadmorskich hrabstw Irlandii przekonało się, że jest o wiele popłatniejszy od rolnictwa i rybołówstwa. Wielu wozaków i szeroko rozrzuconych agentów dobrze zarabiało na tym procederze.

Jeden z mężczyzn czekających na wysepce, wysoki, dobrze zbudowany, wyróżniał się wśród swych ciemnowłosych kompanów płową czupryną. Zaczął rozmowę pytaniem:

— Słyszałem o koboldach w Irlandii, ale ich nigdy nie widziałem. Czy one się czasem pokazują?

Michał Winter mówił z przeciągającym akcentem irlandzkim, ale niemelodyjnym, matowym głosem Anglika. W odpowiedzi zabrzmiał głęboki śpiewny bas Rogera Megawa, najstarszego z kompanii, o potężnej tuszy Falstaffa, a włosach już siwiejących na skroniach:

— Mniej już teraz koboldów, niż dawniej bywało. Potrafiły doprowadzać ludzi do obłąkania. Teraz to, co ludzi do obłąkania przywodzi, siedzi we flaszkach i beczułkach.

Megaw był kiedyś nauczycielem. Angielskie władze oświatowe wyrzuciły go z posady, ponieważ uczył prawdziwej historii Irlandii zawierającej się w nieustannej walce o wyzwolenie. Obdarzony zręcznymi rękoma i bogatym zapasem patriotycznych ballad ludowych, które śpiewał dźwięcznym

6

choć niewyćwiczonym basem, Megaw przeobraził się początkowo w wędrownego druciarza i barda. Przybywszy przed rokiem do Clogbur, zaprzyjaźnił się z Michałem Winterem, jego irlandzką żoną — Pat i jej wujem — Jamesem Kernanem. Został i przyłączył się do przemytników. Przyjaciele próbowali go ożenić, ale bronił się skutecznie, żył po kawalersku w małej chatce i często ze śmiechem powtarzał:

— Od kolczastych krzaków i kobiet uchowajcie nas, święci pańscy!

Jednakże przywiązał się prawdziwie po ojcowsku do Pat Winterowej i jej dzieci. Jego przyjaciele domyślali się, chociaż nigdy im nie wspomniał, że za młodu musiał przeżyć jakąś miłość nie odwzajemnioną, może jeszcze jątrzącą upokorzeniem.

Śmiech powitał napomknienie Megawa o nielegalnie pędzonym trunku zwanym potiną, bardzo rozpowszechnionym, a tak mocnym, że ponoć królika by potrafił podniecić do plunięcia buldogowi w pysk.

Winter, jako przywódca tego dnia, starał się podtrzymać rozmowę. Czas się dłużył, a znudzenie w połączeniu z nerwowym napięciem, które znają ludzie przed bitwą, łatwo prowadziło do kłótni. Zwrócił się więc do barczystego rudowłosego mężczyzny z czarną przepaską na oku:

— Jak twoje pszczoły, Angus?

— A dobrze, dzięki Bogu — odparł Angus Sweeney. — Zawsze będę błogosławić świętego Patryka, że wygnał z Irlandii żaby, a nie pszczoły.

— Dużo zbierzesz miodu latoś? — pytał inny z przemytników.

— Dużo czy mało, pszczoły warto trzymać — powiedział Angus. — Bo już pokłuły moją teściową siedem razy!

Gawędzili z pełnymi ustami, od czasu do czasu sięgając po flaszkę, aż George Keefe — niski, muskularny, z pomarszczoną, jakby małpią twarzą przekreśloną szramą przez lewy policzek — poruszył poważniejszy temat:

— Kiedy się zabierzemy do jakichś politycznych spraw, Michale? — Zwrócił się do reszty kompanii. — W Kilegad tośmy nie próżnowali. A kierował nami brat Winterowej, Sean O'Donovan, świeć, Panie, nad jego duszą. Ci przeklętnicy powiesili go w czterdziestym ósmym.

Keefe był dawniej gajowym w majątku administrowanym przez starego Wintera. Michał, rozdzierany sprzecznymi uczuciami — sympatią do uciśnionych Irlandczyków i lojalnością wobec swoich — zaprzyjaźnił się z Seanem O'Donovanem, ułomnym poetą i harfiarzem, a jednocześnie pokochał, nie deklarując się podówczas, jego siostrę Pat, którą w powstaniu w czterdziestym ósmym roku uratował z rąk żołnierzy gwałcicieli. Po tragicznym rozbiciu powstańców w Kilegad, zakończonym powieszeniem braci Seana i Seamusa O'Donovanów oraz miejscowego proboszcza i przypadkowym zastrzeleniem starego Wintera przez angielskiego żołnierza, Michał i Pat uciekli z rodzinnych stron, by znaleźć schronienie u wuja dziewczyny na drugim krańcu Irlandii. Pobrali się i przyłączyli do zajęć starego Kernana, który uprawiał przemyt i hodował owce. Mieli czworo dzieci. Michał pozostał Anglikiem w mowie i zachowaniu, ale całą duszą był po stronie Irlandczyków zmagających się z wrogą okupacją.

George Keefe początkowo został w Kilegad, gdzie ożenił się z Molly Maginn, dorodną niewiastą, dwakroć większą od niego matką dwojga nieślubnych dzieci, które miała z miejscowym kowalem, również zabitym w powstaniu. Razem z całą rodziną — która się niebawem powiększyła o jego własne dzieci, bo o Molly mawiano, że wystarczy parę spodni przewiesić przez poręcz łóżka, a już zajdzie w ciążę — Keefe opuścił Kilegad i po wielu trudach dotarł do folwarku Kernana, gdzie Winterowie przyjęli go z otwartymi ramionami i zatrudnili przy doglądaniu owiec i szmuglowaniu.

Nick Farrell, o smagłej twarzy, swarliwy i zaczepny, odpowiedział Keefe'owi:

— Zawsze gadasz o Kilegad i czegoście to nie robili w Kilegad. Jakby nikt inny nic nie robił, a powstańcy walczyli tylko w Kilegad i jakbyście wypędzili zakichanych Anglików z kraju!

— I myśmy się wtedy krzątali — dodał bardziej pojednawczo Angus Sweeney. — Kluby konfederatów były w całej okolicy, a Smith O'Brien zorganizował koło Cork zbiórkę ponad siedmiu tysięcy członków. Ale gdy nadszedł czas, nie otrzymaliśmy żadnych rozkazów. Według mnie ten O'Brien i inni, którzy się nazwali przywódcami, nie obmyślili wszystkiego jak należy.

Tamci kiwali głowami i nie przestając jeść pomrukiwali; ale czy naprawdę przytakiwali, trudno było odgadnąć.

— W każdym razie takie organizacje, jakie były i działały — powiedział Michał Winter — zgnieciono po upadku powstania surowymi represjami: szubienicą, zsyłkami i wysiedlaniem, co zmusiło tysiące do emigrowania.

— A według mnie powinniśmy zorganizować się od nowa — upierał się Keefe. — Przemyt owszem, dobrze na tym zarabiamy, ale przemytem nie pozbędziemy się Anglików, z przeproszeniem ciebie, Michale!

— Przemyt jest również działalnością patriotyczną — przypomniał Winter. — Uderzamy po kieszeni, a to zawsze mocno dopieka rządowi. A co do przepraszania, to w odniesieniu do angielskich władz uważaj mnie za Irlandczyka. Ale niewiele możemy wskórać, dopóki nowy wódz się nie pojawi.

— Wódz! Ci politycy, którzy nas za nos wodzą, niewiele warci — mruknął Angus Sweeney. — Pakują nas prosto na angielskie bagnety, a potem nie wiedzą, co dalej z nami zrobić.

Keefe, zapalony partyzant Wintera, podpowiedział:

— Ty byś potrafił nas poprowadzić. — Dotknął palcem czoła i dodał zwracając się do innych: — Ma łeb nie od parady ten nasz Michał!

— Ja pójdę z wami, ale w politycznych przedsięwzięciach przewodzić nie będę — powiedział Winter. — I są tacy, którzy by nie zgodzili się na moje dowództwo, co jest zrozumiałe.

9

Spojrzał w stronę Farrella, jednego z nielicznych zresztą w okolicy, którzy nie chcieli uwierzyć, iżby ten Anglik szczerze przyłączył się do ciemiężonych przez jego kraj.

— Dlaczego byśmy nie mieli się zgodzić na twoje dowództwo? — rzekł Megaw. — Nasza katolicka ojczyzna zwykle miewała protestanckich wodzów. Twoi rodacy umieją organizować, to im należy przyznać.

Nick Farrell, który stał oparty o mur, wbił obcas buta w ziemię, splunął i unikając wzroku Michała, burknął cicho, ale jednak dosłyszalnie:

— Ja tam nie lubię tych edukowanych!

Dwuznaczna to była złośliwość, bo mogła dotyczyć zarówno Michała, jak i Rogera i Megawa. Co prawda nikt nie wątpił, o kogo chodziło. Zdaniem Farrella, jak wszyscy wiedzieli, James Kernan, gdy musiał zostać w domu złożony chorobą, powinien był wyznaczyć hersztem przemytników na swoje miejsce właśnie Farrella, który się tym procederem trudnił od dawna, a nie Michała Wintera. Ale stary Kernan dobrze wiedział, że maksymy: „Honor między przemytnikami" nie dało się zastosować do Nicka i że gdyby on przewodził, niektóre skrzynki lub beczułki mogłyby zniknąć w tajemniczy sposób.

Roger Megaw celowo przyjął te słowa pod swoim adresem. Zeskoczywszy z muru, na którym siedział, stanął przed Farrellem i spytał groźnie:

— Może mi powiesz, co to masz przeciwko tym, z których szydzisz tu jako „edukowanych".

Farrell był potężnego wzrostu. W rozmowie z Michałem stary Kernan określił go niegdyś jako „zbója, który dla rozrywki potrafiłby zarżnąć rodzoną matkę nożem wyostrzonym na grobie ojca; ale gdy dochodzi do utarczki z celnikami, od czego niech nas święty Kolumba zachowa, to Farrell wart jest trzech innych z naszej bandy i może tylko Megaw mógłby mu dorównać".

Głośno już teraz Farrell odparł:

— A to, że za dużo gadają i za prędko ustępują!

10

— No to chodź, popróbujemy, kto prędzej ustąpi! — wyzwał go Megaw, nastawiając pięści. — Łyknąłbym pół tuzina takich jak ty przed śniadaniem i nawet bym nie poczuł, że miałem coś między zębami!

Bójka wydawała się nieunikniona. Winter stanął pomiędzy rozognionymi mężczyznami:

— Dość tego! Wy obaj...

Oszczędził mu ogniowej próby jego autorytetu herszta wartownik, który w tym momencie zbiegł do przemytników, wołając:

— Sygnał od Woodesa! Dym z komina jego przybudówki!

Frank Woodes był miejscowym przedstawicielem władz celnych. Do jego oficjalnych obowiązków należało informowanie zwierzchników w Kenmare — na szczęście dla przemytników wcale nie bardziej skrupulatnych od niego samego — o poruszeniach i lądowaniu podejrzanych statków. Na całym wybrzeżu rozmieszczono takich urzędników i prawie wszyscy byli na żołdzie przemytników. Ich urzędowa gaża była śmiesznie mała, a prócz tego żyli w strachu przed tymi, których mieli pilnować. Wygodniej przyjmować regularne łapówki od przemytników, jak to czynił Woodes, wybudować sobie ładny piętrowy domek na wybrzeżu i dochodami z rybołówstwa tłumaczyć dostatek.

Dobrze się składało dla przemytników, że cała służba celna była przekupna i leniwa, łącznie z wyższymi szczeblami hierarchii. Urzędnicy akcyzy rekrutowali się z angielskiej szlachty, zbankrutowanych kupców, emerytowanych oficerów armii i marynarki. Zwykle zdobywali swoje nie najgorzej płatne stanowiska przez protekcję, w ogóle nie wiedząc, na czym polegają ich obowiązki, a później rzadko nawet zjawiali się w urzędach. Kutry straży celnej obrastały skorupiakami, stojąc bezczynnie w portach, a ich kapitanowie zezwalali załogom pływać na innych statkach — nierzadko na francuskich statkach przemytniczych. W rezultacie szmuglem zajmowali się często ludzie, którzy mieli mu zapobiegać.

Jedyne niebezpieczeństwo mogło grozić bandzie Kernana od strony Bantry, miasteczka położonego w następnej większej zatoce na wschód od ujścia rzeki Kenmare. Tam — rzecz wyjątkowa — urząd celny szczycił się energicznym naczelnikiem. Ściśle biorąc, Clogbur nie należał do jego rewiru, ale podejrzewając, i słusznie, że miejscowi celnicy nie pilnują tej okolicy zbyt dokładnie, naczelnik wysyłał niekiedy swój kuter z dobrą doświadczoną załogą w okolice wyspy Shelkin. Gdy więc banda Kernana szła do akcji, Woodes dawał baczenie z małej wieżyczki wybudowanej obok swego domu — oficjalnie po to, by śledzić statki przemytników — i jeśli kuter celników pojawił się w pobliżu, rozpalał ogień w przybudówce, gdzie wzniesiono specjalnie wysoki komin.

Skalisty żleb, biegnący środkiem wyspy, zakrywał przed oczyma przemytników widok na morze, jednocześnie kryjąc ich samych przed wzrokiem niepożądanych przybyszów.

— Musimy się stąd wynosić — powiedział Winter.

— A ja jestem za tym, byśmy zostali i dali dobrą nauczkę temu draniowi z Bantry! Niech wie, czego się może spodziewać, jeśli nas nie zostawi w spokoju! — zaprotestował Farrell.

— Wiesz dobrze, że to nie metoda Kernana — odparł Winter. — Walczymy tylko wtedy, gdy nas zaatakują!

— A jeśli drań znajdzie nasz ładunek? Zabierze wszystko i zanim się obejrzymy, sprowadzi nam na kark całą chmarę przeklętych policjantów i żołnierzy!

— Nawet szukać nie popróbuje! — wmieszał się Megaw. — Po pierwsze, będzie się bał zasadzki. A po drugie, jeśli w ogóle zechce lądować, to już tam Woodes go dopilnuje. Woodes dobrze wie, po której stronie chleb mu masłem smarują. Ściągnie go do siebie, ledwo nogę na lądzie postawi, i tak go napoi, że celnik nie będzie wiedział, czy jest w Clogbur czy na dublińskim zamku!

— Dosyć gadania! — zawołał któryś inny. — Zabierajmy się stąd.

— Ja zostaję! — oznajmił wojowniczo Farrell, jakby się uparł, żeby podważyć autorytet chwilowego herszta.

— Jeśli ciebie dostrzegą, to narobisz kłopotu nam wszystkim — rzekł Winter.

— Nie. Dowiodę, że mam alibi.

— Co? — zdumiał się Winter. — A kto mógł ciebie widzieć gdzie indziej?

— W tym momencie, kochany Michale, jesteś za bardzo Anglikiem — prychnął śmiechem Megaw. — Czy nie wiesz, że alibi Irlandczyka polega na dowodzie, iż był on w dwóch różnych miejscach w jednym i tym samym czasie?

Wszyscy wybuchnęli śmiechem. Żart rozładował napięcie. I gdy łodzie przemytników odbiły od północno-zachodniego, najbardziej oddalonego od Clogbur krańca wyspy, Farrell wskoczył razem z innymi.

II

Następnego ranka Artur Slattery wstał od śniadania, klepnął się z satysfakcją po brzuchu, solidnym, ale nie nazbyt tęgim, a teraz przyjemnie napełnionym szynką, jajami i wybornym smażonym pstrągiem, przeciągnął się, wyprostował barczystą postać i przeszedł do sieni swego dworu znanego pod nazwą Kenmare Lodge. Dziedzic, o wygolonej do czysta szerokiej brodzie i starannie przyciętych włosach i bokobrodach, nosił z aplombem bryczesy do konnej jazdy i luźną, ale dobrze skrojoną marynarkę z wełnianego tweedu, świadom, że niejedna kobieta obejrzy się za nim. Spod stołu leniwie wylazł łaciaty spaniel i przeciągnął się, jakby wiernie naśladując pana, który pochylił się, by lekko pociągnąć psa za ucho.

W sieni pokojówka zamiatała podłogę, podkasawszy spódnicę do wysokości kolan. Slattery zaszedł ją znienacka i położył dłoń na okrągłym, rytmicznie poruszającym się pośladku. Dziewczyna odwróciła ku niemu głowę i spojrzała z ukosa, impertynencko unosząc jedną brew do góry.

— Nie mam teraz czasu, wielmożny panie. Robota! — rzekła.

— Dzierlatka! — odparł i uszczypnął ją tak, że aż podskoczyła.

Nie grzeszyła urodą. Tylko kształty pełne, jędrne, pociągały mężczyzn. Slattery pogroził jej palcem tuż przed zadartym nosem:

— A kiedy jaśnie pani wróci do dworu, żeby mi tu się nie dowiedziała, w czyim łóżku spędziłaś ostatnią noc. Bo wyleciałabyś stąd jak z procy i koniec z garściami szylingów.

— To niech mi wielmożny pan da te szylingi! — odparła dziewczyna, energicznie kręcąc głową. — Bo jeśli nie, to mój tato posłyszy, jak mnie wielmożny pan przymusił. Mój tato lepiej postraszy wielmożnego pana niż jaśnie pani mnie, jak wsunie strzelbę przez to okno tutaj!

Slattery prychnął śmiechem, rozbawiony jej bezczelnością. Jedynym przymuszeniem było brzęknięcie monetami w kieszeni. Teraz wsunął jej parę szylingów za stanik, na co zachichotała, i zabierając kapelusz i szpicrutę, powiedział:

— Jesteś do gruntu zepsuta!

Gdy wychodził z uradowanym, skaczącym mu do kolan spanielem, dziewczyna rzuciła za nim jeszcze:

— Ostatniej nocy wielmożny pan całkiem sobie chwalił to zepsucie!

Nie wiedziała, że sama przypieczętowała swój los. Jakaś sumka, nawet niewielka, zwykle ucisza każdego ojca. Jeżeli ten zamierza traktować na serio cnotę swojej córki, to najwyższy czas, by się jej pozbyć.

Artur Slattery dobiegał czterdziestki. Młodość spędził w Anglii, chociaż ojciec jego był Irlandczykiem i katolikiem. Matka, Angielka, zmarła w połogu, wydając na świat jedynego syna, spóźniony owoc dziesięcioletniego pożycia małżeńskiego. Ojciec wysłał dziecko do jej krewnych, bezdzietnej

14

pary żyjącej w dostatku w Londynie. Artur kształcił się w kosztownych szkołach, później studiował prawo. W chwili gdy jego ojciec zginął — założywszy się, że potrafi zmusić do skoku przez bramę wierzchowca, którego inni nie mogli poskromić — młodzik, wychowany na protestanta, czuł się bardziej Anglikiem niż Irlandczykiem.

Jednakże dochodowy majątek ziemski był nie do pogardzenia, chociaż znajdował się w jednym z najbardziej od Anglii oddalonych zakątków Irlandii. Kariera młodego Artura w sądownictwie angielskim w Londynie była dopiero w stadium początkowym i trudno było przewidzieć, jak się potoczy. Porzucił ją bez żalu, nawet się nie obejrzawszy. Przezornie spędził parę miesięcy w Dublinie, wykorzystując listy polecające od angielskich przyjaciół do różnych wpływowych osobistości. Tam też poznał i poślubił jedyną córkę irlandzkiego prawnika pracującego w angielskim sądownictwie. Wraz z nią wyprawił się do odziedziczonego majątku.

Artura oczarowała arystokratyczna uroda i delikatność jego żony, Ireny. Zarazem bał się jej trochę, gdyż nosiła się z dumą graniczącą z wyniosłością, a on był w towarzystwie raczej nieśmiały, nawet niezdarny.

Wesołe życie towarzyskie i liczne rozrywki, których Irena oczekiwała przyjeżdżając do majątku męża, okazały się mitem. Slattery, niepodobny w tym do innych ziemian w Irlandii, pracował ciężko przez cały dzień, a wieczorami pragnął tylko wygodnego fotela, ognia w kominku, kieliszka mile podniecającego koniaku, dobrej kolacji i — żony. Co więcej, jego nieporadność w wytwornym towarzystwie sprawiała, że wcale go nie pociągały bale i przyjęcia, na które trzeba było jechać karetą wiele mil, czasem w deszcz i zimno.

Może ten związek mógłby przynieść zadowolenie i szczęście, gdyby w fizycznym obcowaniu młoda para znalazła wzajemną rozkosz. Tak się nie stało. Slattery nigdy najwidoczniej nie słyszał, że niejedna na pozór wątła kobieta z towarzystwa szuka w partnerze witalnej, nawet brutalnej męskości. Obchodził się z Ireną zupełnie inaczej niż z różnymi kobietami, które przed i po ślubie dzieliły z nim łóżko. Pożądał jej namiętnie, ale obejmował tak delikatnie, jakby się bał, że mógłby ją pokruszyć w ramionach. I nigdy nie dał jej pełnego zaspokojenia, które by obudziło jej namiętność. Irenę szybko znudził ten nadmiar respektu. Po kilku miesiącach, przekonawszy się, że nie zachodzi w ciążę, wyjechała do Dublina i odtąd tylko z rzadka przebywała w Kenmare Lodge.

Irena wyszła za mąż bez miłości, ale w nadziei, że pokocha męża, i później chociaż rozczarowana jego pieszczotami, była o niego zazdrosna. Zorientowawszy się podczas przyjazdów do dworu, dlaczego zatrudniał młode i ładne pokojówki, w gniewie i upokorzeniu zamknęła przed nim drzwi sypialni.

Rzadko kiedy mianowano wyższym urzędnikiem urodzonego Irlandczyka. Było to więc niecodziennym wydarzeniem, gdy w roku 1853 Artur Slattery został sędzią ziemskim hrabstwa Kenmare. Dopomogły mu do tej nominacji angielskie wykształcenie i powiązania, prawnicze studia i starannie kultywowane znajomości w Dublinie. Tak więc Irlandczyk z urodzenia podjął się obowiązków reprezentowania w swojej ojczyźnie obcej władzy, której sprzeciwiał się Michał Winter, Anglik z urodzenia.

Wyszedłszy przed dom, Slattery ocenił uważnym spojrzeniem niebo pokryte ciężkimi chmurami, zastanowił się nad ewentualnością rozpogodzenia i ruszył w stronę porządnych, dostatnich budynków gospodarczych. Odwrócił się jeszcze, by spojrzeć na dwór — przyjemny dla oka, o ścianach z szarego kamienia, obrośniętych pnączami, o czerwonym dachu, stromych przyczółkach i drobnych szybkach w oknach. W porównaniu z większością dworów ziemiańskich w Irlandii Kenmare Lodge był stosunkowo małym domostwem.

— Pierwszą zasadą dochodowości majątku ziemskiego — ostrzegał go wuj, londyński bankier — jest ograniczać rozmiary budynku mieszkalnego. Twój własny dach nie produkuje, przeciwnie, stanowi obciążenie finansowe, wzrastające w stosunku do jego wielkości.

Slattery zapamiętał radę. Po przybyciu do Kenmare Lodge kazał rozebrać dwa skrzydła, które dobudował jego ojciec, pozostawiając XVIII-wieczną pierwotną budowlę zawierającą dwa duże pokoje i kuchnię na parterze, cztery sypialnie na piętrze i izdebkę dla służby na poddaszu. Dzięki temu Slattery prowadził dom tylko z dochodzącą kucharką i jedną pokojową, która sprzątała i podawała do stołu. Kucharka, tęga, mrukliwa i solidna, od dziesięciu lat utrzymywała ze skąpej pensji chorego męża i czworo dzieci. Pokojówki zmieniały się często — czasami dlatego że „sprzeciwiały się" wielmożnemu panu, czasami trzeba je było pośpiesznie wydawać za mąż za któregoś dzierżawcę gotowego za okrągłą sumkę przymknąć oczy na pewne sprawy, a czasami znowuż pani Slattery podczas której z rzadkich wizyt wyciągnęła odpowiednie wnioski z bezczelnego zachowania dziewczyny.

Co inni wydawali na luksusowy dom i hordę marnotrawnej, kradnącej służby, Slattery wolał inwestować w gospodarstwo, a zwłaszcza w hodowlę rasowych koni. Sumki periodycznie wypłacane pokojowym lub ich ewentualnym mężom zapisywał w skrupulatnie prowadzonych książkach rachunkowych pod wieloznacznym, choć prawdziwym określeniem: „Rozrywki". Do innych jego słabostek należały dobre francuskie wina, holenderska herbata, amerykańskie cygara i tytoń. Nie były to zresztą kosztowne przyjemności, gdyż nawet sędzia ziemski nie cofał się przed kupowaniem nie oclonego towaru.

— Wszyscy, nawet proboszcz, omijają urząd celny — rozumował logicznie. — Czemu ja mam być jedynym w tych okolicach głupcem, który płaci dublińskie ceny? Przecież nawet wina, spijane za stołem biskupa przez przedstawicieli angielskiego rządu, są szmuglowane!

Slattery nigdy nie skąpił pieniędzy na utrzymanie posiadłości w znakomitym stanie, zwłaszcza pieniędzy swoich dzierżawców, których zmuszał do naprawiania własnym kosztem chat i stodół należących prawnie do niego. Teraz, patrząc na dwór, ściągnął wargi i pomyślał:

...Czas by już było pomalować na nowo drzwi i okna...

Slattery wybierał się tego ranka do Clogbur, by spotkać się z naczelnikiem urzędu celnego z Bantry, który przyjechał poprzedniego wieczoru.

...Utrapienie z tym człowiekiem! — rozmyślał Slattery. — Nadto gorliwy. Przemytników w tych stronach nie złapie ani on, ani nikt inny: są sprytni i doskonale zorganizowani. Ale muszę się dowiedzieć, dlaczego został na noc...

Osiodłał wierzchowca, której to czynności przyglądał się z wielkim niezadowoleniem spaniel, przeczuwając już, że pan go nie zabierze. Slattery sam również czyścił zawsze konia po powrocie, niechętnie zatrudniając dodatkową służbę na folwarku, tak samo jak w domu. Niewiele też zostawił ziemi na własny użytek, głównie na potrzeby stadniny, resztę wydzierżawiając.

— Niech inni kłopoczą się uprawą — mawiał. — Niech się martwią pogodą, nieurodzajem. Mnie to nie obchodzi.

Do stajni wszedł jego rządca, Ernest Greene, były sierżant w wojsku brytyjskim, zbyt tępy, by potrafił zdobyć się na nieuczciwość, a w takim strachu przed ewentualnością powrotu do swej jędzowatej małżonki w Anglii, że harował całymi dniami za pensję niewiele wyższą od zarobków najemnego parobka. Slattery wydał mu instrukcje dotyczące zagrożenia eksmisją kilku dzierżawcom, którzy zalegali z czynszem.

Spaniel, żałośnie podniósłszy łapę, z rozpaczą śledził wzrokiem odjeżdżającego pana.

III

Iveragh, folwark Jamesa Kernana — gdzie hodował owce na dwunastu hektarach łąk — położony był opodal wsi Clogbur, na zielonym zboczu wzgórza. Wysoki żywopłot i rząd drzew, zasadzonych dla ochrony przed wiatrami od morza, skrywały widok na zatokę i wyspę Shelkin. Slattery kilkakroć już próbował wykupić folwark — jedyną ziemię w okolicy, która do niego nie należała. Ale Kernan zbywał go śmiechem. Położenie nadawało się idealnie do jego procederu nie mającego nic wspólnego z hodowlą. Slattery wiedział o tym doskonale, ale nic nie mógł wskórać.

Gdy sędzia jechał konno do Clogbur, stary Kernan siedział w drewnianym fotelu w kuchni, zwichniętą w kostce nogę wsparłszy na niskim stołeczku. Satysfakcję sprawiała mu schludność i wzorowy porządek, jakie jego siostrzenica zaprowadziła w domu. Jego żona, która zmarła na rok przed przybyciem Pat i Michała, była łagodna, o miłym usposobieniu, czuła i rozmarzona, nigdy nie robiła mu wymówek, nawet gdy wypił o kropelkę za dużo. Ale jej lenistwa nie przemógł ani nieład, ani nawet brud.

Kernan był wielkim mężczyzną; był też wielkim hultajem. Wielkie miewał pragnienie i żywił wielką pogardę do abstynentów.

— To musi być okropne — mawiał — obudzić się rano i wiedzieć, że później nie poczujesz się lepiej.

Zawsze hałaśliwy i porywczy, stary przemytnik nie był gwałtownikiem, chyba że go sprowokowano. Kiedyś, przed laty, jego młoda i powabna żona poskarżyła mu się, że pewien mężczyzna jej dokucza zalotami. Kernan dopadł go na targu i zaatakował z taką furią, że ludzie musieli go siłą odciągać, aby nie doszło do zabójstwa.

W otwartych drzwiach kuchni stała sąsiadka, kobieta chorobliwie otyła, o kącikach warg opuszczonych ku dołowi.

— Czy te jaja na pewno świeże? — zapytała.

— Czy świeże? — krzyknął Kernan. — Jak pani może pytać? Są tak świeże, że kury jeszcze nie spostrzegły ich braku!

Nieostrożnie poruszył zwichniętą nogą i — nigdy nie odznaczając się wytrzymałością na ból — wybuchnął potokiem barwnych przekleństw, aż porcelana na kredensie zabrzęczała, a kobieta w drzwiach zakryła uszy rękoma.

Pat Winterowa, córka jego siostry — której gdy owdowiała w Kilegad z gromadką dzieci, Kernan stale aż do śmierci pomagał, posyłając różnymi okazjami pieniądze — weszła do kuchni z koszykiem pełnym jaj, przewieszonym przez ramię.

Wysoka jak na kobietę, o ciemnych włosach i oczach, oliwkowej cerze z pięknymi rumieńcami, Pat nosiła męskie spodnie. Chociaż dobiegała trzydziestki i urodziła czworo dzieci, mogła się poszczycić doskonałą figurą; w każdym razie sądził tak niejeden mężczyzna, który wolał umiarkowanie zaokrąglone kształty od chudych tyk.

Płacąc za jajka, kupująca zauważyła z niesmakiem:

— Nie mogę przywyknąć do widoku spodni na kobiecie. To nie przystoi...

Pat otrzaskała się dawno z tego rodzaju uwagami, ale zawsze pobudzały ją do prowokacyjnych odpowiedzi.

— To proszę wleźć na drabinę w spódnicy, nie przykrywszy wiadomych miejsc, a wszyscy mężczyźni od razu zaciekawią się, co się dzieje na niebie! Ja zaś mam wszystko szczelnie pozakrywane i piękne widoki zachowuję tylko dla męża. Spodnie są bardzo wygodne. Wiedzą o tym żony rybaków. One zawsze wkładają spodnie, gdy patroszą ryby na plaży w wietrzny dzień.

— Ksiądz proboszcz powiada, że kobiety w spodniach nie podobają się Bogu — odrzekła sąsiadka.

Kernan zachichotał:

— Ponoć Pan Bóg przysłał Ewę na świat jako całkiem dojrzałą kobietę i golusieńką, więc teraz kobiety mogą same wybierać, czym mają przykryć to, co im Pan Bóg dał — spódnicą, spodniami czy listkiem figowym!

Sąsiadka załamała ręce w zgorszeniu.

— Sąsiedzie Kernan, czasem jakby diabeł wstąpił w wasz język! A dzieciaki pani Winterowej tego słuchają... Jak pan może? A do kościoła tak pan regularnie chodzi!

Gdy poszła sobie, Pat zauważyła:

— Zraziliśmy ją: nie przyjdzie więcej kupować jaj!

— Mała szkoda, krótki żal — odrzekł. — Ale słuchaj, gdzie to się zapodział twój mąż? Nie wrócił na noc do domu! — Przymrużył jedno oko i pokpiwał: — Chyba jakaś niewiasta znalazła dla niego miejsce w swoim łóżku!

Pat machnęła w jego stronę ścierką, którą trzymała w ręku, a stary przemytnik, uchylając się, znowu poruszył chorą nogą i wrzasnął z bólu. Pat powiedziała:

— Gdyby taka była, a nie ma jej, wiem że nie ma, jego własne pastwisko zawsze czeka na niego... to kiedy bym z nią skończyła, musiałaby miesiąc leżeć w łóżku, i to sama!

Mówiąc, krzątała się po kuchni. Najmłodsze niemowlę, Williama, ułożyła do snu. Trzyletni Denis nie odstępował matki. Najstarszy, sześcioletni Peter Sean — nazwany tak na cześć księdza i starszego brata Pat, powieszonych podczas powstania w roku czterdziestym ósmym — oparty o drewnianą poręcz fotela Kernana, przyglądał się staremu przemytnikowi, który z niespodziewaną zręcznością rysował dla niego jedną krechą węglem krowy i owce.

Pat zabrała drugiego z kolei syna, pięcioletniego Kevina, nad wiek zaradnego, a przy tym przyjaciela wszelkich zwierząt, by jej pomógł przypędzić owce z pastwiska na podwórze, do wodopoju.

Uwiązany na długiej lince do słupa za domem, pasł się tryk z wielkimi zakręconymi rogami. Horacy otrzymał swoje imię po pastorze z Kilegad, który w czterdziestym ósmym mógł kazać aresztować Pat i Michała, a zamiast tego umożliwił im ucieczkę. Maciorka padła przy wykoceniu, więc Pat zabrała jagnię do domu i wykarmiła je butelką. Gdy tryczek wyrósł i dołączono go do stada, uparcie wracał na podwórko — prócz okresu rui — i za nic nie chciał odchodzić. Teraz podbiegł do Pat i Kevina, szukając pyskiem w ich rękach i kieszeniach skórek od chleba. Imię miał najzupełniej nieodpowiednie, bo pastor z Kilegad bał się własnego cienia, a tryk lubił bóść, ale jak wytresowany pies, atakował tylko na rozkaz Pat, Michała lub Kernana:

— Bij!

Michał miał w Dublinie przyjaciela, adwokata, który wywalczył dla niego pewne sumy ze spadku po ojcu. Pieniądze te przydały się w gospodarce Kernana, podówczas mocno zubożonej, jako że stary przemytnik wspomagał biedniejszych sąsiadów w latach Wielkiego Głodu, w 1847 i 1848 roku. Chętnie też przyjął pomoc młodych rąk. Dobiegał już sześćdziesiątki i z ulgą podzielił się pracą i obowiązkami.

Górzyste okolice hrabstwa Kerry nie bardzo nadawały się do uprawy zbóż, natomiast łąki w wilgotnym łagodnym klimacie rosły bujnie. Michałowi nie brakowało inteligencji, czytał wiele o nowych metodach hodowli stosowanych w Anglii. Zakupił piękne hodowlane zwierzęta, poprawił rasę owiec w stadzie. Waga wełny ze strzyży jednej sztuki wzrosła prawie dwukrotnie w stosunku do czasów, kiedy Kernan gospodarował sam.

Dzień wlókł się ospale, a Michał nie wracał. Niespokojna Pat mówiła do wuja:

— Ten z Bantry przyjechał tu wczoraj wieczorem, został na noc u Woodesa. Jego ludzie nie zeszli z kutra. A Slattery był we wsi rano i też poszedł do Woodesa. Co się tu święci? Keefe nie wrócił ani Megaw, żaden z nich!

— To dobry znak — odparł Kernan, starając się uśmierzyć jej niepokój. — Straż celna nie zabrałaby ich wszystkich naraz. Wierz mi: cała banda ukryła się gdzieś i czeka dogodniejszej chwili.

— Może być... — mruknęła Pat. Ale hałasowała niecierpliwie garnkami i talerzami, a Kernan rozumiał jej niepokój.

W otwartych drzwiach kuchni stanął nowy przybysz: brudny, zarośnięty nicpoń i włóczęga nazwiskiem Luke O'Flaherty. Mieszkał w nędznym szałasie w zagajniku opodal Clogbur, a wałęsał się po bliższej i dalszej okolicy. Kradł u Anglików, żebrał u Irlandczyków, powtarzał po wsiach wieści i plotki, nigdy nie jął się żadnej pracy, a kiedy wszelkie inne źródła darmowej pomocy wyschły, co się często zdarzało, zachodził do Kernana z żałosną opowieścią o kłopotach swoich lub cudzych. I chociaż stary przemytnik miał zwyczaj wymyślać mu, nie żałując soczystych epitetów, O'Flaherty nie odchodził z pustymi rękoma.

— Piękny mamy dzionek, kłaniam się nisko, panie Kernan i szanowna pani Winterowa! — zaczął Luke, zatrzymawszy się w drzwiach; ale posuwał się nieznacznie tak, że bardzo szybko znalazł się wewnątrz domu. Buty miał nie od pary, ziejące dziurami i powiązane sznurkiem; spodnie łatane byle jak, koszulę postrzępioną. Nie nosił kurtki ani kapelusza. — Niechaj Matka Boska ześle na was błogosławieństwa, bo czyż nie jesteście najzacniejszymi ludźmi... Ach, panie Kernan, ale ma pan strapienie. Co się stało z pana nogą? Podagra z pewnością! Podagra i trunki, dwie okropności... — Wspominając o trunkach, zerknął na Kernana porozumiewawczo.

— Nie mam żadnej podagry! — wrzasnął stary. — I nic tu nie dostaniesz, obszarpany hultaju, więc zabieraj mi się stąd, i to zaraz!

Pat wyszła do pralni za kuchnią, ale drzwi zostawiła otwarte.

— Ach, panie Kernan, ale musi pan posłuchać. Straszne rzeczy mam do powiedzenia. Będzie pan słuchał cały dzień! Jak to mój biedny...

— Słuchałem twoich bajań tysiące razy. Wynoś się, powiadam! — warknął Kernan, ale bez przekonania. Nie miał nadziei, by Luke potulnie zastosował się do rozkazu, a przecież siedział unieruchomiony w fotelu.

— Ach, mój biedny przyjaciel Paddy, ten który ma dziesięcioro dzieci, chwała niech będzie Najświętszej Panience, chociaż jeśli ona ma z tym coś wspólnego, to dlaczego zawsze obdarza stadkiem dzieci tych bez grosza przy duszy? Żyje koło Kenmare, mój przyjaciel Paddy. I kiedy poszedł do miasteczka, by sprzedać na targu kurczaka, nagle natyka się na policjanta, niech go diabeł porwie jak swego! I ten go pyta, skąd ma kurczaka. Paddy mu najświętszą prawdę powiedział, że kiedy napełniał worek trawą z przydrożnej miedzy, ten właśnie kurczak wskoczył prosto do worka. A glina mu nie uwierzył! Tomasz niewierny!

Gadał prędko, bez żadnych przestanków, aż zdania zlewały się w jedno. Kernan próbował mu przerwać:

— Nie kocham glin więcej od ciebie, ale ja bym też nie uwierzył ani jednemu słowu tego twojego Paddy'ego! Taki sam z niego blagier jak ty.

Luke zignorował go i plótł dalej:

— Ten szpicel nie uwierzyłby samemu archaniołowi Gabrielowi. I żadnego zrozumienia dla żartu, jak pan ma, błogosław, Boże, pana dobre, zacne serce, panie Kernan. Ciągnie więc biedaka Paddy'ego do paki...

Kernan przewidując, na co się zanosi, burknął:

— Nie dałbym jednego źdźbła trawy z mojego grobu za twego Paddy'ego, za jego skradzionego kurczaka, za policjanta ani za ciebie. Wynoś się i kogo innego nabijaj w butelkę.

Luke, uśmiechając się łobuzersko, przysiadł na brzeżku krzesła i opowiadał:

— Ach, panie Kernan, pan zawsze taki dobrotliwy! Nie pozwoliłby pan, żeby biednego Paddy'ego zabrano do więzienia, może skazano na zesłanie jak Jimma O'Toole'a za taką drobną kradzież, a jego żonę i dzieci wyrzucono na bruk, by ginęły z głodu. A wszystko z powodu braku marnych dwudziestu szylingów, bo za tyle strażnik otworzyłby zakratowane drzwi i puścił go na wolność. Gdyby o mnie chodziło, tobym raczej trupem padł na wieki, niżbym prosił pana o pieniądze...

Kernan otarł bezsilną ręką pot z czoła. Luke ciągnął nieubłaganie:

— Ale ten biedaczysko Paddy! W takim kłopocie! Dla niego przełknę dumę, zapomnę o honorze O'Flahertych, którzy walczyli, przelewali krew i ginęli za naszą starą Irlandię w każdym powstaniu od setek lat! Tak, dla niego przełknę...

— Nie tylko to byś przełknął, gdybym był takim starym durniem, żeby dać się nabrać — powiedział Kernan znużony.

Tak się to ciągnęło przez pół godziny, aż Luke udając, że przyjmuje porażkę, wstał, jakby się zbierał do wyjścia. Dobrze znał swoją ofiarę.

— Twardy dzisiaj ma pan humor, panie Kernan. Pewno podagra dosięgła aż do pana serca i wysuszyła je! — Podszedł do drzwi i odwrócił się jeszcze: — Ale, ale, zapomniałbym... pana siostrzeńca nie ma dziś w domu, prawda, panie Kernan? Ryby łowi z pewnością... — Mrugnął bezczelnie a znacząco. — Słyszałem... chociaż to nie może mieć nic wspólnego z panem Michałem, bo sieci hałasu nie robią... a jednak słyszałem, że ponoć była strzelanina u ujścia rzeki dziś rano...

Pat wpadła do kuchni, z mokrymi rękoma, przestraszonymi oczyma, pobladłą nagle twarzą:

— Co za strzelanina?

— Ależ to nic, pani Winter, nic, czym by sobie pani miała piękną główkę zaprzątać. Święci pańscy zaopiekują się takim zacnym, hojnym panem jak pan Michał, chociaż nawet światło niebieskie...

— Przestań bajdurzyć! — wykrzyknęła Pat, stojąc nad włóczęgą z podniesionymi rękoma, jakby chciała nim potrząsnąć. — Powiedz po ludzku. Gdzie była strzelanina? Kto o tym mówił?

— Uspokój się, Pat, uspokój! — łagodził Kernan. Ale i jego głos, miękki teraz, zdradzał zaniepokojenie. — Strzelanina nie może mieć nic wspólnego z Michałem... on poszedł na ryby, jak powiada Luke...

Pat odwróciła się raptownie, trochę za późno, zdając sobie sprawę, że nie powinna zdradzać niepokoju. Kiwając z lekka głową, Luke patrzył na nią z ukosa.

— Pójdę już — powiedział. — Moje ptaszki czekają tam pewno na swój obiadek i niechaj święty Franciszek dobroć im okaże. Nie znajdzie pani przypadkiem paru czerstwych skórek chleba?

Ale spostrzegł, że jej odwrócone ramiona drżą i coś jakby łkanie wymknęło się z jej piersi.

— Może kiedy indziej. Niechaj anieli pańscy was wszystkich strzegą. A Luke O'Flaherty pomodli się...

Kernan przerwał mu gniewnie:

— Gdy ty się zabierzesz do pacierzy, to niebiosa na nas spadną! Ty łgarzu, przychodzisz tu straszyć biedną kobietę!

Luke wyszedł. Stary przemytnik wyjął dziesięcioszylingowy banknot z kieszeni kurtki.

— Jeszcze coś ukradnie, jeśli mu nie dam! — zamruczał.

Przywołał małego Peterka i wysłał go za elokwentnym włóczęgą.

Pat przetarła palcami oczy, zdjęła fartuch i powiesiła go na gwoździu za drzwiami do pralni.

— Strzelanina! — powtórzyła. — Słyszałeś, powiedział: strzelanina!

— A tak. I słyszałem wszystko inne, co mi naopowiadał. Same łgarstwa. I o tej strzelaninie z pewnością także łgarstwo!

— Oby! Ale według mnie Luke nie przyszedł tutaj, by coś wyżebrać. Chciał nas ostrzec, byśmy mogli zaradzić kłopotom. Blaguje i plecie, ale to nie jest zły człowiek.

Przygładziła włosy przed lusterkiem, poprawiła bluzkę. Kernan przyglądał się jej z ukosa i ściągał wargi.

— Zaradzić kłopotom! — burczał. — Co możemy zrobić? Gdzie ty chcesz iść? Nic nie wskórasz wałęsając się po wsi! Lepiej siedź w domu.

Jej odpowiedź zaskoczyła go.

— Idę do Woodesa. A jeśli Slattery jest jeszcze u niego, to tym lepiej.

— Slattery... tym lepiej? Na litość boską! Nie możesz go zapytać, czy twego męża postrzelono albo wsadzono do ciupy. Dowie się, czego może jeszcze wcale nie wie: odgadnie, co się tu knuło!

— Postrzelono, wsadzono! — powtórzyła ze zgrozą w głosie. — I ty myślisz, że ja tu mogę z założonymi rękoma, kiedy Michał... — Głos jej zamarł. — Będę udawała, że przyszłam zobaczyć się z Woodesem — podjęła. — Powiem mu,

26

że Michał popłynął na ryby nocą i spytam, czy nie widział czego ze swojej wieżyczki. Wtedy może Slattery coś wtrąci od siebie albo zdradzi się zachowaniem...

— Dziewczyno, nie! Wilki, rekiny i sędziowie ziemscy! Trzymaj się z dala od takich!

— Ja bym gotowa lwu w paszczę głowę włożyć!

— Gdy chodzi o twego męża, pewnoś rzeczywiście gotowa na każde głupstwo — przyznał Kernan.

— Niewiele wiem o Slatterym... — zaczęła Pat, ale stary przemytnik jej przerwał.

— On mało z kim się zadaje. A nas nienawidzi, bo ja mu nie chcę sprzedać gospodarki. Zresztą jest protestantem, więc nie będzie chodził ramię w ramię z katolikami jak ja.

— Chyba nie jest całkiem nieludzki — rzekła Pat. — We wsi powiadają, że tylko z tych domów nikogo nie wywieziono na cmentarz w latach Wielkiego Głodu, którym ty albo on dopomagali.

— Prawda. Ale nie powiedzieli ci, że w takich rodzinach, którym on dopomagał, zawsze była fertyczna dziewuszka. Pewno to ma znaczyć, że jest ludzki. Ściąga czynsze dzierżawne z całą bezwzględnością, albo temu swojemu sierżantowi każe ściągać, i eksmituje tak brutalnie jak każdy inny dziedzic o kamiennym sercu. Wiesz sama o tym, niejednej jego ofierze pomagałaś?

Pat zaatakowała od innej strony:

— Wydaje się wcale nie potępiać przemytu, chociaż jest sędzią ziemskim. Wciąż coś kupuje od ciebie przez tego sierżanta!

— A tak — zgodził się Kernan. — Kieszeń pana Slattery'ego zyskuje na tym. I żadnemu urzędnikowi w naszych stronach nic z tego nie przyjdzie, jeśli zaczną przeszkadzać przemytowi.

— Właśnie — powiedziała Pat. — I dlatego jeśli się trafi drań, jak ten z Bantry, którego nie można przekupić, to strzela z miejsca, a później powie, że był zaatakowany.

— Cierpliwości, moje dziecko. Trzymaj się z dala od wszystkich, którzy parają się prawem. To nie nasze prawo. Musimy im pokazać, że nie uznajemy tego prawa; ale chytroscią, nie wkładaniem szyi w pętlę. Oni bardzo szybko potrafią sznur szarpnąć.

Pat wytarła ręce w ręcznik, wzruszyła ramionami, mówiąc:

— Może. Ale ja muszę się dowiedzieć, co zaszło. I pewno nie jestem jedyną w okolicy kobietą, która traci zmysły z niepokoju.

— Postawisz na swoim, czuję to — mruczał Kernan. — Zawsześ taka!

Rzeczywiście Pat postawiła na swoim, chociaż to nie rozsądek nią kierował, lecz desperacja.

Dochodziła czwarta godzina, gdy Pat poszła z trójką swoich najmłodszych do chaty Keefe'a, zostawiwszy przy wuju Peterka, by podał staremu, co by było potrzeba. Na ostatku przykazała jeszcze:

— Tylko nie odwiązuj Horacego, bo pobiegnie za mną!

Gdy szła ścieżką, oddalając się od chaty, tryk naprężał z całych sił linkę i pobekiwał niskim głosem.

Molly Keefe była niewiastą hożą, o niewyparzonym języku i złotym sercu. Nie leniła się do pracy, ale niczego nie umiała zorganizować. Sama wyglądała zawsze nieporządnie i w jej obejściu panował bałagan. Dzieci ją uwielbiały, bo zawsze gotowa była odłożyć każdą robotę, by się z nimi bawić. Miała czworo własnych, następne w drodze i chętnie się opiekowała cudzymi, jeśli któraś sąsiadka miała pilną pracę w polu albo też wybierała się do kościoła.

Molly wyczuła od razu niepokój Pat, ale go nie podzielała.

— Kury i mężczyźni zawsze wracają na domową grzędę! — śmiała się, aż jej oczy nieomal znikały w tęgich rumianych policzkach. — Żarcia chcą i jeszcze czegoś, a ja też nie od tego! — Trąciła przyjaciółkę łokciem, ale Pat było nie do żartów.

28

— Żałuję, że nie mam twojego usposobienia — westchnęła. — W każdym razie dziękuję ci za opiekę nad malcami. Nie zabawię długo.

IV

Po drodze do domu Woodesa Pat musiała przejść przez wieś. Usiłowała się opanować, wyglądać na pogodną, aby się z niczym nie zdradzić. Droga przez wieś dłużyła się jej niesłychanie.

Jak w większości wiosek irlandzkich, w Clogbur rzucała się w oczy przede wszystkim bieda. Mało kto z młodych nie wyemigrowałby, gdyby mógł zebrać dość pieniędzy na przejazd do Ameryki. Wokół katolickiego kościoła, sklepiku — gdzie można było dostać wszystko, od cukierków za pół pensa do patelni albo łopaty — i odrapanej karczmy tłoczyły się ubogie chaty. Zamieszkiwali je rybacy, parobcy najmujący się do różnych dorywczych prac, a takie ogrodnik z probostwa, który łączył pracę w ogrodzie z obowiązkami grabarza.

Podobne domostwa ciągnęły się dalej, wzdłuż czasem zakurzonej, ale częściej tonącej w błocie drogi prowadzącej na północ. Te domostwa pobudowano na należących do nich skrawkach ziemi, rzadko większych niż hektar lub dwa, długimi pasami wstępujących na wzgórza. Zajmowali je dzierżawcy Artura Slattery'ego. Uprawiali przeważnie kartofle, które stanowiły główne pożywienie ich rodzin. Mężczyźni często wyjeżdżali w głąb kraju albo nawet do Anglii, najmując się do pracy w wielkich majątkach. Przywiezione do domu zarobki stanowiły przeważnie jedyną żywą gotówkę — oprócz pieniędzy za sprzedawaną Kernanowi na szmugiel wełnę z kilku niedożywionych owiec. I z tej gotówki niewiele zostawało po zapłaceniu czynszu dzierżawnego dziedzicowi.

Rodziny rybaków miały się odrobinę lepiej, ale połowy były nieregularne, zależały od pogody i zimowych sztormów. Oprócz Kernana i Wintera z całej bandy przemytników tylko Keefe i Megaw mieszkali w Clogbur. Innych z dalszej okolicy wzywał w razie potrzeby Keefe, jeżdżąc po wsiach na osiołku Pat, imieniem Rory. Ten dzielny zwierzak po powstaniu z czterdziestego ósmego przywędrował tu przez całą Irlandię aż z Kilegad, ciągnąc wózek, obok którego szli Michał i Pat, czasem tylko, w największym zmęczeniu, przysiadając na chwilę.

Kobiety we wsi witały serdecznie przechodzącą Pat. Nie zapomniały, jak pomagał im jej wuj w latach Wielkiego Głodu, kiedy to zaraza rok po roku niszczyła zbiory ziemniaków, a nawet szmugiel prawie ustał, bo owce pozjadano i zabrakło wełny na wymianę. A po osiedleniu się w Clogbur Pat sama też dała schronienie niejednej wyeksmitowanej przez dziedzica rodzinie, przynosiła żywność potrzebującym, pomagała młodym kobietom w godzinie porodu, pielęgnowała starych i chorych.

Ojciec Liam O'Connor stał przed furtką prowadzącą na kościelny dziedziniec, rozmawiając z grabarzem-ogrodnikiem Mateuszem Higginsem, wyschniętym i skurczonym, prawie bezzębnym staruszkiem. Ksiądz był wysokim, chudym czterdziestoletnim mężczyzną, którego ascetyczna twarz świadczyła o klasztornej surowości życia. Jedynymi ustępstwami na rzecz ludzkich słabości, na jakie sobie pozwalał — jego gospodyni była żeńskim odpowiednikiem grabarza — były tytoń i francuskie wina w bardzo umiarkowanych ilościach. Chociaż usprawiedliwiał przemyt jako obowiązek patriotyczny, jednakże innym łamiącym dziesięć przykazań — kłamcom, cudzołożnikom, złodziejom — i zaniedbującym religijne obowiązki nie okazywał pobłażliwości ani w konfesjonale, ani poza nim. Ze Slatterym utrzymywał wyłącznie oficjalne stosunki, nie tylko dlatego że sędzia był protestantem, ale również dlatego że ojciec O'Connor był dobrze poinformowany o jego sprawkach z młodymi kobietami.

Tego pokroju człowiek nie mógł też odnosić się przyjaźnie do Winterów, których nie widywano w kościele prócz tych okazji, gdy ulegając namowom starego Kernana, przychodzili ochrzcić następne niemowlę. Księdzu nie powiodły się próby przekonania ich o potrzebie pociechy religijnej, do której, dowodził, zwrócą się na pewno na starość, nawet jeśli teraz mają takie sztywne karki. Ojciec O'Connor posiadał prywatne dochody i jego dobroczynność przyciągała do kościoła nie mniej wiernych niż kazania i modlitwy. Ale względna zamożność tego Anglika i jego żony wykluczała ten sposób nawrócenia ich na łono religii.

Teraz zawołał do Pat:

— Niech będzie pochwalony Jezus Chrystus! Pani Winterowa! — Głos jego miał akcent rezygnacji. — Czy mogę z panią chwilę porozmawiać?

— Dzień dobry księdzu. Ale naprawdę tylko chwilę. Spieszę się.

Mówiła spokojnie. Trzymała się dobrze w karbach.

Ale czego on chce? Czyżby posłyszał o...?

— Chciałbym pani przypomnieć, że wasz najstarszy synek jest w wieku, kiedy powinien przystąpić do pierwszej komunii. Czy nie będziecie przysyłać go do mnie na naukę przygotowawczą?

— Pomyślimy o tym — wykręcała się Pat.

— Ochrzciłem to dziecko — mówił ksiądz. — Nie możecie narażać zbawienia jego nieśmiertelnej duszy, wzbraniając mu dostępu do sakramentów i kościoła!

— Wie ojciec — Pat przywołała uśmiech na usta, choć daleko jej było do wesołości — będziemy mieli dość trudu, przygotowując go do walki o kraj. Jeśli to będzie robił z całego serca, jego dusza będzie w porządku, z sakramentami czy bez!

— Droga pani! To bluźnierstwo! Będę się modlił do Matki Boskiej, by was oświeciła!

Odchodząc już drogą, Pat zawołała przez ramię z udawaną słodyczą:

— Dziękuję, ojcze! Modlitwy księdza nie na wiele mi się przydadzą, ale i oburzenie mi nie zaszkodzi!

Do domu Woodesa Pat szła ścieżką przez pastwisko, na którym kilka owiec leniwie skubało trawę. Mogła teraz dostrzec zatokę, skąd jak się zdawało, kuter straży celnej już odpłynął — nigdzie go nie było widać. Przed domem stał przywiązany do słupa wierzchowiec, a w drzwiach właśnie się ukazali Slattery i Woodes. Obaj chwiali się nieco na nogach i śmieli głośno. Nie tylko celników upijano potiną.

— Dobry wieczór, Frank! — zawołała Pat i usłyszała w odpowiedzi:

— Ach, chociaż masz czarne włosy, to jaśniej się robi na świecie, gdy przychodzisz! — Czkawka mu trochę przeszkadzała w komplementach. — Czym mogę służyć?

Woodes był niskiego wzrostu, ale muskularny, barczysty, bez odrobiny zbytecznego tłuszczu. Okrągły kształt jego głowy podkreślała jeszcze ostrzyżona na jeża siwiejąca czupryna.

— Daj spokój pięknym słówkom — odrzekła Pat. — I dzień dobry panu, panie Slattery. Ale powiedz mi, Frank, czy nie widziałeś ze swojej wieżyczki łodzi wuja? Michał popłynął wczoraj rano na ryby i jeszcze nie wrócił. A nigdy nie łowi dłużej jak dwanaście godzin jednym ciągiem.

Sędzia odwiązywał konia.

— Nie, nie widziałem łodzi twego wuja — odrzekł Woodes. Znowu mu się odbiło.

Twarz Pat pociemniała. Serce jej biło, jakby miało wyskoczyć z piersi.

— No to trudno! Muszę się zdobyć na cierpliwość. — Dodała z nie bardzo udanym uśmiechem: — Molly Keefe powiada, że każdy mężczyzna w końcu wraca na domową grzędę. Do widzenia, Frank, dziękuję ci...

— Nie ma za co — przerwał Woodes. — Chętnie bym ci pomógł, gdybym mógł, Pat.

W zdenerwowaniu słowa te wydały się jej pełne ukrytego znaczenia.

Slattery czekał z cuglami w ręku. Nie stykał się do tej pory z Winterową, co najwyżej rzucał zdawkowe „dzień dobry", spotkawszy ją we wsi, a to bywało rzadko. Niechęć do starego Kernana rozciągnął na jego rodzinę. Ale jej uroda nie mogła ujść uwagi tego doświadczonego kobieciarza. Pożegnał się z Woodesem i prowadząc konia, poszedł ścieżką przez pastwiska razem z Pat. Wprawiał ją w zakłopotanie; a prawdziwie zaniepokoiła się tonem jego głosu, gdy zaczął rozmowę:

— A więc niejedna kobieta we wsi denerwuje się nie-obecnością męża?

Czasem któreś słowo wymówił niewyraźnie, ale mniej było po nim znać wypity trunek niż po Woodesie.

— Mówiłam tylko z Molly Keefe — odparła krótko Pat.

— Inni we wsi tytułują mnie wielmożnym panem — oznajmił Slattery.

W odpowiedzi Pat zabrzmiało jakby echo słów jej uwielbianego brata i mentora, powieszonego na szubienicy Seana O'Donovana:

— Według tradycji mojej rodziny każdy człowiek jest równy drugiemu, dopóki życie nie dowiedzie czego innego. Szanujemy tego, kto na to zasługuje...

— Bez ogródek powiedziane! Mogłem się tego spodziewać. Znam trochę waszą przeszłość, pani i jej męża. Zadałem sobie trud dowiedzenia się. Anglicy przerobieni na Irlandczyków bywają niebezpieczniejsi od rodowitych Irlandczyków.

— My to samo sądzimy o rodowitych Irlandczykach, którzy przeszli na stronę Anglików — odparowała, myśląc: Ma na myśli Michała... Boję się, dlaczego... ale przecież po to tu przyszłam...

Slattery spojrzał na nią gniewnie:

— Pani mąż wybrał się wczoraj nie na ryby, ale na przemyt. Powinien tego zaniechać.

...Do czego on zmierza? Co on wie? Lepiej dać mu się wygadać...

Slattery mówił dalej:

— Moim obowiązkiem jest wiedzieć, kto się w okolicy zajmuje szmuglem. Czy mogę przypomnieć, że to działalność przestępcza?

Pat zapomniała, że chciała „dać mu się wygadać". W jej naturze leżało atakowanie wprost.

— Gdyby nie było tej tak zwanej „przestępczej" działalności, nawet pan sam musiałby się obywać bez wielu rzeczy albo płacić taaakie ceny!

Zadowolona z tego ciosu, rzuciła Slattery'emu łobuzerskie spojrzenie. A w nim jej zuchwałość obudziła znane mu uczucie — pożądanie. Od kiedy żona, którą prawdziwie kochał, odtrąciła go, bliskość ponętnej kobiety zawsze budziła w nim satyra, usypiała rozwagę, wyzwalała brutalną siłę, sparaliżowaną w obecności Ireny. Trunek w jego żyłach potęgował podniecenie.

— To moja rzecz, gdzie kupuję!

Wyglądało to na koniec rozmowy. Pat odwróciła się, jakby chciała pójść sama przez pastwiska. Slattery prędko powiedział pierwsze słowa, które mu na myśl przyszły, byle tylko ją zatrzymać.

— Co do pani męża... jest aresztowany.

Serce w niej zamarło. Chwyciła oddech, straciła panowanie nad sobą, choć tak sobie obiecywała zachować spokój.

— Gdzie on jest? Czemu mi pan od razu nie powiedział? Co mu zarzucacie? Co z nim zamierzacie zrobić?

Slattery nie ukrywał zadowolenia na widok tak gwałtownej reakcji. Lis znalazł drogę do kurnika.

— No cóż, to zależy — powiedział jakby z namysłem. Mówił coraz bardziej niewyraźnie. — Pani męża wzięli celnicy. Musiałem go zamknąć. Ale pani wie równie dobrze jak ja, że w tej okolicy trudno jest udowodnić komukolwiek oskarżenie o przemyt. Za pół funta herbaty albo i mniej świadkowie złożą fałszywe zeznania, a sędziowie przysięgli nie wydadzą skazującego wyroku.

— Więc pan wypuści Michała?

— Nie tak prędko. To zależy, jak już powiedziałem. Może będę musiał wysłać go do Dublina. Tam sąd przysięgłych gorliwie wypełnia swoje obowiązki.

Pat zachwiała się, potknęła.

...Proces w Dublinie... Michał... Anglik, który przeszedł na stronę Irlandczyków... Winien, zanim w ogóle stanie przed sądem... a dawni przyjaciele jego ojca w szyderczym triumfie nad tą czarną owcą, która wpadła...

Slattery obserwował ją bacznie: lis przypatrujący się zdanej na jego łaskę ofierze.

— Oczywiście w pewnych okolicznościach mógłbym się zgodzić nie wysyłać...

— W jakich okolicznościach? Proszę mi powiedzieć... Ja wszystko zrobię!

Wyciągnęła błagalnie dłoń, jakby chciała dotknąć jego ramienia. Poruszył się i jej palce zsunęły się do jego ręki, jakby w pieszczocie. Poczuł to dotknięcie aż w samych lędźwiach. Wszelkie poczucie przyzwoitości, jakie jeszcze posiadał — a nie było go wiele — znikało w mgnieniu oka.

— Trochę dobroci z twojej strony — głos mu ochrypł nagle, przeciągał znacząco słowo „dobroć". Chciał ją wziąć za rękę. Wyrwała mu się.

— Jak pan się waży! — wykrzyknęła. Kobiecy instynkt w obliczu męskiej żądzy kazał jej zapomnieć nawet o Michale.

— Ja się ważę na wiele — odparł, nachylając twarz bardzo blisko, owiewając ją wonią trunku. — Ale ty się ważysz na więcej, o wiele więcej. Wiesz oczywiście, jakie wyroki wymierza się za przemyt? Długoletnie ciężkie więzienie albo, co może bardziej skuteczne, zesłanie. Dziesięć lat zesłania. Bez rodziny. Prócz tego przyrzekłaś wszystko...

Pat odwróciła wzrok od swego dręczyciela i zacisnęła wargi. Czy to była za wysoka cena za Michała? Za całą rodzinę? Michał by oczywiście powiedział, że o wiele za wysoka... Kiedy nadejdzie chwila zapłaty, może uda jej się przebłagać tę bestię albo jakoś się wykręcić. Wiedziała, że chce sama siebie oszukać. Slattery miał reputację...

— Czy pan go wypuści, jeśli ja...? — wykrztusiła szeptem.
— Kiedy ty... — poprawił.
— Jaką mam pewność?
— Moje słowo.

Tego było za wiele.

— Pana słowo? — rzekła szyderczo. — Słowo mężczyzny! Mężczyźni się urodzili po to, by kłamać. Szkoda tylko, że tyle głupich kobiet wam wierzy, albo — znowu upadła na duchu — musi udawać, że wierzy.

Slattery wiedział, że wygrał. Nie bacząc na konsekwencje, rwał się jak lis do bezsilnie trzepoczącej kury.

V

Pat szła dalej, nie odwracając się. Była jak zahipnotyzowana w oczekiwaniu nieuniknionego.

— Trzecia jaskinia na plaży w prawo od zatoki — powiedział Slattery.

Dygocąc z niecierpliwości, chciwy ofiary, Slattery zawrócił, śpiesznie poprowadził konia z powrotem ścieżką do domu Woodesa i zdjął z niego koc.

Gdy Pat uszła jeszcze pareset metrów, nagle krzyk wyrwał się z jej ust i rzuciła się pędem naprzód:

— Michał! Michał! — Wpadła na niego, obejmowała, ściskała. — Na wszystkich bohaterów Irlandii, jesteś tutaj! Och, Michale! Jesteś wolny!

Ukryła twarz na jego ramieniu. Michał rzucił na ziemię zabitego zająca, podniósł jej twarz ku sobie i ucałował z uśmiechem.

36

— Co przypuszczałaś? I czemu mówisz, że jestem wolny?

— Tak się strasznie bałam... on powiedział...

— Czego się bałaś? Kto powiedział? Pat, ty się cała trzęsiesz!

— Takam szczęśliwa, że już sama nie wiem, co mówię. Bałam się, że ci się coś złego przytrafiło. Nie było ciebie dwa dni i noc... i żadnych wieści, tylko O'Flaherty powiedział, że była strzelanina dziś rano koło ujścia. Woodes o niczym nie wie, byłam właśnie u niego. Czy nie mogłeś przysłać słówka przez kogoś? Zawsze to dawniej robiłeś, kiedy...

— Za duże ryzyko. Kuter straży celnej stoi w zatoce, ten drań z Bantry zszedł tu na ląd. Tak mi przykro... nie powinnaś była... Przeprawiliśmy się wszyscy na drugi brzeg ujścia. A co do strzelaniny, to tak dla zabicia czasu, a nie bez skutku. Patrz! — I trącił nogą zająca.

— Już dobrze! Już wszystko dobrze! — mówiła, chwytając oddech, wytrącona z równowagi jak wtedy, gdy Slattery groził procesem w Dublinie i zesłaniem. — Jesteś cały, zdrów i... — przygryzła usta i nie dopowiedziała: „wolny".

— Chodź. Idziemy do domu.

Oprzytomniała. Slattery... będzie czekał... dobrze mu tak... ale...

Odsunęła się od Michała.

— Ty idź. Już wszystko dobrze. Ja się uspokoiłam. Idę na brzeg, chcę nazbierać krewetek.

— Daj spokój krewetkom, chodź ze mną!

— Obiecałam dzieciom. A ty idź.

Dziwny jakiś ogień palił się w jej oczach. Michał nie wiedział, że wstąpił w nią jej własny, osobisty diabeł.

— Pat, chyba nie wątpisz, że ci powiedziałem prawdę? — spytał. — Ukrywaliśmy się przez całą noc. Czekaliśmy, by kuter celników odpłynął. Wszyscy razem. George ci powie. Nie przypuszczasz, że ja...?

— Nie, nie. Nic nie przypuszczam. Idź. Musisz być głodny. Będę w domu niedługo.

Poszła w stronę plaży. Michał patrzył za nią ze zmarszczonym czołem.

Wreszcie wzruszył ramionami, zabrał zająca i odszedł w przeciwnym kierunku.

...Gdy jej coś strzeli do głowy, nie da sobie wyperswadować — rozmyślał, sam nie wiedząc, ile ma słuszności w tym przypuszczeniu...

Pat biegła zwinnie po nadbrzeżnych skałach do jaskini, którą Slattery wyznaczył na schadzkę.

...Dam temu rozpustnikowi, temu łgarzowi, taką nauczkę, że mnie na całe życie popamięta. Raz już pozbyłam się niedoszłego gwałciciela w Kilegad, też Artura, coś musi być z tym imieniem... wtedy go rąbnęłam żelazną patelnią... Ten szantażysta nie zapomni, że chciał się poważyć na irlandzką matkę... kolanem tak mu dojadę...

Slattery czekał w jaskini, rozłożywszy koc na kamieniach. Skoczył ku niej niecierpliwie. Cofała się pod skalnymi ścianami. Szedł za nią, krzywiąc twarz w uśmiechu.

— Chodź, moja piękna — nalegał. — Na teraz jesteś moja... bo jeśli nie...

Wyciągnął ręce, by ją pochwycić. Wywinęła się.

— Nie tak prędko! — powiedziała, rozkoszując się sytuacją. — To ma być dla twojej przyjemności, nie mojej.

Uśmiechnęła się na myśl o „przyjemności", jaką temu lisowi szykowała. Pat nie była kurą, raczej sokołem o mocnych szponach.

— Nie drażnij się ze mną! — ostrzegł. Oczy mu błyszczały, szczerzył zęby, dyszał ciężko. — Pamiętaj, co się stanie z twoim mężem, jeżeli...

Wybuchnęła śmiechem.

— Z moim mężem! — Śmiała się jak szalona, chociaż nie spuszczała z niego bacznego wzroku. — Właśnie spotkałam mego męża! W ogóle na oczy nie widział i nigdy widzieć nie będzie twojej zaszczurzonej celi!

Slattery nie mógł się już pohamować. Pożądanie i trunek rozpaliły go, skoczył ku niej. Wymknęła się znowu.

— Zedrę z ciebie wszystkie szmaty... — dyszał. — Mogę kazać twego męża aresztować każdej chwili...

Pat zatrzymała się. Slattery stał pomiędzy nią a wyjściem z jaskini.

...Czyżby się ośmielił aresztować? wysłać do Dublina? Nie, odechce mu się, zanim z nim skończę. Będzie zajęty tłumaczeniem, dlaczego nie może jeździć konno... ale jeszcze go podrażnimy...

Slattery ściągał z siebie odzież, a Pat, świadomie wyzywająca, rozpinała bluzkę. Zatrzymał się i wpatrzył w oliwkową skórę jej ramion, w kształt jej piersi widocznych przez cienką koszulę, Jak oszalały pochwycił ją jedną ręką, drugą sięgnął jej piersi. Ona cofnęła prawe kolano, szykując się...

W wejściu do jaskini nad jego ramieniem, dostrzegła nagle cztery włochate białe nogi.

...A to ci okazja! Dałabym draniowi nauczkę, ale Horacy to zrobi lepiej!...

— Bij! — krzyknęła. — Horacy! Bij!

Zabębniły racice po kamieniach jaskini. Slattery puścił ją, odwracając się. Za późno. Pat uskoczyła na bok, a Slattery z okrzykiem zdumienia i bólu padł na twarz, rzucony silnym ciosem.

Z trudem podniósł się na kolana i na czworakach wykrztusił:

— Ty... ty... czarownico!

Po zadanym ciosie Horacy cofnął się. Ujrzał teraz przed sobą idealny cel. Pochylił łeb i runął do pewnego ataku. Uderzył całą mocą zakręconych rogów celnie i silnie, jakby trafił w dziesiątkę, w sam środek wypiętego siedzenia jego wielmożności sędziego ziemskiego w Kenmare.

Pat, zapinając bluzkę, stała nad Slatterym, którego Horacy jeszcze próbował bóść, chociaż jego ofiara leżała zupełnie pokonana, pojękując.

Po raz drugi tego dnia sędziemu zagrożono zastrzeleniem.

— Jeśli piśniesz choćby słówko o tym — powiedziała Pat przez zaciśnięte zęby — zastrzelę ciebie, ty spasiona łgarstwami świnio! Przysięgam, że zastrzelę!

I zawoławszy Horacego, wybiegła. Wysoko na skarpie przystanęła, by popieścić tryka.

— Gdyby nie to, że mogłabym w ten sposób zdradzić całą historię, zmieniłabym ci imię na Święty Jerzy! — powiedziała.

Przypomniała sobie o krewetkach.

...Powiem Michałowi, że nadejście Horacego mi przeszkodziło... szkoda, że nie mogę opowiedzieć reszty... Ale nie. Michał by go zamordował...

Pędzili co tchu, oboje z trykiem.

...Slattery będzie się chciał zemścić... Co wymyśli?

Nie, będzie się bał, że opowiem, jak go wystrychnęłam na dudka... Woodes będzie wiedział, że to prawda... „wielmożnego pana" pobódł baran...

Uśmiechnęła się na to wspomnienie.

...Mogę tylko czekać... pożyjemy, zobaczymy...

Pat nie wiedziała jeszcze, że niecierpliwa pożądliwość Slattery'ego miała także inne oblicze. Gdy było trzeba, potrafił zdobyć się na niepokonaną wytrwałość i czekać, czekać.

ROZDZIAŁ DRUGI

I

Molly Keefe weszła do domu Kernana w otoczeniu całej gromady dzieci. Wysłała je na dwór, by się bawiły ze stadkiem Pat, a sama usiadła w kuchni, by pić herbatę — wyborną, szmuglowaną — i poplotkować.

— Wiesz, ta latawica ze dworu, Grace, przyszła do mnie wczoraj — zaczęła Molly. — Opowiada, że jeśli o nią chodzi, Slattery mógłby siedzieć w Dublinie tak długo, jak chce. Bo Ernest Greene jest o wiele hojniejszy od dziedzica.

— Hojniejszy? — spytała Pat. — Chyba jej płaci tyle, ile dziedzic kazał.

Molly szturchnęła przyjaciółkę łokciem, jak to miała w zwyczaju.

— Nie udawaj naiwnej! Wiadomo, o co chodzi. Zamiatanie podłóg i mycie okien to nie jest jedyne jej zajęcie we dworze. A pewnego dnia znajdzie się w kłopocie i będzie musiała galopować do ołtarza. Wtedy najpierw zadrze spódniczkę dla jakiegoś starego pryka, a później mu wmówił, że to jego niedołężne wysiłki, po których musiał przez tydzień plackiem leżeć ze zmęczenia, tak skutecznie podziałały.

— To jej rzecz — zauważyła Pat.

— Całkiem się z tobą zgadzam — rzekła Molly, aby się nie wydawało, że potępia inne. — Ja miałam dwóch, jednego wielkiego, drugiego małego, ale obu chłopów na schwał. Gdybym wlazła w taką kabałę jak Grace, kto wie, co bym robiła.

41

Pat namiętnie kochała męża, ale mało się interesowała cudzymi osobistymi sprawami. Zmieniła temat.

— Kiedy ten Slattery wraca? Już chyba ze dwa miesiące, jak wyjechał.

— I więcej. A nawet Grace nie wie, dlaczego go wyniosło, tylko powiada, że któregoś dnia przykuśtykał do domu, i to nie drogą, a od pola za dworem, prowadząc konia za uzdę. Ponoć spadł. Wlazł do łóżka i leżał na brzuchu przez trzy dni.

Pat z wielkim trudem powstrzymała uśmiech. Zacny, dzielny Horacy!

— A kiedy Gracja chciała wskoczyć do łóżka obok niego — opowiadała dalej Molly — Slattery wrzasnął na nią i kazał jej się wynosić do facjatki na poddaszu. Wcale do niego niepodobne. Gracja powiada, że jemu dużo tego dobrego potrzeba! A na czwarty dzień wstał i zabrał się do Dublina. Nie pojechał konno ze stajennym, tylko kazał zaprzęgać do powozu, a Gracja musiała mu trzy miękkie poduszki podłożyć pod tyłek. Powóz wrócił tego samego wieczoru. Slattery został w Killarney i miał jechać dalej tym nowomodnym pociągiem. Dziwne rzeczy. Ciekawam, co mu się naprawdę stało?

— Bywa, że się spadnie z konia nawet na plecy — zauważyła spokojnie Pat, nadal tłumiąc śmiech. Była pewna, że w ciągu tych trzech dni po zastosowanym przez Horacego zabiegu Slattery cierpiał jeszcze więcej z powodu upokorzenia niż fizycznego bólu.

II

Tego samego dnia późnym wieczorem Slattery dotarł do Kenmare Lodge. Jechał z Killarney, odległego o jakieś trzydzieści kilometrów na północ, wynajętym powozem, który odprawił przed bramą. Tu powitał go uszczęśliwiony spaniel, skacząc i liżąc mu ręce.

42

— Cicho bądź! — uspokajał go Slattery półgłosem.

Obszedł po trawie dom dookoła, wszedł po cichu kuchennym wejściem. Z bawialni, do której drzwi były uchylone, doleciały jakieś szepty. Kopnął drzwi na oścież i zapalił zapałkę. Jego rządca, zupełnie nagi, zerwał się z otomany. Głos Gracji zabrzmiał spokojnie w ciemności, która zapadła po zgaśnięciu zapałki:

— Ernest wart więcej od waszej wielmożności. On wcale spać nie potrzebuje...

W milczeniu Slattery zapalił lampę. Greene już zdążył wciągnąć spodnie. Gracja śmiało przyjęła nieuniknione. Wyzywająca w każdym poruszeniu ciała, poszła do drzwi. Slattery wstrzymał ją słowami:

— Spakuj rzeczy i wynoś się natychmiast!

Popatrzyła po sobie i spytała:

— Co, tak jak stoję?

Ignorując impertynencję, Slattery warknął:

— Twoja zapłata będzie na stole w sieni. Daję ci piętnaście minut czasu, potem cię wyrzucę.

Wziął szpicrutę z kominka i gdy dziewczyna wyszła, zaczął okładać rządcę po głowie ostrymi razami.

— Ja cię nauczę bawić się z moimi suczkami! Jak ja z nimi skończę, wtedy dość czasu dla ciebie...

Były sierżant pochylił się, zgiął we dwoje, nadstawiając plecy, a osłaniając głowę. Mógł rozłożyć pracodawcę jednym ciosem pięści. Ale chwilowa satysfakcja nie nagrodziłaby mu utraty posady i gorzkiego żalu przez całe życie. Przyłapano go, ale nie sądził, by go Slattery wylał, pod warunkiem że będzie trzymał ręce przy sobie i język za zębami.

Miał słuszność. Wczesnym rankiem następnego dnia dziedzic wydał mu różne polecenia i odjechał konno, ani słowem nie wspomniawszy o wydarzeniach poprzedniej nocy — ani też o celu swego wyjazdu. Tym niemniej Slattery był w złym humorze. Przez dwa miesiące zdany na zimną niechęć Ireny, wrócił do Kenmare Lodge bardzo spragniony entuzjastycznego partnerstwa Gracji. Popędzał konia i rozmyślał:

...Pod pewnym względem dobrze się złożyło... musiałbym jej się pozbyć niebawem... ten ojciec ze strzelbą... ale teraz przydałaby się na tydzień lub dwa...

Ukradkiem wracając do domu, chciał sprawić jej niespodziankę, wśliznąć się do jej wąskiego łóżka, obudzić pieszczotami potęgującymi pożądanie. Zamiast tego tylko spaniel dzielił z nim sypialnię tej nocy.

...Kobiety to diablice... moja żona... ta młoda Winterowa... teraz ta suczka Gracja...

Wyprostował się w siodle.

...Jest ich pod dostatkiem... tam, skąd Gracja przyszła...

I zaczął się zastanawiać nad celem obecnego wyjazdu. W Dublinie jego gniew na Pat Winterową, z braku zajęcia i przymusowej cnotliwości, rozgorzał do pasji. Nieprzywykły do odkoszy od kobiet niskiego stanu, dziewcząt czy mężatek, które zaszczycił propozycją swoich uścisków, chciał się tak zemścić, by ta impertynentka żałowała przez resztę życia, że odważyła się go upokorzyć.

Przyjechawszy do Bantry, z zadowoleniem zobaczył koło mola przycumowany kuter straży celnej. W urzędzie celnym osławiony z powodu swej nieprzekupności naczelnik wstał na jego widok. Przywitawszy się, Slattery rzekł:

— Myślałem nad tym, panie Jones, co mi pan powiedział przed kilku tygodniami w Clogbur. Zgadzam się z panem. Powinniśmy nawiązać ściślejszą współpracę. Przyjechałem, żeby omówić, co moglibyśmy wspólnie zorganizować.

Slattery wiedział, że osławiona uczciwość tego urzędnika też miała swoją cenę, tyle że wyższą od innych.

III

Południowo-zachodni zakątek hrabstwa Kerry leżał daleko od ośrodków angielskiej władzy. Najbliższe Cork, trzecie po Dublinie i Belfaście miasto Irlandii, było oddalone o blisko sto kilometrów i nie miało kolejowego połączenia z Kenmare. Górzysta okolica dostarczała schronienia przemytnikom i innym skoczkom z szubienicy, w razie potrzeby przez długie miesiące, ułatwiając im urządzanie zasadzek na policję i żołnierzy, jeśli ci zdecydowali się na taką nieostrożność, jak poszukiwanie przestępców. Nic więc dziwnego, że policji tu było niewiele i dość ospałej. Najbliższy garnizon wojskowy znajdował się dopiero w Killarney.

Gdy Slattery objął w posiadanie odziedziczony majątek, zdał sobie szybko sprawę, że prawo działało tutaj — o ile działało w ogóle — tylko w odniesieniu do mało ważnych wykroczeń. Karano ojców nieślubnych dzieci, oczywiście wyłącznie wtedy, gdy się rekrutowali z najuboższych sfer. Karano złodziei kurcząt i jagniąt, kłusowników — każdego, kto naruszył święte prawo własności szlachty.

Tylko drobna część sprawców poważniejszych przestępstw dostawała się przed sąd. Jeśli przestępstwo popełnił Irlandczyk, rodacy ukrywali go, podając z ręki do ręki, z hrabstwa do hrabstwa, aż policja straciła wszelki ślad. A jeżeli Anglik — właściciel ziemski albo jego agent czy rządca — ten kpił sobie z prawa egzekwowanego przez władzę zbyt słabą i skorumpowaną, by mogła mu wymierzyć sprawiedliwość.

Wszystkie te czynniki zaważyły na decyzji Artura Slattery'ego, gdy przyjmował urząd sędziego ziemskiego w Kenmare. Obowiązki będą lekkie. Nie potrzebował też, przynajmniej do tej pory, zaprzątać sobie głowy aspektami politycznymi. Nie wynikało to zresztą z braku zainteresowania Irlandczyków polityką, „Irlandia dla Irlandczyków" — było hasłem głęboko zakorzenionym i wiecznie żywym wśród patriotycznej ludności Szmaragdowej Wyspy. Ale od kilku lat ruch niepodległościowy jakby przygasł.

Pewnego dnia, wkrótce po powrocie Artura Slattery'ego do dworu, stary Kernan spotkał we wsi nieznajomego, a widać mocno znużonego wędrowca. Wysoki, chudy, miał na sobie zniszczone odzienie obcego kroju. Kernan przypuszczał, że to aktor z jakiejś trupy objazdowej, który się odłączył od swoich kompanów.

— Niech będzie pochwalony! Pan chyba obcy w naszych stronach? Wygląda pan na setnie zmęczonego. A z daleka to?

Podróżny wsparł się na mocnym sękatym kiju i popatrzył bacznie na interlokutora.

— Na południu i zachodzie Irlandii, gdzie przeszedłem trzy tysiące mil z okładem, mało jest miejscowości, w których byłbym teraz obcy. A co do zmęczenia, to rzekłszy prawdę, nogi mi w tej chwili ciążą o wiele bardziej niż brzuch.

Te „trzy tysiące mil z okładem" nie było niedopowiedzeniem, jako że podróżny miał silne skłonności do przesady.

— A więc proszę do domu, jeśli wola! — zaprosił herszt przemytników, dodając pozdrowienie, którym w Irlandii tradycyjnie wita się gości: — *Cead mile failte* (tysiączne powitania). Nikt nie powie, że stopy zmęczonego wędrowca pozostaną nie obmyte, a jego brzuch nie napełniony w domu Jamesa Kernana! To moje nazwisko, do usług, jeśli się spodoba, a jeśli nie, to mogę tylko prosić o wybaczenie, bo już go nie zmienię!

— Mówisz pan jak prawdziwy Irlandczyk — rzekł obcy.
— Wierzę, że patriotyzm idzie w parze z pańską uczciwą twarzą i zacnymi słowami. Nazywam się Stephens, a na imię mi James, jak panu. Możeś pan o mnie słyszał. Większość patriotów zna moje nazwisko.

Co prawda Kernan nigdy nie słyszał nazwiska Jamesa Stephensa, ale nie chciał urazić gościa przyznaniem się do tego. Odparł więc:

— Czy jestem patriotą, mogą poświadczyć moi sąsiedzi, ponieważ pokładają we mnie zaufanie, i sędzia ziemski, ponieważ mnie uważa za łotra!

Niebawem Stephens siedział w kuchni domu Kernana ze spodniami zawiniętymi do kolan, a stopami w misce ciepłej wody, do której Pat dolała wywaru kojących ziół. Młoda gospodyni kładła widelce i łyżki na wyszorowanym do białości stole i dorzucała polana, by ożywić ogień tlącego się torfu. Jej najmłodsze niemowlę spało już w przyległej izbie, gdzie Peterek sumienie dozorował rozbierania się i mycia Kevina i Denisa.

— Takie smakowite zapachy unoszą się z tych garnków, pani gospodyni — rzekł Stephens — że ślinka do ust by leciała nawet mniej głodnemu ode mnie! — I spojrzawszy na stół, dodał: — Widzę, że więcej tu siada do wieczerzy!

— Mąż mojej siostrzenicy zaraz przyjdzie — odpowiedział Kernan, nie dając Pat dojść do słowa. — I dwaj jeszcze zacni sąsiedzi, którzy mu pomagają strzyc owce, poproszą o honor zasiadania do stołu razem z panem.

Prawie w tej samej chwili Michał, Roger Megaw i George Keefe weszli z hałasem i wstrzymali się na chwilę w drzwiach, rzucając pytające spojrzenia na obcego. Kernan wymienił nazwiska, a Michał rzekł:

— Ach, James Stephens! Cieszę się, że mogę pana poznać. Wiele o panu słyszałem. Przepraszam, że nie podaję ręki, moim rękom trzeba najpierw tego samego, czego jak widzę, zażywają pana stopy!

Stephens przyglądał się wysokiemu jasnowłosemu Anglikowi.

— I mnie nieobce jest pana nazwisko. Jeżeli się nie mylę, to pan...

— Wybacz mi, zacny gościu — przerwał mu Kernan. — Ci dobrzy ludzie muszą się obmyć, a potem siądziemy wszyscy do stołu popróbować dzieła rąk mojej siostrzenicy! Bo czyż nie należy do dobrej, starej irlandzkiej tradycji nakarmić gości najpierw, a wyjaśnienia zostawić na potem?!

— Prawda, Jamesie, prawda! — wmieszał się Megaw. — W zamkach irlandzkich królów najważniejszy gość dostawał porcję od szynki, następny od schabu, a woźnica głowę dzika. Dzisiaj z konieczności panuje większa równość. Wszyscy sięgamy do jednego półmiska, czy to będzie duszona baranina po irlandzku dla tych szczęśliwców, którzy mają dostęp do kuchni Pat, czy też nie okraszone ziemniaki, stanowiące całą wieczerzę wielu naszych sąsiadów dzisiaj i jutro, i pojutrze. Oni i tak uważają, że nie jest najgorzej, bo bywało, że jedli tylko dzikie jagody!

— Wymowy panu nie brak, jak widzę — zauważył Stephens. — We właściwym czasie przekonacie się, że i ja językiem potrafię obracać!

Megaw jeszcze nie skończył.

— A pod koniec wieczoru — ciągnął — król zwykle ofiarowywał swoim gościom żonę lub dwie, by im ciepło było. A rankiem świeże konie...

— Żadnych żon nie będzie się tutaj ofiarowywać — odezwała się znad kuchni ostro Pat. — Za przeproszeniem naszego gościa, którego wcale nie chcę urazić!

Kiedy śmiech ucichł, Keefe zauważył sucho:

— Łatwo królom było ofiarowywać konie i żony zapasowe.

W pralni, mydląc twarz i ręce, Michał mruknął z namysłem:

— Pamiętacie? James Stephens był adiutantem Smitha O'Briena w czterdziestym ósmym.

— A jakże! — zawołał Megaw. — Inżynier kolejowy. Nie wzięli go: udało mu się uciec do Francji.

— Ciekaw jestem, czego on tutaj chce, co robi — mówił Michał. — Założę się, że nie po to łazi aż do odparzenia sobie stóp, by podziwiać wiejski krajobraz.

Gdy wszyscy zasiedli do stołu, nad którym unosiła się para z kopiastych półmisków, Kernan nalał każdemu whisky do cynowego kubeczka, intonując przyśpiewkę napisaną jeszcze w XVII wieku przez Ryszarda Stanhursta, o czym zresztą wiedział prawdopodobnie tylko jeden Megaw z całej kompanii:

— Whisky chędoży świerzb, opóźnia starość, rozluźnia flegmę, rozpuszcza wnętrzne kamienie i piasek, nie dozwala zawrotów głowy, sięga oczyszczającym dotknięciem do każdej komórki płuc, zapobiega otłuszczeniu serca, ucisza burczenie w żołądku, rozwiązuje języki kołkiem w gębie stojące; to suwerenny trunek. Powąchajcie go, a wciągajcie dech mocno, bo nawet woń sama warta zamknięcia do flaszek. Popijajcie, zacni przyjaciele, ani za prędko, ani za wolno.

Usiadłszy, Kernan zastosował się do własnej wskazówki, a goście poszli w jego ślady. Tylko Pat nie piła, według zwyczaju przezornych Irlandek, które powstrzymywały się od trunków w towarzystwie mężczyzn.

Przygotowując wyśmienitą i sławną baraninę po irlandzku, użyła drobno pokrojone mięso baranie, ziemniaki, cebulę, kapustę, pietruszkę, zioła do przyprawy i różne jeszcze sekretne dodatki do smaku, czego nauczyła ją matka. Mężczyźni oddali potrawie pełną sprawiedliwość. Nawet Stephens odwiesił na kołek pańskie maniery i wyczyścił talerz tak dokładnie, że nawet Dan nie potrafiłby wylizać lepiej. Chociaż pies bynajmniej nie głodował. Zażarte powarkiwania, dochodzące spod stołu, świadczyły o jego zmaganiach z potężnymi kośćmi.

Talerze zabrano, stół wytarto, Kernan ponownie nalał whisky i wzniósłszy toast za zdrowie gościa, nareszcie zapytał go, czy mógłby opowiedzieć o swoich ostatnich wędrówkach, o ich celu lub przyczynie.

— Możecie mówić swobodnie. Jesteśmy tu wszyscy patriotami.

Gość spojrzał przez stół na Michała.

— Słyszałem w Dublinie, że młody pan Winter wziął Irlandkę za żonę, i widzę, że żyje w irlandzkim domu. Czy mogę wobec tego założyć, że jest jednym z nas?

— To zależy, co pan rozumie przez określenie: „jeden z nas" — odparł Michał. — Urodziłem się Anglikiem. Pozostałem Anglikiem z krwi i kości i Anglikiem umrę...

— Na szaty świętego Patryka! — przerwał mu Keefe. — Czy ty nie masz w ogóle ambicji?

Michał roześmiał się razem z innymi, a potem mówił dalej:

— Ale we wszystkim, co dotyczy aspiracji ludności tego kraju, pozbycia się jarzma angielskich dziedziców, zawładnięcia uprawianą ziemią i rządzenia się samodzielnie, jestem absolutnym Irlandczykiem.

— Słusznie! — przywtórzył Kernan. — Co byś nam tu wszystkim chciał powiedzieć, panie Stephens, możesz pan powiedzieć Michałowi. Jaka by tam była jego krew, to jest on tak lojalny wobec Irlandii jak zielone listki koniczyny na naszych polach!

— I wszyscy temu przyświadczymy! — dodał Megaw, wznosząc cynowy kubek i przypijając do Michała i Pat.

Stephens podniósł się i przez stół wyciągnął rękę do Michała, mówiąc:

— A więc pozdrawiam ciebie, przyjacielu! I mogę zapewnić, że gdyby sytuacja się odwróciła, gdyby Anglia była republiką walczącą o prawa człowieka i wolność przeciw Irlandii zjednoczonej z despotami, bez wahania chwyciłbym za broń przeciw mojej ojczyźnie. Bo jestem radykałem, wierzę w prawa człowieka!

Stephensa charakteryzowała górnolotna retoryka, ale jakiekolwiek miał wady i niedostatki, co się później miało okazać, nigdy nie było powodu wątpić w szczerość jego przekonań. Usiadłszy z powrotem, gość mówiła dalej:

— Niektórzy z was wiedzą pewno, że w czterdziestym ósmym pociągnąłem za O'Brienem. Kiedy przed rokiem wróciłem z Francji, uważając, że nic mi już nie grozi, stowarzyszyłem się z organizatorami dawnych Klubów Konfederackich. Opowiedzieli mi, że Kluby uległy rozproszeniu wobec braku skonsolidowanej siły. A ja wierzę w wolność i niepodległość Irlandii. Ale jak ten cel osiągnąć? Więc wybrałem się pieszo z Dublina, by popatrzeć, jak ludzie żyją, by samemu ręką pulsu dotknąć i posłuchać, jak bije serce kraju.

— I jak się pacjent miewa? — zapytał Kernan.

— No cóż, rozmaicie. Po pierwsze, irlandzka szlachta obojętnie albo nawet z niechęcią odnosi się do myśli o nowym ogólnonarodowym zrywie. Im, jak Anglikom, zależy tylko na zbijaniu fortuny i wygodnym życiu. Ze starszych wieśniaków też wielu słucha obojętnie...

50

— Ostatnich parę lat było urodzajnych — wtrącił Megaw. — Mogli popłacić czynsze dzierżawne, co znaczy, że nie grozi im wywłaszczenie. To osłabia bojowość wsi. Puste żołądki albo szczególnie złośliwa fala wywłaszczeń — podżegają do walki. Ale ciężka to sprawa wbić im do głowy, że prawo do własnej gospodarki i zabezpieczenie żywności w latach złych i dobrych są związane nierozłącznie z niepodległością i autonomią Irlandii.

Kernan przytakiwał. Stephens tylko wzruszył ramionami i ciągnął:

— Młodsi po wsiach chętnie by popróbowali swoich sił w powstaniu. A jeszcze ważniejsze według mnie jest to, że drobniejsi sklepikarze, rzemieślnicy, wyrobnicy różnych zawodów zaczynają się budzić i pojmować sprawę. Takich ludzi można zorganizować. Nie opuszczają zebrań, wieców i wojskowych ćwiczeń z powodu orki albo wykopków ziemniaków. Nawet teraz nie byłoby trudno podniecić ich do insurekcji.

— Wcale nie jestem pewny, czy zbrojna insurekcja to najlepsza droga do zdobycia niepodległości — zauważył Michał. — Historia Irlandii to dzieje nieustannych klęsk powstańczych, a po każdej — prześladowań. Teraz wieśniacy słuchają obojętnie, jak powiada pan Stephens, głównie dlatego, że za dobrze pamiętają rok czterdziesty ósmy. Nic im z tego nie przyszło. Patrzyli na rozstrzeliwanie i wieszanie sąsiadów — tak powieszono dwóch braci mojej żony — patrzyli, jak całe rodziny wysiedlano na głód i poniewierkę.

W głosie Stephensa, gdy odpowiadał, zabrzmiał ton ostrej wrogości:

— A jak pan sobie wyobraża w takim razie zrealizowanie aspiracji tego ludu? To pana własne wyrażenie!

— Naciskiem moralnym — odrzekł Michał. — Masowymi demonstracjami, które by samą liczebnością zmuszały władze do zwrócenia uwagi na problem. Zorganizowanym biernym oporem wobec wysiedlania. Presją wywieraną w angielskim parlamencie przez irlandzkich posłów...

— Bardziej pan wierzysz w rozsądek i dobrą wolę swoich rodaków niż ja — powiedział Stephens. — Nigdy nas uczciwie nie potraktują, dopóki ich do tego nie zmusimy ogniem i mieczem. A ludzie, których Irlandia wysyła do angielskiego parlamentu, zajęci są przede wszystkim zdobywaniem dobrze płatnych posad w Londynie dla siebie i swoich protegowanych.

— Pamiętasz, Michale, kiedy byliśmy na wielkim wiecu na górze Tara w czterdziestym trzecim? — wtrąciła Pat. — Milion ludzi z całej Irlandii ściągnęło, by posłuchać, jak Daniel O'Connell mówił o perswazji moralnej. I co z tego? Nic. Ojciec O'Leary — był wówczas naszym proboszczem, panie Stephens — myślał właśnie tak samo jak teraz Michał. Ale w pięć lat później on sam własnoręcznie zastrzelił dowódcę oddziału żołnierzy wysłanych, by w naszej wsi stłumić ruch powstańczy, beznadziejny od początku, zapewne, ale stanowiący jednak — wyzwanie!

Megaw uderzył pięścią w stół:

— Insurekcje dają nam bohaterów i męczenników, może nic więcej. Ale bohaterowie i męczennicy to najgłębsze trzewia naszej historii! A nasza historia stale i zawsze podnieca nas do nowych prób!

— Może i pan Stephens, i Michał mają po trochu rację — wtrącił nieśmiało Keefe. — Niechby groźba insurekcji wspierała wysiłki irlandzkich posłów w Londynie.

Nikt nie zwrócił teraz na jego słowa uwagi, jednakże w parę lat później ludzie o znacznie większych pretensjach do inteligencji niż George Keefe mieli dojść do podobnych wniosków.

— Posłuchajcie mnie! — rzekł nakazująco Stephens. — Fatalną skazą wszystkich dotychczasowych ruchów niepodległościowych w Irlandii była amatorszczyzna. Oczywiście cały naród należy przekształcić w jedno ramię zbrojne. Ale do tego musimy mieć zdyscyplinowanych zawodowych przywódców, tych „sprawiedliwych", o których mówią nasze patriotyczne pieśni. Lepiej trzystu sprawiedliwych gotowych przelać ostatnią kroplę krwi, takich, którzy zwyciężą albo zginą, jak trzystu Spartan, którzy przed dwoma tysiącami lat padli z Leonidasem pod Termopilami, by żyć na zawsze w kronikach heroizmu, aniżeli niezdyscyplinowana pięćdziesięciotysięczna hałastra prowadzona przez fotelowych rewolucjonistów!

Stephens przerwał na moment, by pociągnąć whisky. Michał uśmiechnął się do Megawa:

— Nasz gość zamierza dołożyć ci nowych bohaterów i męczenników do twoich historycznych tekstów — zauważył. — Obawiam się, że niewiele więcej dla Irlandii uzyska. Ale to wcale nie znaczy, żebym jak ojciec O'Leary, którego Pat wspomniała, i ja również nie był gotów wziąć udziału w walce, gdy do tego dojdzie.

Stephens rzekł szorstko:

— Wśród moich trzystu sprawiedliwych nie będę miał takich jak pan, choć respektuję pana zobowiązanie. Ale wątpiących mi nie trzeba. Wiem, że nikt lepiej, głębiej ode mnie nie pojął prawdy o potrzebach Irlandii. Wierzę absolutnie w siebie i w moje przyszłe osiągnięcia!

Kernan popatrzył na Michała i podniósł do góry jedną brew. Nie lubił takiej zarozumiałości.

— Zwerbowałem już moich pierwszych sprawiedliwych nie dalej jak o pięćdziesiąt mil stąd, w Skibbereen, na wybrzeżu: związana przysięgą tajna organizacja występuje pod nazwą Feniks. Każdy członek przysięga „w obliczu Boga wyrzec się lojalności wobec królowej Anglii i chwycić za broń na każde wezwanie, by walczyć o niepodległość irlandzkiej demokratycznej republiki, zobowiązując się do absolutnego posłuszeństwa dowódcom i zwierzchnikom tejże tajnej organizacji..."

Dan, zajęty pod stołem obrabianiem kości, zaszczekał i zaraz potem za otwartym oknem rozległ się głos:

— Takiej organizacji kościół nie będzie popierał. Odmawiamy udzielania sakramentów tym, którzy wstępują do tajnych stowarzyszeń.

Wszystkie głowy odwróciły się ku oknu, gdzie widniała twarz księdza Liama O'Connora. Kernan wstał i otworzył drzwi.

— Prosimy wejść, ojcze. Witamy serdecznie. Wiem, że na whisky ojciec nie ma smaku, ale dobre francuskie wino mile połechce podniebienie i rozgrzeje przyjemnie...

Zapraszał gościnnym gestem ręki.

— Dziękuję, panie Kernan, ale nie chcę wam przeszkadzać. Podejmujecie gościa, jak widzę, i to obcego. Przyszedłem tylko, by przypomnieć pani Winterowej jeszcze raz o pierwszej komunii jej najstarszego. Ale innym razem... innym razem...

Stephens siedział ze spuszczonym wzrokiem, zaciśniętą pięść trzymał na stole. Nie zauważył otwartego okna. Inni wymieniali rozbawione spojrzenia. Ksiądz ciągnął dalej:

— Pójdę już. — Uczynił znak krzyża. — Niech Bóg błogosławi temu domowi i w swym miłosierdziu sprowadzi do stada owieczki, które zbłądziły lub nigdy nie znały bezpieczeństwa opieki Kościoła świętego. — Odwrócił się, ale wsunął jeszcze raz głowę w otwarte drzwi: — A pan, obcy gościu, niech sobie nie czyni wyrzutów z powodu nieostrożności. Jestem księdzem i podtrzymuję nakazy Kościoła według wszystkich moich skromnych sił. Ale jestem też irlandzkim patriotą i mam świetną pamięć do zapominania.

Gdy ksiądz odszedł, Kernan zamknął okno, nalał jeszcze whisky i zasiadłszy z powrotem, powiedział do Stephensa:

— Widzi pan, tajne stowarzyszenie nie będzie miało poparcia Kościoła.

— Nie dbam o Kościół! — odparł Stephens z irytacją.

— Ale zdaje pan sobie sprawę — rzekł Kernan — że kto chce cokolwiek osiągnąć w Irlandii, musi liczyć się z księżmi. Oni mają wielki wpływ na ludzi...

— A mało który z nich — wtrącił Michał — zechce pobłogosławić ruch oparty na gwałtach, planujący zbrojne powstanie i przelew krwi.

— Nie, oni tylko udzielają błogosławieństw — odparł szyderczo Stephens — wielkim armiom, wielkim zdobywcom, wielkim tyranom, ale nie uciśnionym narodom walczącym o wolność!

Megaw i Keefe wstali i zaczęli się żegnać. Inni też udali się na spoczynek, a Kernan ustąpił swego łóżka gościowi, sam ułożywszy się na sienniku w kuchni na podłodze.

Rano Stephens, zjadłszy porządną porcję jajecznicy na śniadanie i wypchawszy sobie kieszenie chlebem i mięsem, wybrał się w dalszą wędrówkę na wschód. Michał wyszedł już z owcami wczesnym świtem, a Stephens powiedział w drzwiach do żegnających go Kernana i Pat:

— Bardzo dziękuję za gościnne podejmowanie wędrowca i żałuję, że jak mi się wydaje, nie na wszystkich z was będę mógł liczyć, gdy moje plany się ziszczą. Więcej się po was spodziewałem. Może ten Anglik między wami...

— Wszyscy jesteśmy tacy, jakimi nas uczyniło nasze własne doświadczenie — przerwał mu Kernan. — Michał zna siłę Anglików. Wie, że niewyćwiczeni irlandzcy wieśniacy nic przeciw nim nie wskórają. Ale i on, i reszta nas, choćbyśmy mieli wątpliwości co do metody, znajdziemy się w każdej walce, jaka się w Irlandii rozpocznie.

— Michał nie jest może jeszcze przekonany — powiedziała Pat — że my mamy rację, kiedy mówimy: walczyć, buntować się, ponosić klęski, ginąć, ale walczyć, bo inaczej Irlandia zginie jako naród.

— To najlepsze, co usłyszałem, od kiedy przyszedłem do Clogbur — powiedział Stephens. — Ale wątpię, czy kiedykolwiek pani mąż się przekona.

Pat się uśmiechnęła.

— On chce jak najlepiej dla Irlandii. I jest najlepszym mężem w Irlandii. A teraz życzymy panu powodzenia, panie Stephens, i niech pana Bóg prowadzi nie tylko w dzisiejszej drodze!

Kernan odprowadził odchodzącego.

Nie wszyscy księża okazali się tak dyskretni jak ojciec O'Connor, gdy chodziło o polityczne poglądy ich parafian. W dni parę po odwiedzinach Stephensa pewien nauczyciel podczas spowiedzi poprosił proboszcza z Kenmare o odpuszczenie mu grzechu złożenia przysięgi tajnego stowarzyszenia Feniks. Proboszcz poprosił, by spowiadający się przeszedł do prezbiterium i powtórzył swoje zeznanie poza konfesjonałem. Informację przesłał biskupowi, a ten angielskim władzom w Dublinie. Policja przeszukała miejscowości, gdzie powstały kluby Feniks. Nauczyciela wraz z wielu innymi aresztowano, osądzono i skazano na więzienie. Ale Jamesa Stephensa w sieć nie schwytano.

A Michał Winter utwierdził się w przekonaniu, że skutecznie przeciwstawiać się władzy angielskiej można tylko pokojowymi demonstracjami masowymi i energiczną akcją irlandzkich posłów w Westminsterze.

IV

Sierpień bywa w hrabstwie Kerry upalny i duszny. Pewnego popołudnia Pat z czterema synkami oraz Molly — brzemienna i bardzo już ciężka — ze swymi dwoma najmłodszymi wybrały się nad morze. Ominęły wybrzeże koło Clogbur, bo tam zawsze pełno było rybackich łodzi i żaglówek, sieci i rozkładanych na krzyżakach stołów, na których kobiety sprawiały ryby. Obie rodziny rozłożyły się nieco wyżej, w szerokim ujściu rzeki Kenmare, gdzie Kernan i Roger Megaw malowali łódź. Tutaj odgradzała ich od wsi prostopadła skarpa, schodząca jakby skalną ścianą aż do granicy przypływu, i druga podobna, odległa o pięćdziesiąt metrów od przeciwnej strony, tworząc w ten sposób zaciszną zatoczkę o piaszczystym wybrzeżu. Dan szalał z dziećmi albo z zapałem kopał w piasku. Rory, szczypiąc trawę u szczytu stromej skarpy, spoglądał co chwila w dół, widocznie zadowolony, że jest blisko swoich. Horacego zostawiono uwiązanego u drzwi domu: można było na nim polegać, że nikogo obcego nie wpuści.

Megaw położył pędzel na kubełku z farbą i przypatrywał się wdzięcznej scence.

— Można by pomyśleć — powiedział — że jesteśmy w kraju szczęśliwym i żyjącym w pokoju. A ten kraj nie zaznał szczęścia i pokoju od stuleci. Plemiona nordyckie w dziewiątym wieku, Anglo-Normanowie Henryka Drugiego w wieku dwunastym, żołnierze Elżbiety w szesnastym, Cromwella w siedemnastym, a później Anglicy różnego autoramentu najeżdżali nas, grabili, wyzyskiwali, odmawiali prawa do wolności, którą Bóg dał wszystkim ludziom.

— Roger nie może zapomnieć o historii — zaśmiał się Kernan — nawet przy malowaniu łodzi!

— A nie mogę. Bo nam przystoi zawsze pamiętać i zadbać, żeby dzieci pamiętały. Niewiele łagodnych opowieści zawiera nasza historia, ale jeśli o niej zapomnimy, przestaniemy być Irlandczykami.

Tak się złożyło, że Pat i Molly rodziły samych chłopców. Oprócz Williama, który dopiero raczkował i trzymał się matki, reszta dzieciarni uganiała nago po plaży i płytkiej wodzie, wyławiała rękoma małe kraby i krewetki, zbierała morskie wodorosty. Ale Molly podjęła się na ten dzień opieki nad jedyną córeczką Peadara i Katarzyny O'Neillów, właścicieli flotylli łodzi rybackich w Lanragh, małej przystani nieco dalej wzdłuż wybrzeża. Dziewuszka imieniem Dafne była rówieśniczką Peterka Wintera, ale w wiejskiej Irlandii nawet małe dziewczynki nosiły długie, fałdziste, krępujące ruchy sukienki. Molly zawinęła jej spódniczkę tak, że sięgała do kolan, ale materiał zsuwał się wciąż i zamoczył w wodzie. Więc Molly zdjęła jej i spódniczkę, i koszulkę również.

Gdy uradowana dziewczynka przybiegła z powrotem do chłopców, Peter, włożywszy w zamyśleniu palec do buzi, przyglądał się jej dłuższą chwilę. W końcu poszedł do matki i spoglądając po sobie, rzekł:

— Czemu my mamy..., a Dafne nie ma?

Pat spojrzała na Molly, która odparła ze śmiechem:

— Bo do zamków potrzebne są klucze, jak się potem przekonasz!

Dwaj mężczyźni dosłyszeli i również wybuchnęli śmiechem.

— Ale... — zaczął znowu Peterek.

Pat przerwała mu gestem ręki. Nie życzyła sobie więcej wulgarnych żartów Molly na ten temat.

— Boś chłopak, a ona dziewczynka — powiedziała zwyczajnie. — A teraz idź się bawić.

Peterek powędrował z wolna do wody, zniechęcony próbami zrozumienia dorosłych.

— Ach, kogo ja widzę... pani Keefe... o czarnych włosach jak skrzydła kruka, gdy przelatuje nad ruinami zamku Eirann... — Luke O'Flaherty schodził, potykając się i zająkując, w dół skarpy. Stanął przed Molly i mówił dalej: — Stoi prosto i dumnie jak święta wieża albo włócznie dawnych bohaterów irlandzkich. Ach, gdybym umiał wyśpiewać tę jasną cerę, przyćmiewającą nawet samo słońce i rozjaśniającą swoją krasą noc. Ach, piękne jest twoje ciało i księżyce twoich piersi, zapalające płomienie w krwi słabych mężczyzn...

Dwa księżyce Molly rzeczywiście nieomal rozrywały jej bluzkę, przy której jak zwykle brakowało paru guzików. Kernan i Megaw mrugali do siebie, a Pat odpowiedziała włóczędze:

— A daj spokój z tą gadaniną, ty bezwstydniku. Słuchając ciebie, nawet króliczy ogon by się zarumienił.

Molly zgarnęła na chwilę rozchełstaną bluzkę na piersiach, mówiąc:

— Mam tyle, że mi trudno pomieścić w odzieniu. Okrągłą wieżą Pan Bóg mnie zrobił, a nie żadną tam włócznią, a teraz trzeci wielki księżyc mi rośnie i nie będzie przez parę miesięcy zapalać płomieni we krwi żadnego mężczyzny, szkoda, ale co robić!

— A jak ci się żyje, Luke? — zawołał Kernan znad łodzi.

— Dobrze by było, gdyby nie jakaś paskudna słabość w piersiach — i włóczęga wymusił z siebie głuchy kaszel.

— Nie martw się tym — rzekł Megaw. — Nic ci nie będzie. Mój brat całe lata tak kaszlał, pokój jego duszy!

— Powinieneś rzucić tę twoją wilgotną lepiankę, osiedlić się w suchej, ciepłej chacie i hodować kury — powiedział Kernan.

— Bywa, że kura przyjdzie do mnie i powie: dzień dobry — odrzekł Luke. — Ale jakoś zwykle na drugi dzień tylko pióra i kości z niej zostają.

— Hodować kury! — wykrzyknęła Pat. — Gdyby Luke hodował kury, dawałby im gorącą wodę i czekał, by znosiły gotowane jaja.

Roześmieli się wszyscy prócz Luke'a, który udał obrażonego. Dzieci przybiegły pędem znad wody i z jaskiń. Ich mokra skóra lśniła w słońcu, wołały, tańczyły i skakały dookoła włóczęgi:

— Opowiedz nam bajkę, Luke, bajkę, bajkę, Luke, opowiadaj!

Włóczęga uśmiechał się do dzieciarni, udawał, że chce schwytać Kevina, który wrzasnął na wpół ze strachu, na wpół z radości i wywinął się zręcznie.

— Bajkę, moje rybeńki? — powtórzył. — Mógłbym wam opowiadać długo o biednej starej Irlandii jęczącej pod jarzmem Anglików, takie opowieści, że zbielałyby nawet wasze włosięta, które są jako puch na pisklętach...

— Nie, nie — zaprotestował Peter. — Nie takie. Takich nam dość opowiada Roger. Chcemy bajki o wróżkach i krasnoludkach.

Chłopcu przerwał niesamowity przeciągły wrzask: coś pośredniego między rykiem krowy w bólach a śmiechem hieny.

— Rory, Rory! — wołały dzieci, a Luke powiedział:

— Czy to nie mądra bestia! On mi przypomina, żebym wam opowiedział historyjkę, którą od niego usłyszałem, kiedy raz przystanąłem, by go pociągnąć za ucho i życzyć mu dobrego dnia.

— To ty rozumiesz, co on mówi? — zapytał poważnie Kevin. — Chciałbym, żeby gadał ze mną i żebym go mógł rozumieć!

— Umiem z nim gadać, jak Boga kocham, i rozumiem go! Więc usadźcie wasze gołe tyłeczki na tych ciepłych kamieniach, moje maluchy, i uciszcie na chwilę wasze głosiki, chociaż są słodkie jak chóry anielskie!

Luke słynął ze swoich gawęd. Kernan odłożył pędzel, wyjął z kieszeni kawałek węgla drzewnego. Denis i najmłodszy malec Molly też już wiedzieli, co to znaczy, gdy Kernan podchodzi do wielkiej płaskiej skały stanowiącej część prostopadłej skarpy. Wszyscy zgromadzili się, by słuchać i patrzeć.

— Rory powiada, że było tak — zaczął O'Flaherty. Starszych fascynował jego kwiecisty sposób mówienia, ale dzieci niecierpliwił. Dla nich więc opowiadał prostszymi zwrotami.

— Pewnego razu jeden szlachcic zostawił swój dwór pod opieką służby i wyjechał do Dublina. A było to zimą. I którejś nocy, gdy służące leżały już w łóżkach, słuchając świstu lodowatego wiatru w kominie, usłyszały jakieś hałasy na dole. Trzasnęły kuchenne drzwi. Potem zabrzęczały garnki i patelnie, i miski. Co to znaczy? Służące przelękły się okropnie. Następnej nocy słychać było takie same straszne hałasy. I znowu następnej.

Aż pewnego bardzo zimnego wieczoru mały chłopak, który czyścił buty, wsunął się w zakątek szerokiego komina i tam zasnął. Służące poszły na górę spać, zapomniawszy o nim. Jakoś trochę później — ile czasu minęło, nie umiem wam powiedzieć — drzwi od kuchni się otworzyły. Hałas obudził chłopca. I oto zobaczył wchodzącego do kuchni dużego osła. Mały czyścibut chciał krzyknąć, ale tak był wystraszony, że nie potrafił głosu dobyć. A Kłapouch usiadł przed kominkiem, podniósł jedno kopyto przed swój długi nos i ziewnął potężnie.

Najmłodsze dzieci zachichotały, patrząc, jak na płaszczyźnie skały pojawia się ziewający osioł, nakreślony zamaszystymi machnięciami węgla.

60

— Kłapouch nie widział chłopca — ciągnął Luke. — A po chwili rozejrzał się dookoła, podrapał za uchem i westchnął. Dołożył drewien na kominku, przyniósł kubeł wody i nalał do dużego kociołka nad ogniem...

Opowiadaniu towarzyszyły szeptem wygłaszane uwagi dzieciarni:

— Kuśtykał na trzech nogach, a w czwartej niósł kubeł... to ci dopiero!

Kiedy woda się zagotowała, Kłapouch przyniósł z kredensu wszystkie talerze i półmiski, i łyżki, umył je starannie i powycierał. Odłożył wszystko z powrotem na półki, ale jeszcze mu było mało, więc pozamiatał całą kuchnię i sień przed kuchnią. W końcu przegrzebał ogień i poszedł sobie.

Czyścibut popędził na górę, obudził służące i opowiedział im, co widział. Już się zrobił świt, wszyscy powstawali i wiele było dziwowania się opowieści chłopca. Cały ranek gadano o tym. Aż nagle — pomywaczka rzuciła robotę i zawołała: „Do licha! Jeśli Kłapouch zmywa i sprząta, kiedy my śpimy, to po co mamy teraz harować i za niego robić?"

Dafne zaprotestowała:

— Ale to nie była jego robota! To była robota pomywaczki!

— Jednakże nie miałoby sensu — tłumaczył Megaw — robić to, co Kłapouch zrobiłby i tak drugi raz, no nie?

Pat gładziła główkę małego Williama, który usnął na jej kolanach.

— Żadnego talerza ani garnka, ani półmiska nie pozmywały służące tego wieczoru — ciągnął Luke. — Miotłą podłogi nie dotknęły. A jednak następnego ranka wszystko było tak czyste i jasne, jak niebo nad nami dzisiejszego słonecznego dzionka. I tak się powtarzało przez kilka następnych nocy. Aż wreszcie chłopiec stajenny, który miał się za specjalistę od czworonogów, zaofiarował się że zostanie w kuchni na noc i pogada z Kłapouchem...

Szepty: „Och! Ja bym się bał!", „Strachajło! Ja bym się nie bał!"

— Stajenny miał porządnego stracha, kiedy około północy drzwi kuchni się otworzyły i Kłapouch wtarabanił się do środka. Ale wziął na odwagę i zagadnął: „Jeśli wolno, tobym zapytał, kto jesteś i czemuś tak łaskaw, że co wieczór wyręczasz dziewczęta służebne w robocie?" „A proszę bardzo", rzecze Kłapouch. „Powiem ci z chęcią. Przed wielu, wielu laty byłem służącym w tym dworze i najleniwszym nicponiem, jaki nosił kubrak i wylizywał talerze. Więc gdy nadeszła moja godzina i powędrowałem na tamten świat, święty Piotr wysłał mnie za karę tutaj, kazał nosić uszy i kopyta i co noc sprzątać. A kiedy skończę robotę, muszę z powrotem wychodzić na dwór, na zimno i wiatr. To jest najgorsze: stać z głową zwieszoną między nogami w te lodowate zimowe noce." Stajenny odrzekł: „Bardzo mi cię żal!"

Kevin, który kochał zwierzęta, przywtórzył cichutko:

— Mnie go też żal!

— „Czy nie moglibyśmy ci jakoś dopomóc?" zapytał stajenny. „Skoro pytasz, to ci powiem" rzekł Kłapouch. „Tak sobie myślę, że dobry, ciepły płaszcz bardzo by mi się przydał w takie zimne noce." No i w dwa dni później stajenny znowu czekał w kuchni nocą, a gdy Kłapouch wszedł, a za nim lodowaty podmuch ze dworu, chłopak podał mu piękny ciepły płaszcz, specjalnie dla niego uszyty. Trochę było kłopotu, bo Kłapouch musiał się położyć na grzbiecie i dopiero wtedy mógł wepchnąć nogi w rękawy i pozapinać wszystkie guziki na brzuchu. Ale nareszcie to się udało i Kłapouch wstał i podszedł do lustra, i stanął w bardzo dumnej pozie, przyglądając się odbiciu swojej postaci przystrojonej w taki piękny płaszcz.

Dzieci klaskały w ręce, patrząc na szkic przedstawiający tę scenę. Ale Luke nie dał sobie przerwać i opowiadał dalej:

— „Dziękuję z całego serca tobie i twoim przyjaciołom", powiedział Kłapouch. „Jestem nareszcie szczęśliwy. Życzę ci dobrej nocy i ciepłej." Tak mówiąc, Kłapouch zwrócił się do drzwi. „Ale co ze zmywaniem i zamiataniem?" wykrzyknął stajenny. Kłapouch machnął kopytem. „O, nie! Z tym skończyłem. Możesz powiedzieć tym dziewuchom na górze, żeby same robiły, co do nich należy, inaczej może je spotkać taka kara jak mnie. Moja pokuta miała trwać dopóty, dopóki nie dostanę wynagrodzenia za pracę." Kłapouch jeszcze raz przystanął w dumnej pozie, kopytem przygładził wyłogi i powiedział wychodząc: „Więcej mnie już nie zobaczysz. Jutro święty Piotr da mi skrzydła!" Na gładkiej płaszczyźnie skały ukazał się osioł z anielskimi skrzydłami, lecący w stronę morza.

Chwilę ciszy przerwała Pat:

— Potrafisz opowiadać jak nikt, Luke. Ja także cała się w słuch zamieniłam.

A Peterek stanął przed O'Flahertym, wyjął kontemplacyjny palec z ust i powiedział:

— Bardzo ci dziękujemy. To była morowa bajka! Czy myślisz, że Rory zna jeszcze więcej takich bajek?

A Dafne:

— A może to była własna historia Rory'ego... i może on czeka, by ktoś go wynagrodził...

— Rory nie zmywa żadnych naczyń, możesz mi wierzyć, moje dziecko! — powiedziała z uśmiechem Pat.

— Proszę pani — wtrącił się Tomek, jeden ze stadka Molly — może Rory nie zmywa, ale przecież dużo innych rzeczy robi. Więc kto wie...?

Dalszą dyskusję na temat Kłapouchego i leniwych sług przerwało przybycie Michała i George'a Keefe'a.

— Dwanaście godzin strzygliśmy! — westchnął George, rzucając się na piasek. — Rąk nie czuję.

A Michał nic, świeży jak poranek!

— Chyba zarobiłeś trochę forsy dla mnie — powiedziała Molly. — Bo nigdy nie mam ani szylinga w czajniku na kominku.

— Ona nic tylko chce pieniędzy — narzekał George.

— A co z nimi robi? — pytał żartobliwie Megaw.

— Skąd mam wiedzieć? Nigdy jej nie daję!

— Słuchaj, Luke, stary chłopie, nie wiesz, która to może być godzina? — spytał Michał.

— Mnie brzuch służy za zegarek, panie Michale, i wyborny z niego czasomierz. Mówi mi, że w tej chwili dokładnie jak w pysk strzelił minęło dwadzieścia cztery godziny, od kiedy ostatni raz jadłem...

— Luke! Naprawdę? — wykrzyknęła Pat.

— Archanioł Gabriel nigdy szczerszej prawdy nie powiedział, pani Winterowa. Pasek moich spodni można by dwakroć wokół mnie owinąć, a skóra mego brzucha przylgnęła mi do kości pacierzowej.

— To chodź do domu ze mną i dziećmi. Mam tam jeszcze porządną porcję potrawki z zająca na poczęstunek dla ciebie. Para głupich zwierzaków uderzyła łbami o kij George'a Keefe'a tamtej nocy, więc wzięliśmy jednego.

— Pięknie się kłaniam — powiedział Luke. — I dzięki składam Najświętszej Panience, bo nie na rybę twoje dobre serce mnie zaprasza. Ości mi zawsze utkwią w gardle, a przecież żal mi je zostawić na talerzu.

— Tylko na zęby uważaj, Luke — ostrzegał Kernan, robiąc miny do Pat. — Ten chleb, co nam wczoraj dała, był całkiem czerstwy.

Powstawszy ciężko, Molly ubierała Dafne i swoich dwóch chłopców. Pat, dotknięta do żywego, zwróciła się do wuja:

— W czterdziestym siódmym, w czasie Wielkiego Głodu, ludzie z rąk sobie wydzierali taki chleb!

— Być może — odparł Kernan. — Ale wtedy to on był świeży...

Młode kobiety z dziećmi i O'Flaherty wspięli się na skarpę, a posadziwszy Dafne i małego Denisa na grzbiecie Rory'ego, ruszyli w drogę do domu. Kernan popatrzył za nimi, po czym zwrócił się do pozostałych mężczyzn:

— Francuski statek ma przybyć lada dzień. Ty, George, obejdź wszystkich jutro rano i daj im znać.

— W samą porę — zauważył Michał. — Strzyża skończona. Mamy niezły ładunek wełny do wysłania.

— Szyper tego Francuza nie chce przybijać do brzegu — ciągnął Kernan. — Ale ma nie byle jaki towar. George, musisz uprzedzić Angusa Sweeneya i Reda Sheila, niech przyprowadzą swoje łodzie. Będą nam potrzebne oprócz naszych. Ty, Michale, ostrzeż lepiej tę twoją nerwową żonkę, która jednej nocy nie może wytrzymać w łóżku bez twojego cackania, że będzie musiała spać sama nie tylko jedną noc, ale nawet parę.

Pozbierano kubełki z farbą i pędzle. Winter rzekł, przeciągając się:

— Cudne jest tutaj wybrzeże. Morze i piasek, skarpa, poniżej łodzie i sieci, błękitne niebo. Sielanka!

Megaw z wolna pokręcił głową.

— Ej, nie mów tak lepiej. W Irlandii pod dostatkiem złych demonów, a gdy słyszą o sielance, będzie je korciło, by z przekory nieszczęście sprowadzić.

Michal się roześmiał.

— I to ty, Rogerze, nauczyciel i katolik, o takich pogańskich zabobonach opowiadasz!

— Nie kuś ich, Michale — ostrzegał Megaw — bo na tobie się skrupi!

Machnąwszy ręką, Winter odparł:

— A daj mi spokój! Nie dbam o twoje demony! Wyzywam je, by dowiodły, że masz rację, a ja nie!

A zawistne demony przyjęły wyzwanie.

V

Piękna pogoda nie utrzymała się długo. W parę dni po sielance na plaży Pat, zacząwszy wielkie pranie, co chwila wyglądała oknem pralni na zachmurzone niebo. Nagle w polu widzenia ukazał się Luke O'Flaherty. Włóczęga nie wałęsał się leniwym krokiem jak zwykle, ale biegł szybko z obnażoną piersią, głowę osłoniwszy koszulą. Wetknął twarz w okno i gestem wywoływał Pat do drzwi.

— Tysiąckrotnie przepraszam, pani Winterowa, że przeszkadzam — zaczął zdyszany. — Ale tak mi się zdaje, że musi pani pójść na plażę.

— Jaką plażę? Dlaczego? Co się stało?

— Nic jeszcze. I modlę się do Najświętszej Panienki, aby w ogóle nic się nie stało. Wiem, że już raz kiedyś, chcąc uprzedzić kłopot, tylkom niepotrzebnego szumu narobił. Alem właśnie zobaczył łódź wchodzącą w ujście. Chyba to łódź Reda Sheila. A na plaży, nie tej przy wiosce, ale tam gdzie opowiadałem tym aniołeczkom bajkę o Kłapouchu...

— Łódź? Łódź Reda? Tak, Michał miał tym razem popłynąć z Redem. Ale oni mnie nie potrzebują, gdy łodzie będą przybijać.

— To prawda, pani Winterowa. To znaczy, to by było prawdą innym razem. Ale na miłość boską proszę przyjść, jak powiadam, pani Winterowa. Bo na tej plaży czeka dwóch mężczyzn.

— Dwóch mężczyzn? Kto?

— Jeden, o ile mnie oczy nie mylą, a rzadko mylą, to sędzia Slattery. A drugi to chyba Jones, ten diabeł z urzędu celnego w Bantry...

— Slattery i Jones? Jezus, Maria, ten diabeł! — wykrzyknęła Pat w bezwiednym bluźnierstwie. — Czemuś od razu nie powiedział, ty gadulo!

Chwyciła z kołyski niemowlę smacznie śpiące po śniadaniu i okryła je kocykiem.

— Ja zabiorę to słodkie maleństwo do pani Keefe, która ma serce ze złota...

— Tak, tak, i tamtych chłopców też. — Podniosła głos. — Peter, włóż kubraczki Kevinowi i Denisowi, sam się ubierz i idźcie z Lukiem. — I zwracając się z powrotem do włóczęgi: — Powiedz Molly, że musiałam wyjść, ale zaraz wrócę. I przyjdź prosto od niej na plażę. Mogę ciebie potrzebować.

66

Nie przyszło jej do głowy zastanowić się, co zrobi tam na plaży, czy nie będzie przeszkodą raczej niż pomocą. Gdy niebezpieczeństwo groziło Michałowi albo jednemu z jej stadka dzieci, Pat zatracała wszelką przezorność.

Wybiegła pędem.

Wystrzał! Jeden wystrzał!

...O Boże, spraw, żeby to nie Michał, żeby nic się nie stało Michałowi...

Zabobony nabyte w dzieciństwie wróciły z całą siłą.

...Jeśli go ustrzeżesz, ja będę chodzić na mszę, poślę Peterka do proboszcza na naukę... Boże, dobry Boże... Przysięgam, że to zrobię... Niechaj to nasi strzelają do tych przeklętych celników...

Bez tchu przystanęła u szczytu skarpy.

Łódź mijała od strony zachodniej wysepkę Shelkin, ludzie gięli się nad wiosłami w pośpiechu i napięciu. Na plaży stał Slattery ze strzelbą i jakiś drugi mężczyzna, zapewne Jones, z pistoletem w ręku. Megaw klęczał przy... Nie wiedząc, co robi, nawet nie słysząc siebie, Pat krzyknęła przeraźliwie:

— Michał! Michał! Och, Bóg mnie zawiódł! Michał!

No cóż, jak Kuba Bogu, tak Bóg Kubie. Pat nie powinna była mieć pretensji. Ale w tej chwili o niczym już nie myślała, tylko jak nieprzytomna zsunęła się ze skarpy i rzuciła na kolana przy leżącym.

Z głębokiej, sięgającej aż do kości rany w prawym ramieniu Michała płynęła obficie krew. Megaw ściągnął z siebie koszulę i rwał ją na bandaże.

— Michale! *Acushla*! — łkała Pat. — Co oni ci zrobili?

Otworzył oczy.

— Wyliżę się, Pat. Tylko mnie jakoś zanieście do domu. Pić mi się chce. — I zacisnął wargi, by zapanować nad bólem.

O'Flaherty przybiegł na skarpę, wyjrzał zza skały i pośpiesznie zawrócił.

Pat zaimprowizowała opatrunek, by zatamować krwotok. Megaw klęczał przy niej, pomagając, doradzając. Michał tylko zaciskał mocno wargi. Slattery stał i patrzył na nich, a obok niego Jones — niski, o chytrych oczkach, o czole, ustach i podbródku, których zarysy zwykle się kojarzą z zawodowymi zbrodniarzami. Pistolet schował, lecz wydawał się w bardzo złym humorze.

Siąpiący deszcz ustał, ale chmury wisiały nisko.

Dwa dialogi rozgrywały się jednocześnie. Slattery mówił do Pat:

— Pan Jones wystrzelił przypadkiem...

— Przypadkiem celowo? I pan nie mógł zapobiec...?

Zakładanie opatrunku pozwoliło jej się opanować. Teraz gotowa była spokojnie odpowiadać wet za wet. Ale Slattery zadawał celne ciosy.

— Ja... zapobiec? O nie, pani Winterowa, nie ja....

Podkreślał słowa znacząco. Pat podniosła głowę na jedną krótką chwilę i spojrzała na niego. Jego uniesione w górę brwi powiedziały jej, że to ona przed paru miesiącami mogła zapobiec dzisiejszemu zranieniu męża.

Równocześnie Jones mówił do Megawa:

— Mieliście kontrabandę w łodzi. Zraniłem go przypadkiem, ale dostał jeno to, na co zasłużył, na coście wszyscy zasłużyli!

— Nie mieliśmy kontrabandy. Łowiliśmy ryby — odparł Megaw.

Slattery powiedział do Pat:

— Możecie wnieść skargę, która nie tu będzie rozpatrywana, jeśli pani sądzi, że śledztwo w tej sprawie jest w interesie pani męża.

— Och, mogliście go zabić... — szepnęła Pat.

— A jako przemytnika przyłapanego na gorącym uczynku mogliśmy go skazać na zesłanie, pani Winterowa.

Jones pytał podejrzliwie:

— Czemu wasza łódź tak uciekała? Dlatego żeście tam mieli ryby? Nie ma kary za łowienie ryb.

— O to zapytajcie ludzi, którzy wiosłowali — odrzekł Megaw. — Ja nic o tym nie wiem. Ale powtarzam, kontrabandy w łodzi nie było.

Opatrunek założono, lecz krew znowu zaczęła przesiąkać.

— Czy tak wygodniej, *acushla*?

Pat nie otrzymała odpowiedzi. Michał zemdlał.

O'Flaherty, dźwigając dwa długie kije z naciągniętym między nimi płótnem, dotarł z powrotem na szczyt skarpy, ale zatrzymał się i skrył za skałami obserwując stamtąd plażę. Miał kilka powodów, dla których nie chciał się spotkać z przedstawicielami prawa. Patrzył też czujnie na ścieżkę od wsi. Ale stamtąd nikt nie nadszedł. W odległych zakątkach hrabstwa Kerry, gdzie pod dostatkiem było zajęcy, kuropatw i kłusowników, odgłos pojedynczego wystrzału nie budził niepokoju.

— Mogę dla pani męża... załatwić szpital — mruknął Slattery.

— Dziękuję. My się nim sami zajmiemy.

Nie chciała, by Michał znalazł się w jakimkolwiek znaczeniu pod tak zwaną opieką sędziego. Odpowiadało to również Slattery'emu. Nie będzie kłopotów z powodu przyłapania rzekomego przemytnika. Incydent zakończony. Im prędzej się zapomni o całej, częściowo sfuszerowanej aferze, tym lepiej.

— Ale przetransportować go do domu pani wuja... — zaczął Slattery.

— Och, proszę już sobie pójść! — wykrzyknęła Pat. — Damy sobie sami radę, powiadam panu.

— Chodźmy więc, skoro pani Winterowa nie życzy sobie pomocy — powiedział Slattery do Jonesa.

Gdy dwaj mężczyźni wspinali się ścieżką na skarpę, sędzia zły, ponieważ jego plan zemsty nad Pat powiódł się tylko w części, rzekł:

— Głupiec z pana, Jones. Mogliśmy łatwo zaaresztować obu. W Dublinie uzyskalibyśmy wyrok nawet bez znalezienia kontrabandy.

— Skąd miałem wiedzieć, że ich będzie tylko dwóch? Cała banda mogła się tu wpakować! — burknął Jones.

— A co do wyroku, to jeszcze możemy to załatwić.

— Po tym jak pan strzelił do bezbronnego człowieka, który się najwidoczniej poddawał? Nawet angielskie sądy tego by nie strawiły. A zeznania Megawa nie dałoby się obejść.

— Bo pan powinien był go zastrzelić — odparł Jones. — Czysta robota. Przemytnicy. Bez pytań, bez świadków.

Slattery wiedział dobrze, że mógł zastrzelić Megawa, gdy ten biegł po plaży do Michała. Jakiś instynkt go powstrzymał. Zdrowy instynkt, bo ta przeklęta Winterowa — a zawsze godna pożądania, nawet w rozpaczy i gniewie, niech ją! — byłaby go zobaczyła. A pistolet Jonesa się zaciął.

— Oni są niepoprawni — ciągnął celnik. — Na drugi raz nie popełnię takiego błędu.

— Mówił pan, że tym razem nie zrobi pan żadnego błędu — przypomniał Slattery. — Ci ludzie są chytrzy. Może drugiego razu nie będzie.

Nie miało być „drugiego razu" dla Jonesa, ale z powodu, którego nie przewidywał ani sędzia, ani celnik.

Gdy tylko odeszli, O'Flaherty wysunął się z ukrycia, ściągnął swoje dziurawe, łatane buty i na bosaka z zaskakującą zręcznością zbiegł na dół wraz ze swoim nieporęcznym ciężarem.

— Świetnie, Luke! — rzekła Pat. — Na nosze. Ostrożnie, razem!

Michał znowu otworzył oczy.

— *Acushla*, zaraz cię zaniesiemy do domu, będzie ci wygodnie, damy ci pić — łagodnie mówiła Pat, chociaż mało miała w sercu nadziei, by mu było wygodnie przez długi czas.

— W Kenmare jest doktor — powiedział Megaw, gdy dwaj mężczyźni obszedłszy dookoła skarpę, by iść po równiejszym terenie, nieśli nosze w stronę folwarku Kernana. Na szczęście nie potrzebowali przechodzić przez wieś, gdzie by wywołali konsternację i zamieszanie, co by ich z pewnością zatrzymało.

— Tego doktora chcecie wezwać do niego? — wmieszał się O'Flaherty. — Równie dobrze można by mnie biednego tytułować doktorem. Ponoć w Anglii był on weterynarzem, a jego recepty to końskie pigułki. Lepiej od razu zamówić pogrzeb, niż wyrzucać pieniądze na taką hołotę.

— Ja mam przyjaciela, który jest doktorem w szpitalu w Killarney — rzekł Megaw. — Moglibyśmy Michała tam zabrać.

Patrząc na ślady krwi pozostawiane po drodze, Pat zauważyła:

— Przewożenie gościńcem będzie dla niego okropnie bolesne i dużo krwi utraci.

Ale nie było innej rady. Propozycję sprowadzenia najętego powozu z Kenmare odrzucono. Trwałoby za długo. Lepiej będzie ułożyć Michała na sienniku w wózku zaprzężonym w Rory'ego. W domu Pat i Megaw założyli nowe opatrunki, nasączone ziołami, które miały tamować krew i łagodzić ból. Michał, oprzytomniawszy na chwilę, protestował i nie chciał się zgodzić, by go odwożono do szpitala. Pat próbowała go napoić herbatą z potiną, wlewając płyn do ust. Połknął trochę, ale był bardzo słaby, znowu stracił przytomność. Wysłano O'Flaherty'ego, by zawiadomił Molly.

— Niech się nie martwi o George'a — dodał Megaw. — Był w łodzi Kernana. Myśmy przypływali pierwsi z Redem Sheilem.

Zaprzężono Rory'ego między dyszle zaimprowizowanego ambulansu. Pat wsunęła się między siennik a bok wózka. Megaw powoził, siedząc na poprzecznej desce. Właśnie gdy wyjeżdżali, nadeszli Kernan i Keefe.

— Na litość boską, co...? — zaczął Kernan.

— Nie możemy się zatrzymywać — przerwała mu Pat. — Michał ciężko ranny. Luke ci opowie.

Kernan szedł obok wózka jadącego powoli po wyboistej drodze wiejskiej.

— Mów! — nalegał.

— Ja właściwie nic nie wiem — odparła Pat, wskazując Michała. — Roger, opowiadaj, tylko prędko.

— Nasza łódź szła pierwsza — rzekł Megaw. — Zanim przybiliśmy do brzegu, zobaczyliśmy tych dwóch na plaży. Sheil chciał zawrócić. Ale Michał powiedział: „Niczego nam nie mogą dowieść: pusta łódź! Pójdę do nich."

— Red zawsze jest strachliwy — mruknął Kernan. — A Anglicy mają talent do wpadania w nagły spokój. Cóż, tym razem lepiej by było trochę więcej strachu, a mniej spokoju.

— Michał zeskoczył w płytką wodę i brodził do brzegu — ciągnął Megaw. — Mogłem widzieć tylko Slattery'ego, Michał przesłaniał mi Jonesa. Michał podniósł rękę, chyba na powitanie. Rozległ się strzał. Michał chwycił się za ramię i upadł. Wtedy zobaczyłem Jonesa z pistoletem w ręku.

— Ty jesteś tutaj, a co z Redem i tamtymi? — spytała Pat.

— Po strzale Sheil chwycił za wiosła. „Wszystkich nas tu powystrzelają!" — zawołał. „Co, dwaj ludzie?" — zapytałem, ale on bał się, że może jest więcej za skałami. Powiedziałem mu, że musimy ratować Michała. Ale jego dwaj kompani też już brali za wiosła. Więc ja skoczyłem do wody. Właśnie dopadłem do Michała, kiedy ty przybiegłaś, Pat. Slattery i Jones kłócili się o coś, nie zwracając na leżącego Michała uwagi. To wszystko, co wiem. Aha, jeszcze jedno: Slattery miał ze sobą strzelbę, ale w ogóle jej nie podniósł do ramienia.

— Dziwaczna historia — zauważył Kernan. — Slattery wie dobrze, że my nigdy nie wyładujemy kontrabandy na naszej plaży. A tymczasem znaleźli się tu z Jonesem, obaj uzbrojeni... Ale dlaczego? Ja nic nie rozumiem.

Pat rozumiała aż nadto dobrze. Wyjechali z bocznego traktu na gościniec i Pat rzekła:

— Wracaj teraz, wuju. Droga tu znośna, możemy jechać prędzej. Pamiętaj o dzieciach, są u Molly. Niech George przenocuje z tobą. Wrócę, gdy tylko będę mogła, pewno jutro.

Kernan został na drodze. Patrzył za wózkiem i drapał się w głowę. Michał poruszył się, jęknął i spytał:

— Dokąd jedziemy?

— Jedziemy wyleczyć ciebie, *acushla* — odrzekła Pat.
— Bardzo boli?

Michał nie odpowiedział, tylko spróbował się uśmiechnąć i zamknął znowu oczy. Pat wlała mu między wargi trochę herbaty z potiną.

— Słuchaj, a co było przedtem? — pytała Pat Rogera.
— Jak pozbyliście się ładunku, dlaczego nie wróciliście do naszej zatoki łodzią wuja?

— Nie było żadnego ładunku — odrzekł Megaw. — Francuz w ogóle się nie zjawił. Żeglowaliśmy tam i z powrotem koło skał Skellig, gdzieśmy się mieli spotkać, przez cały dzień i całą noc. Coś mu przeszkodziło, może się natknął na jakiś ciekawski okręt marynarki wojennej i przyskrzynili go. Zimno było, deszcz siąpił. Dzięki Bogu, że teraz ustał. Wreszcie zawróciliśmy. Łódź Sheila jest najszybsza. Michał powiedział, że chce być prędzej w domu, więc Sheil wszedł do naszej zatoki, by nas wysadzić.

— Nie mogę zrozumieć, dlaczego Jones tam się znalazł i dlaczego we dwóch czekali na brzegu — rozważała Pat.
— Czy nie widzieliście kutra straży celnej?

— Nie, ale Jones mógł go ukryć w przystani Lanragh albo gdzie indziej i przyjść pieszo. Oczywiście o zamierzonym nadejściu Francuza pewno wiedział. Ale to wszystko bardzo dziwne. Czuję tu jakąś brudną robotę.

Pat wolała zamilknąć.

Niełatwą mieli drogę do przebycia. Gościniec prowadził stromo pod górę, a Pat i Megaw musieli iść pieszo obok wózka, aż dotarli do przełęczy, zwanej Moll's Gap, skąd zjechali w dół przez most Galway i Muckross do Killarney. Towarzyszyły mu piękne widoki na góry po obu stronach gościńca, ale nikt nie miał ochoty podziwiać krajobrazu.

Michał rzucał się na posłaniu, jęczał i bełkotał. Pat dotknęła jego czoła i stwierdziła, że jest rozpalone.

— Musimy poganiać Rory'ego — powiedziała. — I nie dam więcej potiny Michałowi.

Dzielny zwierzak ruszył chętnie, ale gdy kłusował, wózek podskakiwał i krew znowu trysnęła z rany. Musieli się zatrzymać i nałożyć świeży opatrunek. Michał otworzył oczy.

— Gdzie jesteśmy? Dlaczego tak boli? — I zemdlał znowu, gdy Pat zdejmowała przesiąknięte krwią bandaże.

Ściemniało się już, gdy podjeżdżali do Killarney. Megaw przypomniał sobie ów dzień na plaży, kiedy O'Flaherty opowiadał bajkę o Kłapouchu.

— Michał wyzwał zemstę demonów — mruknął z cicha.

Pat nie wiedziała, o co chodzi. To ona wyzwała jednego demona — w jaskini koło Clogbur.

Gdy Michała wniesiono do szpitala, miał wysoką gorączkę, był nieprzytomny. Doktor, przyjaciel Megawa, zbadawszy ranę, pokiwał poważnie głową.

— Kość barkowa zgruchotana — powiedział. — A kula jeszcze tu jest. — I dodał bez ogródek: — Musi pani oswoić się z myślą, pani Winterowa, że on straci ramię.

— Ale nie... nie..? — pytała błagalnie Pat, nie mogąc zmusić się do wymówienia słowa: „umrze".

— Zrobimy co w naszej mocy.

Cóż więcej mógł przyrzec?

VI

Pod wieczór tego samego dnia Slattery przejeżdżał konno koło gospodarki Kernana. Przyda się sprawdzić stan zdrowia rannego. Zsiadł przy bramie wjazdowej i przywiązał konia do słupa. Koło domu jak zwykle pasł się Horacy i Slattery zmierzył wzrokiem wytrzymałość linki, na której go uwiązano. Tryk spojrzał, pochylił łeb i cofnął się do ataku. Slattery zawrócił. Horacy ruszył z rozpędu — linka go pohamowała. Cofnął się i popróbował znowu. Tym razem wyciągnął z ziemi, rozmiękłej po niedawnych deszczach, cały słupek razem z linką. Slattery popędził do bramy, którą zostawił otwartą, i zatrzasnął ją za sobą. Horacy rąbnął w nią potężnym łbem. Ale mocna i dobrze osadzona brama — jedna z ostatnich nowości w gospodarce, dodanych przez Michała — oparła się zakusom tryka. Właśnie gdy Slattery dosiadał wierzchowca, wyszedł z domu Kernan z dębowym kijem w ręku. Horacy wycofał się przezornie. Doświadczył już tego kija nieraz, od kiedy odkrył, jak przyjemnie jest bóść.

— To przeklęte zwierzę jest niebezpieczne! — wybuchnął Slattery. — Zastrzelę je któregoś dnia!

Stary przemytnik, który z pomocą potiny deliberował nad wydarzeniami minionego ranka i doszedł do wniosku, że świadomym ich instygatorem z jakiegoś powodu był Slattery, odparł:

— Może Jones z urzędu celnego zrobi za pana tę brudną robotę, tylko że on niezbyt celnie strzela!

We wsi szybko rozeszła się wieść o wydarzeniu w małej zatoce. Ludzie wrzeli gniewem. Ale zanim cokolwiek obmyślili, by zamanifestować swoje oburzenie, doszła ich nowa wiadomość ścinająca krew w żyłach.

Następnego ranka po zranieniu Michała nowa pokojówka ze dworu, w przekrzywionym czepeczku i fartuszku, przybiegła pędem do domu rodziców i padła w ataku histerii. Kiedy się uspokoiła o tyle, że mogła mówić, wykrztusiła:

— Ten celnik... miałam mu dać herbaty do pokoju... dziś rano... więc poszłam... i tam... tam... — Zakryła twarz rękoma, łkając, śmiejąc się histerycznie, cała rozdygotana. Wreszcie powiedziała: — On tam leżał, całe łóżko we krwi... Słodki Jezu, dopomóż nam! Z nożem wbitym... o, tu! — Położyła rękę na swojej lewej piersi. I dodała niespodziewanie rzeczowo z gniewem: — Świeżo wyostrzony nóż z mojej kuchni, skradziony!

Gdy Kernan usłyszał nowinę od George'a Keefe, powiedział mimo woli:

— Ach, więc to o to chodziło...

— O co chodziło? — pytał Keefe.

— Nic, nic — zamamrotał stary przemytnik i dodał pośpiesznie: — Ten Jones z pewnością powędrował tam, gdzie będzie mógł palcem fajkę zapalać. Szkoda tylko, że jego pan nie znalazł się tam razem z nim. Ale wszystko w swoim czasie.

Śledztwo w sprawie morderstwa, prowadzone przez dwóch policjantów z Kenmare, wlokło się ospale. Slattery sam pozamykał drzwi na klucz przed udaniem się na spoczynek. Okno pokoju, w którym spał Jones, było otwarte. Rzecz naturalna w letnią noc. Ale pnącza obrastające dom widocznie rozerwano przy oknie. Morderca musiał wspiąć się po nich do okna, wśliznąć do pokoju, zejść po cichu na dół do kuchni, zabrać nóż i wejść z powrotem po schodach, nikogo nie obudziwszy. Policja twierdziła, że mógł tego dokonać tylko doświadczony włamywacz. Ernest Greene, niczego nie podejrzewając, kazał o świcie wygracować ścieżki, a parobek z grabiami twierdził, zgodnie z prawdą albo i nie, że nie zauważył żadnych śladów stóp. Młodszy z dwóch policjantów znalazł odcisk bardzo wielkiej bosej stopy koło krzaka pod oknem — albo tak mu się wydawało. Starszy to zlekceważył; wieśniacy, posłyszawszy o tym, chętnie przyjęli za winowajcę jakąś siłę nadprzyrodzoną.

Wzięto na spytki Kernana, ale i on, i George Keefe zaklinali się, że przepędzili tę noc cały czas razem, pijąc i grając w karty. Żaden nie ruszył się poza obręb gospodarstwa. Pat i Megaw wrócili z Killarney dopiero wieczorem w dzień morderstwa. Slattery poinformował policję, że w przeddzień było starcie z przemytnikami: jeden, ranny, znalazł się w szpitalu, reszta uciekła. Prowadzący śledztwo nie zainteresowali się bliżej tą sprawą.

Prawdę rzekłszy, policjanci więcej zdradzali nerwowości od tych, których przepytywali. Ich koledzy, zatrudnieni podobnymi zadaniami gdzie indziej, padali ofiarą kul wystrzelonych zza żywopłotów i drzew. Toteż ślepo wierzyli każdej informacji, która zdawała się wskazywać, że tajemnica jest nie do rozwiązania. A prócz tego wiedzieli, że każdy Irlandczyk potrafi skonstruować alibi nie do obalenia.

Centralne władze jeszcze mniej przejawiały zainteresowania sprawami rozgrywającymi się w odległych, dzikich zakątkach hrabstwa Kerry. W całej Irlandii, a zwłaszcza na zachodzie kraju, powszechne były zabójstwa urzędników albo „trudnych" celników. I rzadko kiedy ujęto sprawcę. Od czasu do czasu, gdy szczególnie złośliwa fala wysiedleń nawiedziła jakąś okolicę i wywołała w odwecie epidemię zabójstw, wysyłano tam oddziały żołnierzy, ale raczej po to, by terrorem zapobiec dalszym ekscesom, niż wyśledzić sprawców poprzednich.

Slattery też nie domagał się skrupulatnego śledztwa. Był zadowolony, że Jones już nie będzie mógł nigdy ujawnić ani zagrozić ujawnieniem spisku mającego na celu zabicie lub aresztowanie męża młodej kobiety, która pokrzyżowała plany i upokorzyła sędziego ziemskiego. Ten katolicki proboszcz, który zawsze wtyka nos w cudze sprawy, przyszedł i mówiąc o oburzeniu całej wsi, napomknął, że może pan sędzia powinien się wynieść z okolicy. Slattery tchórzem nie był. Nie zamierzał wywieszać białej flagi przed „wiejskimi chamami". Ta ścierka Grace groziła mu strzelbą swego ojca, ale chociaż ją wyrzucił, groźby spełzły na niczym. Na wszelki wypadek dziedzic przez jakiś czas nigdzie się nie ruszał bez broni i kazał Greene'owi spać w swoim pokoju na polowym łóżku.

Wreszcie dano pokój ospałym poszukiwaniom. A jednak oprócz winnego zabójstwa był jeszcze ktoś, kto wiedział więcej o sprawie, niż wyznał. Pewnego ranka Pat powiedziała do wuja:

— Nie widziałam naszego gawędziarza od tamtego dnia. Chciałabym mu podziękować przynajmniej dobrym posiłkiem za to, że mnie ostrzegł i sporządził nosze dla Michała.

— Z niego przelotny ptak — odrzekł Kernan z wymuszoną niedbałością. — Przychodzi i odchodzi, nie wiadomo kiedy i jak...

Było to zresztą prawdą, ale zarazem skrywało wspomnienie o tym, jak rankiem w dzień morderstwa, nim jeszcze Keefe się obudził, stary przemytnik znalazł w kuchni na podłodze parę pognieconych świstków papieru, widocznie wsuniętych przez szparę pod drzwiami. Podniósł je. Po jednej stronie każdej kartki był druk przekreślony. Po drugiej widniało nierówne pismo: duże litery namazane patyczkiem maczanym w farbie. Sporo czasu zajęło Kernanowi odcyfrowanie listu. Zezował nań, odsuwając i przysuwając, aż znalazł właściwą odległość od oczu. Wreszcie odczytał list, pisany bez znaków przestankowych i z wieloma błędami:

„Ja Luke O'Flaherty czując dziś swędzenie wokół szyi z powodu powietrza w Clogbur i Kenmare które nie jest dla mnie zdrowe i wiedząc co to może znaczyć wyprawiam się w podróż do starych kompanów w okolicach naszej wyspy zdrowszych dla mnie powiedz Megawowi że to ja zabrałem buty z jego sieni dosyć zniszczone więc mi nie pożałuje a ja będę się modlił za niego i za ciebie perło Irlandii czekaj dnia kiedy Matka Boska uczyni tę okolicę zdrowszą dla mnie iżbym mógł wrócić do Clogbur i nasycić oczy twoją obecnością i pani Pat i pana Michała niech go Bóg prowadzi do zdrowia i ich dzieci".

Kręcąc w zdumieniu głową, stary przemytnik zastanawiał się:

...Co on znowu przeskrobał, dziad sakramencki! Kto tam wie, może Pan Bóg widzi w nim lepszego człowieka niż my...

Pozgniatał świstki papieru i wrzuciwszy je w ogień, który rozniecił pod kuchnią, patrzył, jak płoną. Nim minął dzień, zrozumiał ich sens i dokończył rozmyślanie:

...Luke pewno nie jest jedynym łamiącym dziesięć przykazań i więcej na niebo zasługuje od wielu zwanych przez księży cnotliwymi...

VII

Długo leżał Michał w szpitalu w Killarney. Prawe ramię amputowano mu u samej góry. Utrata krwi osłabiła go bardzo, a po operacji wróciła gorączka. Pat jeździła co tydzień odwiedzać go, czasami z wujem, czasem z Megawem. Powoli ofiara kuli Jonesa wracała do zdrowia. Ale Winter miał na zawsze pozostać kaleką.

...Czy mogłam, czy powinnam była zapobiec temu?... Myśli takie nawiedzały Pat z uporczywością obsesji.

Wzdrygnęła się na wspomnienie ofiary, jaką musiałaby ponieść.

...Co byłoby gorsze: to że Michał stracił ramię, czy też że ja straciłabym na całe życie spokój sumienia?...

Zapytywała samą siebie rzeczowo, bez emocji. Ale odpowiedzi nie było.

...Jones poniósł karę. Slattery chodzi swobodnie. Do czasu. Zatruwa naszą ziemię swoją obecnością, choć ponoć w jego żyłach płynie krew irlandzka. Nadejdzie taki dzień...

ROZDZIAŁ TRZECI

I

Kenmare, położone w ujściu rzeki o tej samej nazwie i chlubiące się malowniczym wiszącym mostem, zaliczało się do zamożniejszych miasteczek w Irlandii. Był tu targ, gdzie dwa razy w tygodniu rolnicy z bliższej i dalszej okolicy oglądali przypędzone bydło, rozprawiali zażarcie na temat zalet i wad każdej sztuki, targowali się do upadłego, stawiali sobie nawzajem poczęstunki w jednej z miejscowych oberży, aż wreszcie pod koniec dnia dobijali targu i wracali do domów, odwożeni przez konie lub osły, które lepiej mogły znaleźć powrotną drogę od swych właścicieli. Dobicie targu rankiem byłoby, jak powiedział kiedyś Kernan, „równie głupie, jak wyrzucenie dolnej połowy kubka potiny, nim się wypiło górną połowę".

W chłodną porę roku przyjeżdżali aż z Killarney handlarze i oberżyści, by kupować świeżo złowione ryby, dostarczane z rybackich osad wokół ujścia Kenmare. Oprócz sklepikarzy osiedli tu rzemieślnicy, jak kołodzieje, kowale, szewcy i siodlarze. Kobiety słynęły z wyrobu koronek i wełnianych samodziałów. Żyli też robotnicy pracujący za nędzne grosze w odlewni żelaza, własności pewnego Anglika, który nigdy w życiu nie przeprawił się na tę stronę Morza Irlandzkiego.

Na głównej ulicy ulokowano posterunek policji oraz budynek sądu ziemskiego, miejsce urzędowania Artura Slattery'ego, gdzie oprócz sali sądowej mieściło się kilka skąpo umeblowanych pokoi: biura lokalnej administracji. W miasteczku było pół tuzina oberży, w dwóch z nich podawano w dni targowe gorące posiłki, kilka sklepów, piekarnia, hurtownia zboża, sukiennice, jatka mięsna, sklep rybny. Kenmare nie mogło wprawdzie rywalizować z większymi miastami, ale bądź co bądź zaspokajało lokalne potrzeby, było ruchliwym ośrodkiem, zarazem bardzo dumnym ze swego chlubnego udziału w powstaniach.

U końca głównej ulicy, obok protestanckiego kościoła znajdował się tak zwany sklep towarów mieszanych, gdzie sprzedawano narzędzia rolnicze, gwoździe, naczynia gospodarstwa domowego, lampy, świece, tanie obrazki, paciorki, sztuczną biżuterię. Tu w roku 1866 można było znaleźć za ladą Michała Wintera — z jednym rękawem marynarki pustym — albo któregoś z jego synów. W dni targowe uwijali się we dwóch, a czasem Pat przybiegała do pomocy.

Sklep oznaczał całkowitą zmianę w życiu Winterów. Jeszcze gdy Michał przebywał w szpitalu w Killarney, Pat układała tuzin różnych planów pomszczenia się na Slatterym — wszystkie nierealne, nawet w razie powodzenia związane z ryzykiem przymusowej rozłąki z rodziną na nieokreślony przeciąg czasu. Po powrocie Michała do domu widok jego pustego rękawa napełniał ją wciąż od nowa bólem i współczuciem. Michał zawsze prowadził tak czynne, ruchliwe życie, tyle zrobił dla rozwoju gospodarki Kernana, a zarazem wykazywał się odwagą i przezornością jako przemytnik. Teraz, okaleczony, patrzył w milczeniu, jak Megaw i Keefe strzygą owce. Potem spoglądał na swój pusty rękaw i odchodził z westchnieniem. Nigdy się nie skarżył, ale zrobił się z niego mruk, miewał napady złego humoru. Kobiecie, która go kochała, ciężko było patrzeć codziennie na to jego milczące cierpienie. Pat zorientowała się prędko, że gdy się zabierał do jakiejś roboty, trzeba go było zostawiać, by sobie radził sam. Chciał koniecznie być w jakiś sposób użyteczny. Nauczył się posługiwać siekierą tak, że jedną ręką mógł rąbać polana; umiał też wiązać bat, przytrzymując go między kolanami. Pat krajało się serce, gdy na to patrzyła.

Skończyły się dla niego wyprawy na przemyt. A tymczasem wojenna marynarka brytyjska otrzymała zadanie zlikwidowania szmuglu. Michał nigdy nawet nie pomyślał o niebezpieczeństwie, gdy sam się tym zajmował, ale teraz nalegał na Kernana:

— Ryzyko stało się niewspółmierne. A chłopcy niebawem zechcą brać udział w wyprawach. Jeśli mają się narażać, niechby przynajmniej zaczekali na taką sposobność, dla której warto życiem nałożyć! Niechby zaczekali na coś, co mogliby zrobić dla kraju!

— Przemyt to patriotyczna robota — przypomniał mu jego własne słowa Kernan. — Jak na razie nasza jedyna okazja do pociągnięcia brytyjskiego lwa za ogon.

— Z tej patriotycznej roboty ciągnęliśmy niezłe dochody — odparł Michał i dorzucił: — Trudno rozstrzygnąć, który aspekt był bardziej pociągający. Ale teraz musimy się zdobyć na cierpliwość. Nadarzą się inne patriotyczne okazje, bądźcie pewni!

Roger Megaw poparł go:

— Łapówki teraz na nic się nie zdadzą. W tej chwili przemyt to utarczki i zabójstwa. Zawsze się temu sprzeciwiałeś, Jamesie, w każdym razie w wyprawach przemytniczych.

Wobec ich połączonych argumentów stary przemytnik ustąpił. Sprzedał łodzie, zajął się tylko gospodarstwem. Wszyscy w Iveragh musieli się pogodzić z ograniczeniami i oszczędnością, ale na to nie było rady.

Farrell, nawymyślawszy od tchórzy Kernanowi, Megawowi i Keefe'owi, objął przywództwo bardzo zmniejszonej liczebnie bandy przemytników. Red Sheil podczas burzy stracił maszt. Slup marynarki wojennej doścignął go i przyłapał z łodzią pełną kontrabandy. Gdy burza nieco ucichła, Farrell zawrócił lojalnie, by szukać towarzyszy. Natknął się na slup, który otworzył ogień i zatopił jego łódź. Farrell utonął, Sheila i trzech przemytników posłano do Dublina, gdzie ich skazano na siedem lat zesłania.

— Kłótliwy był kompan z tego Farrella — mruczał Kernan. — Ale uczciwie zrobił, zawracając, by szukać tamtych.

A Megaw dodał:

— Red Sheil, biedaczysko! Co prawda ja nie mogłem nigdy jakoś godzić się z jego bliskością, chyba tylko na samotnej tratwie na morzu i bez prowiantu!

Michał i Pat skrzywili się z niesmakiem.

Tak dawna banda Kernana przestała istnieć. Wkrótce potem zmarła w Kenmare stara kobieta, która prowadziła w miasteczku sklep z towarami mieszanymi. Od śmierci męża przed paru laty sklep z wolna podupadał. Jej jedyny pozostały przy życiu syn wstąpił do brytyjskiego wojska, wysłano go do Indii i tam zginął, zabity w walkach z Afganami na północno--zachodniej granicy. Właściciel domu, w którym sklep się mieścił — Joe McCail — wywiesił napis: „do wynajęcia".

Pat dostrzegła sposobność ratunku dla Michała. Jako właściciel sklepu mógł być — a co ważniejsze, czuć się — użytecznym, przydatnym. Z robotą w sklepie poradzi sobie z jedną ręką. A jego przyjacielski, łatwy sposób bycia będzie mu zjednywać klientów.

— Ale nie możemy zostawić wuja Kernana samego — protestował Michał. — Pamiętasz, ile dla nas zrobił?!

Ten kłopot rozstrzygnęli Kevin i Molly Keefe. Chłopiec wyraził chęć pozostania na gospodarstwie z dziadkiem Kernanem i zwierzętami, a Molly — Keefe'owie pobudowali już sobie dużą chatę i mieli sześcioro dzieci — zaproponowała, aby Kernan z Kevinem przychodzili do nich na główny posiłek dnia: przyda jej się parę szylingów żywej gotówki. Megaw też skorzystał z takiej możliwości, chociaż wobec braku miejsca przy stole siadali zwykle z Kevinem na zydlach przy kuchni albo koło drzwi, zależnie od pory roku, trzymając na kolanach głębokie talerze z jedzeniem.

Kernan pojechał do Skibbereen, gdzie zaciągnął pożyczkę na hipotekę swojej gospodarki i mógł spłacić sumy, które

Michał zainwestował. Te pieniądze umożliwiły zakup towaru i przetrwanie trudnego okresu, zanim sklep znowu zaczął prosperować. Winterowie nie mieli zbić fortuny na tym przedsięwzięciu, ale Pat od młodości umiała dobrze sobie radzić przy skromnym dochodzie. A Kernan kupił małą bryczuszkę, by móc ich często odwiedzać.

Sklep razem z całym jego zaiste mieszanym towarem, który w piękną pogodę częściowo wynoszono na ulicę, utrzymywany był w nieskazitelnej czystości. A starannie prowadzone przez Michała zapiski kupna i sprzedaży były zapewne jedynymi księgami rachunkowymi w Kenmare.

— Nie żałujesz? — dopytywała się niejednokrotnie Pat. — Mój Boże, jako wielki właściciel ziemski, którym byłbyś gdyby nie ja, prowadziłbyś zupełnie inne życie... pieniądze, bale, polowania...

— Powiedziałem ci kiedyś przed laty i powtarzam teraz — odparł. — Nie szkodziłoby bogactwo, gdyby nie trzeba było żyć wśród bogatych, a zwłaszcza bogatych w tym kraju, którzy pokradli ludziom ziemię i uważają Irlandię za swoją własność, jak na przykład chlew. Kiedy podróżowałem po Włoszech, mój towarzysz użył tych właśnie słów.

— Poświęciłeś się, żeby mnie uratować — mówiła Pat. — Ja pamiętam. — Dotknęła jego pustego rękawa. — I gdy pomyślę, co z tego powodu musiałeś później wycierpieć...

Przerwał:

— Nie wycierpiałem niczego, czego byś ty mi po stokroć nie wynagrodziła, najdroższa. Nie mogę sobie wyobrazić życia bez ciebie.

Pewnego wczesnego wiosennego ranka, gdy wichura, według irlandzkiego wyrażenia, wdmuchiwała kokoszkom z powrotem świeżo zniesione jajka, a czarne chmurzyska gnały tak nisko, że zdawały się dotykać dachów, pewna starsza niewiasta — znana koronczarka — śpiesznie weszła do sklepu Winterów, otulona chustką. Michał wiedział już, że klienci obu płci przychodzili nie tylko po zakupy, ale także na pogawędkę.

— Dzień dobry, pani Sherlock, jeśli ten dzień można nazwać dobrym!

— Okropny dzień, panie Winter — odparła nowo przybyła.

— Czy będzie padało, pani Sherlock?

— Otóż, panie Winter, patrząc na niebo powiedziałabym, że przed wieczorem będziemy koła ratunkowe kaczkom rzucać... Ale z drugiej strony, rzeźnik Joe McCail powiada, że jego odcisk wcale nie śle palącego bólu aż w górę lewej nogi, co jest pewnym znakiem suchej pogody.

Michał się roześmiał.

— Joe McCail i jego odcisk! Pamięta pani, jak zeszłego roku powtarzał wszystkim rolnikom, że będzie piękna pogoda; poszli kosić trawę i co, musieli potem z niższych łąk łodziami zwozić siano.

— Być może, Pan Bóg nie zawsze pozwala Joemu trafnie przepowiadać, aby też mu pycha w głowie nie zakręciła. Ale ja pamiętam, och, to było dobrych kilka lat temu, jak Joe przepowiedział suche lato i prawdę rzekł. Kiedy przyszedł sierpień, to drzewa goniły za psami po kroplę choćby wilgoci. Nie, panie Winter, nie trzeba śmiać się z odcisku Joego. Cała okolica chełpi się tym odciskiem!

— A w każdym razie przyznaję, że z niego naprawdę zacny człowiek — zgodził się Michał. — Jest naszym gospodarzem i dopóki nie stanęliśmy na nogi, wcale się nie upominał o czynsz.

— Tak, tak, zacny człowiek z kościami — wtórowała pani Sherlock i nie mogąc się wyrzec ulubionego tematu, dodała jeszcze: — I taki wspaniały odcisk, że sam święty Patryk mógłby Bogu dziękować za niego: proszę tylko pomyśleć o sławie!

Widząc, że kobiecina mówi poważnie, Michał pohamował się i zmienił temat:

— Czym mogę pani dzisiaj służyć, pani Sherlock?

Porobiwszy różne zakupy, kobieta wyszła, ale w drzwiach przystanęła i z zaciśniętymi wargami popatrzyła na jeźdźca, który przejechał z tupotem końskich kopyt. Artur Slattery. Pani Sherlock zawróciła do sklepu, by się wygadać:

— Kiedy ludzie się znajdą pod wozem, to zły człowiek chce jeszcze skorzystać na tym. — Splunęła na ulicę i kciukiem wskazała w stronę, dokąd odjechał Slattery. — Gdyby mu Bóg pozwolił zobaczyć siebie takim, jakim go inni widzą, toby wyrzygał cały obiad.

— Nie wiem, czy pani ma w tym wypadku rację, pani Sherlock — odrzekł Michał. — Gdyby Slattery wiedział, co o nim sądzimy, pewno by się poklepał po plecach za to, że tak dobrze służy swoim panom.

Koronczarka znowu splunęła.

W rzeczywistości Slattery dobrze wiedział, że go powszechnie nienawidzono. Przedstawicielowi obcego rządu trudno by było nie wiedzieć tego, zwłaszcza że nie czynił żadnych prób zyskania sobie przychylności. W ciągu lat, jakie minęły od chwili, gdy wyreżyserował swoją pomstę, co prawda tylko w części udaną, na Winterowej, sędzia ziemski stawał się coraz twardszy, surowszy, coraz częściej wpadał w gniew. Kilka przyczyn się na to złożyło. Nie powodziło mu się ze stadniną. Jego rasowe konie ulegały ciągłym wypadkom: to złamana noga, to zagadkowy kaszel, to znowu źrebięta rodziły się zdeformowane. Gdyby te nieszczęśliwe wypadki można było tłumaczyć jako rezultat wrogiej działalności wieśniaków — zrozumiałby to. Ale oni nie mogli w tym maczać palców. Nic innego, zdecydował, tylko złośliwość losu. Po prostu pech!

Mijające lata nie poskromiły jego żądzy. Żona — lepsza niechętna partnerka niż żadna — przyjeżdżała do dworu coraz rzadziej i jak wtedy gdy on bywał w Dublinie, zamykała na klucz drzwi swojej sypialni. Chyba tylko po to się zjawiała, by dowieść zainteresowania majątkiem na wypadek, gdyby mężowi coś przytrafiło. Z młodszymi, chętniejszymi partnerkami kłopoty wzrastały, ponieważ ojciec O'Connor i dwaj księża z Kenmare zabronili swoim parafianom posyłać córki do pracy w Kenmare Lodge. Czasami udawało mu się dostać z dalszej okolicy dziewczynę, która po kąpieli zadowalała go na jakiś czas. Najczęściej jednak musiał zatrudniać podstarzałe, ale jeszcze nie rezygnujące stare panny albo wdowy: te pierwsze wąsate, te drugie o piersiach i brzuchach świadczących, że się zasłużyły w sprawach populacji.

Slattery nie wiedział, że Pat w swojej zawziętości przez wiele miesięcy po powrocie męża ze szpitala w Killarney uparcie obmyślała podstępy, które by im pozwoliły zemścić się na dziedzicu. Michał początkowo wyśmiewał jej plany; później, przekonawszy się, że Pat myśli o tym poważniej, niż przypuszczał, zapowiedział stanowczo, aby wybiła sobie z głowy podobne zamiary. Tłumaczył, że nie ma żadnej pewności, czy Slattery rzeczywiście nakłonił Jonesa do strzelania. Żałował tylko, że Jones już nie żył. Powtarzał, że na gwałt nie należy odpowiadać gwałtem, to tylko prowadzi do dalszych gwałtów. Pat miała inne poglądy, ale chociaż, a może właśnie dlatego że Michał bardzo rzadko jej cokolwiek nakazywał w tych nielicznych wypadkach, kiedy się to zdarzało, Pat była mu posłuszna. Tak więc Winterowie przestali się zajmować sędzią, tylko Pat starannie unikała wszelkich z nim spotkań, nawet na odległość.

II

W chwilę po wyjściu pani Sherlock do sklepu weszła Pat, śmiejąc się serdecznie. W życiu miejskim musiała wyrzec się spodni, które nosiła teraz tylko do pracy w ogrodzie za domem, gdzie uprawiała warzywa, by odciążyć trochę domowy budżet. W sklepie nie było klientów. Pat pocałowała męża, który objął ramieniem jej ciągle szczupłą kibić.

— Podobasz mi się w spódniczce — powiedział, dodając z jedną brwią do góry uniesioną: — A jeszcze bardziej bez...

Trzepnęła go żartobliwie w policzek:

— Aha, dlatego lubisz spódnice, że łatwiej sobie z nimi możesz poradzić niż ze spodniami! W twoim wieku, z prawie dorosłymi dziećmi, czy nie masz ważniejszych rzeczy na głowie?

— A czy jest coś ważniejszego? — spytał ze śmiechem.

Ich oczy, satysfakcja, jaką znajdowali we wzajemnej bliskości, dawno zdradziła plotkarzom w miasteczku, że są nadal kochankami.

— Powiedz mi, z czego się śmiałaś, gdy tu wchodziłaś — pytał Michał.

— Och, ten Peter! — odrzekła. — Plecie, co mu ślina na język przyniesie.

Peter we własnej osobie wszedł za matką. Miał siedemnaście lat, był raczej niski, ale muskularny, o rudych włosach, błękitnych oczach i oliwkowej cerze, którą wziął po matce. Najpoważniejszy z rodzeństwa, wciąż zamyślony, bywał jednak dowcipny, nawet złośliwy. Przypominał Pat jej ukochanego zmarłego brata, Seana.

— Halo, ojcze, czas, bym ciebie zastąpił. Będę w sklepie aż do zamknięcia. Możesz spokojnie poczytać albo zajrzeć, co chłopcy porabiają w klubie.

— Coś powiedział, co tak matkę rozbawiło?

— Ach, to! Więc byłem przy kościele ojca Sigersona i szkicowałem sobie trochę. Ciekawe mury. — Zapamiętany ze szczenięcych lat przykład starego przemytnika nie poszedł na marne. Peter miał bez wątpienia wrodzony talent. Posługiwał się najchętniej węglem, a jego surowe i prymitywne szkice uderzały siłą wyrazu. — Zacny ojciec przyszedł, zrobił parę głupich uwag, a odchodząc, zapytał mnie jeszcze, czy w naszym bezbożnym domu odmawiamy modlitwę przed jedzeniem. Więc mu powiedziałem, że nie potrzebujemy, bo matka smacznie gotuje.

Michał parsknął śmiechem, zapamiętał sobie incydent. Dumny ojciec, spisywał w grubym zeszycie zabawne wydarzenia i powiedzonka z rodzinnego życia. Na przykład Peter, wówczas dziesięcioletni, po raz pierwszy popłynął łodzią w burzę. Dostał mdłości; chory i wystraszony, spytał: „Czy nie powinniśmy zawrócić do brzegu, dziadku?". Stary Kernan tylko się uśmiechnął: „Nie bój się, kogo śmierć ma zabrać, tego zabierze!". A Peterek odparł: „Tylko nadzieja śmierci utrzymuje mnie przy życiu!". Albo gdy Denis, który był trochę snobem, przyprowadził kolegę do Iveragh, by mu pokazać gospodarkę, Michał usłyszał, jak mały gość pytał: „Czy wasze kury znoszą jajka?". I odpowiedź Denisa: „Oczywiście. Ale wcale nie muszą. Dziadek może sobie pozwolić na kupowanie jajek."

— Ach, ci chłopcy, jeden z drugim! — opowiadała Pat. — Byłam teraz w kuchni, a William w tamtym pokoju. Usłyszałam aż nadto dobrze znany odgłos i zawołałam, czy William nie pluje znowu do wazonu stojącego przy oknie. Już go przyłapałam parę razy na tej wstrętnej zabawie. Ale wiesz, co mi odpowiedział? „Nie, mamo. Ale za każdym razem trafiam coraz bliżej." Wyciera teraz podłogę mokrą ścierką.

Szczęśliwa rodzina. Michał zawsze był opanowany, a kalectwo nauczyło go cierpliwości. Potrafił z uporem trzymać się jakiejś zasady albo przeświadczenia, ale z uporem milczącym, na który nie wpływały ani perswazje, ani kłótnie. Mogło go zmienić tylko wewnętrzne przekonanie, kształtowane przez życie.

Oddana całym sercem mężowi, którego kalectwo wciąż jej leżało na sercu jak wyrzut sumienia („bo po co ja w ogóle poszłam do tej przeklętej jaskini?"), Pat na pozór się ustatkowała. Mniej teraz skłonna była najpierw działać, a potem dopiero myśleć i obliczać ryzyko. W hrabstwie Kerry działalność polityczna zamarła, chociaż ostatnio rozeszły się pogłoski, że James Stephens zebrał swoich „trzystu sprawiedliwych" i organizował podziemne wojsko. Ale w najbliższej okolicy nic się nie działo, co by podnieciło rebelianckie skłonności Pat.

Martwiła się o wykształcenie synów. Świadoma, że jej mąż studiował na angielskim uniwersytecie, wyczuwała niedostatki szkoły w Kenmare, gdzie podstawy nauczania były powierzchowne. Ale właśnie Michał, sam posiadający wysokie wykształcenie, próbował rozwiać troski Pat:

— Rzeczywiście nie możemy dać im właściwego wykształcenia — mówił. — Ale ja im dałem najlepszą matkę na świecie, a to dla nich dużo ważniejsze.

Jednakże w głębi serca Michał kłopotał się o przyszłość Petera. Pomaganie ojcu w sklepie nie wydawało się odpowiednim zajęciem dla zdolnego młodego chłopaka. Co prawda Peter na razie nie zdradzał zniecierpliwienia ani niezaspokojonych ambicji. Miał czas na czytanie książek, które wciąż pożyczał od kogoś, i na rysowanie. Co więcej, był potrzebny. Sporo było w sklepie takiej roboty, z którą jednoręki Michał nie mógł sobie poradzić. Czternastoletnim Denisem dopiero od niedawna można się było wyręczać. Pat była rada, że Michał ma w swym pierworodnym pomocnika chętnego i sprawnego. Tak więc sprawę przyszłości Petera wciąż odkładano ze zwyczajnym ludzkim westchnieniem:

— Może później...

Młodzi Winterowie — oprócz Kevina, którego książki w ogóle nie interesowały — zdobyli jednak dużo więcej wiadomości od młodych Irlandczyków w podobnych ekonomicznych i społecznych warunkach. Michał przy pomocy Rogera Megawa, który parę razy na tydzień przychodził z Clogbur, założył w Kenmare klub dla chłopców. Duży jasny pokój oddał do ich dyspozycji wielebny Dawid Roberts, łagodny i roztargniony pastor protestancki. Dzięki takiemu pomieszczeniu klub cieszył się poważaniem, a wiadomo było, że wielebny Roberts nie będzie nikogo próbował nawracać. Pastor, głęboko i szczerze religijny, nie uważał siebie za urzędnika państwowego jak wielu anglikańskich pastorów w Irlandii. Z przerażeniem pojął, że mało kto z Irlandczyków, przyjmując jego wyznanie, czyni to z przekonania. Większość liczyła na protekcję, zapomogi, na to, że będzie się ich uważać za lojalnych wobec władz okupacyjnych. Toteż wielebny Roberts nie próbował nikogo nawracać.

Chłopców rzadko bywało w klubie więcej jak tuzin, a ledwie połowa liczyła się do regularnych bywalców. Mimo tego klub stał się ośrodkiem nauczania matematyki — Michał prowadził lekcje — oraz historii i geografii, czego podjął się Megaw. Wielebny Roberts po pewnym czasie wziął na siebie obowiązek uczenia języka angielskiego. Peter okazał się entuzjastą przedmiotów wykładanych przez Megawa. Denis był najbardziej obiecującym pupilem pastora. A dwunastoletni William z zapałem brał się do zadań z matematyki.

Ale klub nie ograniczał się do nauki. Chłopców zabierano na spacery, zaprawiano do boksu i zapaśnictwa. Między starymi zapasami najrozmaitszych towarów w sklepie Michał znalazł strzelbę i spory zapas amunicji. Pat namówiła go, by uczył chłopców strzelać do tarczy zawieszonej na prostopadłej skarpie u ujścia rzeki.

— Może nadejść dzień — mówiła — kiedy umiejętność strzelania pozwoli im służyć Irlandii!

Z ulicy dobiegł szorstki głos Kernana:

— Hola, Nellie, stój!

Pat i Peter podbiegli do drzwi sklepu. Wiatr rozwiał chmury, wypogodziło się. Odcisk Joego nie skłamał. Na ulicy w małej bryczce siedział wuj James obok młodej kobiety, a plecami do nich Roger Megaw i Molly Keefe. Wszyscy odświętnie przystrojeni. Kobiety trzymały w ręku bukiety polnych kwiatów, mężczyźni mieli kwiaty w butonierkach. Na biczysku powiewała biała wstążka. Obaj mężczyźni ceremonialnie uchylili kapeluszy. Młoda kobieta zaczerwieniła się, a Molly wykrzyknęła:

— Ale ich zastrzelimy!

— W imię wszystkich irlandzkich bohaterów, co to ma znaczyć? — zawołała Pat, chociaż prawdę nietrudno było odgadnąć.

Przed rokiem zmarł w Clogbur na zapalenie płuc młody nauczyciel, w parę miesięcy zaledwie po swoim ślubie. Dwudziestopięcioletnia wdowa, Adela Monteith, musiała pomyśleć o jakimś zarobkowaniu. Słynny z rozpusty Slattery zaproponował jej pracę gospodyni we dworze, a młoda wdowa udała się do Pat, by zapytać, czy jego reputacja jest rzeczywiście uzasadniona. Pat nie pozostawiła jej żadnych wątpliwości co do tego, jakie zajęcia należałyby do jej obowiązków w Kenmare Lodge. Ale odradziwszy jej jedną pracę, znalazła dla niej drugą.

— Wprawdzie jest trochę za przystojna — mówiła później Pat do Michała — ale wuja już nie interesują młode kobiety.

W parę dni później Adela była zainstalowana w Iveragh jako gospodyni wuja Kernana. Pracowała solidnie. Zachowywała się spokojnie. Dotąd Pat przychodziła każdej soboty, by posprzątać, ale w ciągu pozostałych sześciu dni tygodnia w domu panował iście męski bałagan. Adela szybko doprowadziła Iveragh do ładu i okazała się o wiele lepszą kucharką od serdecznej i gościnnej, ale niestarannej Molly. Jednakże Pat grubo omyliła się co do domniemanej obojętności starego przemytnika na uroki niewieście, czego dowodziła obecna wizyta gości w bryczce.

Peter powiedział bez ogródek:

— To mi wygląda na wesele!

— A czemuż by nie? — zawołał Kernan, zsadzając Adelę z wysokiego siedzenia, wyraźnie w doskonałym humorze.

— Ale gdzie? — pytała oszołomiona Pat. — I kiedy ma się odbyć?

— Już się odbyło za specjalną dyspensą — poinformował Megaw.

— Jezus, Maria! — wykrzyknęła Pat. — Specjalna dyspensa?

W drzwiach i oknach wzdłuż ulicy zaczęły się pojawiać twarze ciekawskich, więc dodała szybko:

— Wejdźcie, proszę, wszyscy i opowiadajcie! Całkiem się speszyłam.

— Przez ten próg — zwrócił się Kernan do Adeli — nie będę cię przenosił, moja droga, ale gdy wrócimy do domu...

— Zaniesie cię prosto do łóżka! — wtrąciła ze śmiechem Molly. Zawsze ta sama Molly, tyle tylko że przestała już rodzić dzieci.

Kernan dobrze się trzymał, chociaż przekroczył sześćdziesiątkę, cierpiał tylko na krótkowzroczność.

Niepewna przyjęcia w rodzinie, Adela czekała, aż jej świeżo upieczony małżonek ujął ją pod ramię i wprowadził do sklepu.

— Musimy to uczcić! — zawołał Michał, przynosząc butelki do ciemnawej niedużej bawialki.

Obserwował spod oka Adelę. Drobna, szczupła, o kruczych włosach, ognistych czarnych oczach, białej cerze, dużych ustach. Łatwo mu przyszło zrozumieć, że jej obecność odmłodziła wuja Jamesa.

Pat podeszła do panny młodej, objęła ją i ucałowała, mówiąc ze śmiechem i zabawnie podkreślając ceremonialny zwrot:

— Najserdeczniej winszujemy, ciociu! Wuj czasem pohałasuje, ale nie gryzie, chociaż szczeka. To zacny z kościami człowiek, ale nie powinnam pewno mówić mu tego w oczy!
— I zwracając się do Kernana: — Cóż, ty „zacny człowieku", nie masz w zanadrzu jednego całusa dla swojej siostrzenicy? I wytłumacz się. Jak mogłeś takie tajemnice przed nami...?

Peter i Denis patrzyli w milczeniu. Klacz czekająca na ulicy niecierpliwie biła kopytem o ziemię. William wyszedł, poklepał ją po karku, uspokoił i mocno przywiązał.

— Dobra, dobra — powiedział Kernan. — Przecież to proste, no nie? Adela, sami widzicie, niewiasta na schwał. A ja stary wdowiec. Oboje pod tym samym dachem przy stole naprzeciw siebie każdego wieczora. Więc tak sobie pomyślałem, że lepiej będzie, a i pościeli się zaoszczędzi, gdy tak się zejdziemy jeszcze bliżej...

— Kapitalnie, wuju — powiedział Michał. — Ale czemu familii nie zaprosić, na ślub? I czemu taki pośpiech?

Kernan roześmiał się, przypisując inne znaczenie pytaniu Michała.

— Nie, nie! — odrzekł. — Nie próbowaliśmy brać przeszkód przed wyścigiem. Ale widzicie, w moim wieku to tam nie pasuje urządzać wielkiego weseliska. Sąsiedzi tylko by się śmieli ze starego durnia. Więc skoro Adela powiedziała

„tak", ja się uwinąłem, dostałem obrączki i dyspensę, poprosiłem Rogera i Molly na świadków i do księdza O'Connora! No i cała historia.

— Wzięliśmy udział — dokończył Megaw — w nierzadkiej uroczystości, kiedy to jedną obrączkę wkładała się na palec młodej kobiecie, a drugą będzie się wodziło za nos mężczyznę!

Chłopcy się śmieli, Pat pocałowała wuja i znowu objęła Adelę.

— Boże wam błogosław obojgu i życzymy szczęścia z całego serca! Ale mogłabym cię zbić, wuju, za to, żeś mnie ani słówkiem nie uprzedził! — Pogroziła mu palcem, a stary przemytnik odrzekł:

— Znasz mnie, moja droga! Ze mnie taki pies podwórzowy, co to nawet kiedy z radości merda ogonem, przewraca stół i strąca naczynia!

Pat nie gniewała się więcej na wuja. Odgadywała powód jego pośpiechu: bał się, że rodzina sprzeciwi się jego małżeństwu w tym wieku. Mylił się, bo Winterowie nie zrobiliby tego. Jako żona Adela z pewnością będzie się lepiej opiekować wujem Jamesem i pielęgnować go w razie choroby niż jako gospodyni. I nowa godność dodawała jej powagi, co może jej pozwoli sprawować macierzyńską kontrolę nad Kevinem. Bardzo by się to przydało. Pat nieraz się trapiła, bo chłopak miał skłonności do swawoli, a wuj James, zwłaszcza po paru łykach potiny, raczej go zachęcał, niż powstrzymywał.

Wzniesiono toasty, Pat uwinęła się i podała na stół, co tam w domu było — wędzony boczek, marynaty domowej roboty i doskonałe ciasta. Opróżniono półmiski z wielkim apetytem. Zrobiło się wesoło. Nagle Kernan odsunął krzesło i wstał.

— Celebrować będziemy w niedzielę u nas w domu — powiedział. — Przyjedźcie wszyscy! A teraz musimy się już zabierać. Ściemnia się, nie chcę wieźć kobiet bryczką po ciemku.

— Ej, dużo ty o to dbasz! — przerwała Molly. — Noc poślubna, ot co! I stary pies podwórzowy doczekać się nie może, kiedy zacznie ogonem merdać!

— Niewyparzony język, jak Boga kocham! — zganił ją Kernan. — Ale starzy mężczyźni żenią się dla innych powodów niż młodzi: głównie po to, by nie marznąć w nocy.

Mężczyźni wyszli z Molly na ulicę. Adela zatrzymała się jeszcze i zapytała Pat:

— Nie gniewasz się na mnie?

— Ależ bynajmniej, moja droga! Oczywiście, że to było trochę niespodzianką, sama wiesz. Myślę, że słusznie postąpiłaś i ze względu na wuja, i na siebie.

— Bardzo się do niego przywiązałam — mówiła Adela. — Jest dla mnie zawsze taki dobry! No i to zabezpieczenie dla mnie, nieprawdaż?

— Rozsądna z ciebie niewiasta — uspokajała ją Pat. — A ponieważ jesteś właśnie taka rozsądna, z pewnością zdajesz sobie sprawę, że wuj James... no, nie jest młody i silny jak twój pierwszy mąż. Sama wiesz. Chyba się nie rozczarujesz, jeżeli...

Adela oblała się krwawym rumieńcem.

— Och, ja o tym wcale nie myślę — powiedziała śpiesznie, jąkając się. — Ja teraz przywykłam obywać się bez tego...

Pat nie uwierzyła tak łatwo. Te płonące oczy i wargi pełne, duże... I coś jakby pewna sztuczność w zachowaniu panny młodej.

III

Niedzielne przyjęcie w Iveragh nie zawiodło niczyich oczekiwań. Adela przygotowała mnóstwo wybornych potraw, a Kernan pomyślał o napitkach. Około północy Peter i Denis postanowili ułożyć się do snu na siennikach w pokoju Kernana, a nad ranem w poniedziałek Megaw ofiarował się bryczką odwieźć Pat, Michała i Williama — śpiącego na kanapie — do domu. Szalona to była jazda. Klacz, popędzana nieustannymi smagnięciami bicza, rwała galopem, bryczka podskakiwała i zataczała się po gościńcu od rowu do rowu, William i Pat — której wołania ignorowano — trzymali się kurczowo poręczy i siedzeń. Gdy wjechali na główną ulicę Kenmare, Michał powiedział niezbyt wyraźnie:

— Lepiej zwolnijmy... blisko sklepu...

— Czego chcesz? — pytał Megaw. — Przecież to chyba ty... ep... powozisz?

W ciągu wielu dni jeszcze małżeństwo wuja Jamesa stanowiło główny temat rozmów w domu Winterów. Któregoś wieczoru Pat zerknęła wesoło na Petera i powiedziała:

— No, a co z tobą i Dafne O'Neill? Jak to będzie?

Peter zmarszczył brwi w wielkim zdziwieniu i zapytał:

— Dafne? Co z Dafne?

— Och, nie udawaj — wmieszał się Michał. — Czy myślisz, że nie wiemy, jak cię wzięło? Spotykacie się co tydzień. Mój chłopcze, przecież tylko dlatego że cię kochamy, chcielibyśmy wiedzieć, czym ona jest dla ciebie.

— Jest dla mnie serdeczną siostrą zamiast tej, której mi nie daliście — odparł Peter.

— Każdy gada, że dziewczyna to dla niego siostra — powiedział szyderczo Denis. Młodszy brat Petera odnosił się wciąż jeszcze z pogardą do dziewczyn, które według niego nie umiały się bić ani pływać i w ogóle do niczego się nie nadawały oprócz gotowania i szycia. — A potem ni stąd, ni zowąd chłopak jakby się na wędkę złapał, chodzi nocami po pokoju i dzieciaka kołysze!

Nie zwracając na niego uwagi, Michał powiedział do Petera:

— W porządku, synu. Lubisz Dafne i jeśli o nas chodzi, to nam wystarcza. Jesteście oboje bardzo młodzi. Ale nie zapominaj, że O'Neillowie mają się za coś lepszego od sklepikarzy. Pani O'Neill jest po trochu snobką. Swojej córce, jako dziecku, mogła pozwalać bawić się z tobą. Ale teraz kiedy Dafne dorasta, to może być zupełnie inna sprawa...

— Nie myśl o tym, tato — przerwał mu Peter. — Przyjaźnimy się i tyle. Dafne powiedziałaby ci to samo.

Dafne zapewne powiedziałaby to samo, rzeczywiście. Ale może by przy tym westchnęła. Od dziesiątego roku życia spędzała wiele czasu w Cork z ciotką i znacznie starszymi kuzynkami. Bo jak Michał zauważył, O'Neillowie, ludzie dość zamożni, starali się trzymać Dafne z dala od niepożądanego towarzystwa. Ale zarazem byli gorącymi patriotami. Nazwisko O'Neillów należy do najsławniejszych w dziejach Irlandii. Zwłaszcza w XVI i XVII wieku wodzowie tego klanu, wywodzący się od irlandzkich królów z V wieku, walczyli niestrudzenie z Anglikami o niepodległość swego kraju. Kilku trafiło na szafot, kilku przepadło w więzieniu. Patriotyzm, odziedziczony wraz z płynącą w żyłach krwią, nie pozwalał O'Neillom utrzymywać stosunków z okolicznym ziemiaństwem, przeważnie Anglikami albo podlizującymi się Anglikom. Toteż Katarzyna i Peadar O'Neillowie prowadzili raczej odosobniony tryb życia.

Zdawali sobie jednakże sprawę, że córka powinna mieć towarzystwo w swoim wieku. W Cork, mieście uniwersyteckim, istniała irlandzka sfera średnia — profesorowie, adwokaci, lekarze. Tam więc posłano Dafne do szkół, by mogła w domu krewnych poznać odpowiednich ludzi. Ale ostatnio kuzynki powychodziły za mąż, chłopców wysłano do Dublina na zakończenie edukacji. Dafne, której rodzice uznali, że córka nabrała właściwego poczucia towarzyskiego wzbraniającego jej znajomości z osobami niepożądanymi, wróciła do domu do Lanragh. Ale właściwe poczucie towarzyskie nie przeszkodziło jej wybrać się po kryjomu w odwiedziny do przyjaciół z dziecinnych lat w Clogbur. Z Winterów zastała tylko Kevina. Gdy już wychodziła, nadszedł z Kenmare Peter i odprowadził ją prawie aż do Lanragh.

Dafne miała włosy kasztanowate, w miękkich lokach spadające na plecy, okrągłą twarzyczkę, uczciwe jasne spojrzenie. Była drobnej budowy, chociaż niewiele niższa od Petera. Zabawy ze starszymi kuzynkami wyrobiły jej mięśnie i sprężystość nóg.

Z początku w towarzystwie Petera zachowywała się dość milkliwie, ale niebawem zaczęła opowiadać o życiu w mieście. Chłopcu wydała się bardzo dorosła i światowa, bo przecież bywała nie tylko w Cork, ale i w Dublinie, a on prawie nie znał Irlandii prócz okolic Kenmare i Killarney. Umówili się, że za tydzień spotkają się znowu w małej zatoczce, mniej więcej w połowie drogi między Clogbur a Lanragh. I tak tydzień po tygodniu w rozmaite dni spotykali się ze sobą — o czym Peter beztrosko opowiadał Pat. Jednakże Dafne uznała za przezorniejsze ukrywać przed rodzicami te spotkania. Zabierała ze sobą zwykle na spacer koszyk, by zbierać jagody, krewetki albo też polne kwiaty.

Peter szczerze zaprzeczał, jakoby żywił dla dziewczyny jakieś poważniejsze uczucia. Lubił z nią przebywać, bo nie pyszniła się wyższością. Rysował dla niej zabawne postacie na piasku lub na skałach, przynosił jej też do obejrzenia szkice, jakie robił w domu. Dafne zachowywała się zwyczajnie, po koleżeńsku, nigdy nie próbowała flirtować, nigdy się nie mizdrzyła. Rozmawiali, ścigali się, wspinali na strome skały nadbrzeżne, napełniali sumiennie koszyk Dafne. W ciepłe dni Peter się kąpał i pływał. Nie przyszło mu nigdy do głowy, by ją spróbować pocałować.

Ale po rozmowie o niej z rodzicami zaczął sam siebie egzaminować, badać. Nic mu to nie dało prócz stwierdzenia, że z wielką niecierpliwością wyczekuje zawsze następnego spotkania z Dafne.

Sobota wstała pogodna i słoneczna. Dafne przybiegła wcześnie na umówione miejsce, a wiedząc, że Peter zawsze nadchodził ścieżką wzdłuż skarpy, szła dalej i dotarła aż do rybackiej zatoki przy Clogbur.

Nie zauważony przez młodą parę ojciec O'Connor spostrzegł ich z dala. Widział, jak przez chwilę stali rozmawiając, później zeszli ze skarpy na plażę. Nie objęli się ani nie pocałowali, nawet ich ręce się nie dotknęły. Ale ojciec O'Connor mruknął do siebie, żegnając się:

— Najświętsza Matka Boska mnie tutaj przysłała, żebym mógł zapobiec złu albo łeb hydrze ukręcić...

Za młodu grzech nieczystości zaciążył na sumieniu ojca O'Connora, który zabrał się do rozpaczliwej walki ze swym osobistym demonem, jak to określił jego spowiednik. Gorzka to była walka, a osiągnięte w końcu zwycięstwo nie zostawiło mu współczucia dla innych zakochanych, lecz wstręt do wszystkiego, co wiązało się ze sprawami płci. Razem ze świętym Pawłem przyznawał, że małżeństwo jest koniecznością dla większości dojrzałych ludzi obojga płci, ale w najniewinniejszej przyjaźni chłopca i dziewczyny widział tylko złowieszczą żądzę, której prawdopodobnie wcześniej czy później ulegną.

Dafne i Peter byli zwinni, mknęli jak sarny po piasku plaży, przeskakiwali skały nadbrzeżne. Ksiądz, bliski sześćdziesiątki, o członkach zreumatyzowanych i sztywnych po nocach przepędzanych na modlitwie, nie mógł nawet wzrokiem ich doścignąć. To mu odpowiadało, bo i oni mogliby go dostrzec. Z cierpliwym uporem szedł ich śladem.

Rozmyślania o przyjaźni z Dafne sprawiły, że Peter patrzył na nią tego dnia innymi oczyma. Gdy się spotkali, poczuł po raz pierwszy nieśmiałość i niecierpliwość zarazem. Nadał olbrzymie znaczenie temu, że wyszła o kilometr dalej na jego spotkanie. Dafne nie zwróciła na to żadnej uwagi. Gdy znaleźli się w swojej ulubionej zatoczce, Dafne stała przez chwilę tuż nad wodą. Wiatr targał jej włosy, obciskał na niej sukienkę, rysował jej drobne piersi i podkreślał tę piękną u młodej dziewczyny linię — od bioder po kolana. Peterowi zabrakło tchu. Nagle ujrzał, że jest śliczna. Już nie tylko kompan do spacerów. Dziewczyna! Istota odmiennej pici.

— Woda musi być ciepła, możesz popływać — powiedziała.

Jak zwykle położyła się twarzą na piasku, zamknięte oczy na przedramieniu, gdy Peter się rozbierał. Teraz szczególnie uważał, by się od niej odwrócić. Nie dlatego, że jej nie ufał, ale dlatego że jej kobiecość nagle uświadomiła mu jego męskość. Przebiegały po nim dreszcze, nieznane dotąd emocje wydobywały się na jaw, ręce mu drżały.

Gdy Dafne usłyszała tupot jego odbiegających stóp po twardym piasku przybrzeżnym — usiadła. Patrzyła na jego proste plecy, silne ramiona, muskularne pośladki. Mocnymi ruchami popłynął do ujścia.

— Wracam na brzeg! — zawołał po krótkim czasie.

Położyła się z powrotem i zamknęła oczy, a Peter przebiegł parę razy po brzegu, by się wysuszyć, i zostawiwszy jeszcze koszulę, wciągnął na siebie spodnie. Woda ochłodziła go, czuł się czysty i spokojny. Położył się obok niej, a ona spojrzała na niego.

— Dobrze się pływało? — spytała, dorzucając: — Krótko dziś byłeś w wodzie.

Nie odpowiedział. Po prostu chciał prędzej znaleźć się obok niej.

Teraz gdy leżał przy niej na plecach i spoglądał w niebo, zrozumiał, że wszystko jest inaczej, niż bywało do tej pory. Czuł jakieś napięcie. Zmusił się, by zapytać o połowy jej ojca. Dafne pytała go o jego rodziców, o rysunki. Odpowiadał krótko, prawie niecierpliwie. Wydawał się obrażony. Jego nastrój udzielił się jej, a kobiecy instynkt pozwolił odgadnąć przyczynę i jej własne serce zaczęło bić szybciej. Uczyniła coś, czego nie robiła nigdy dotąd — wyciągnęła rękę i wolno przesunęła palcami po jego piersi.

— Przestań! — rzekł ostro i zakrył twarz ramieniem.

Jej dotknięcie rozpaliło go, wyczyniało z nim rzeczy, których jak sądził, ona nie rozumiała. Rozumiała doskonale. Przesunęła dłoń na jego ramię.

— Spójrz na mnie, Peter — powiedziała, pochylając się nad nim.

Z wolna podniósł powieki i napotkał jej wzrok. Uśmiechnęła się do niego z ogromną czułością, z zupełnym zrozumie-

100

niem. W mgnieniu oka chwycili się w objęcia, usta na zgłodniałych ustach, udo przy drżącym udzie.

Mądre stare słońce uśmiechało się ciepło z bezchmurnego nieba. Kilka mew o ostrych ogonach i czarno zakończonych skrzydłach polatywało tuż nad wodą, na przemian ślizgając się i gwałtownie bijąc skrzydłami. Rybitwy o beczułkowatych ciałach krążyły z przenikliwymi okrzykami lub nagle nurkowały z wysoka, tuż nad głowami pary, która zapomniała o bożym świecie. Inne oczy z ukrycia i bez sympatii spoglądały na nich również.

Odrywając usta od jego ust, ale ciałem przyciskając się jeszcze mocniej, Dafne wyszeptała:

— Mógłbyś mnie kochać.

— Kocham ciebie.

— Ja ciebie kochałam od pierwszego dnia, kiedy mnie odprowadziłeś do domu.

— Ja pewno też, tylko nie wiedziałem o tym aż do dziś.

Odsunęli się i spojrzeli sobie w oczy. Już nie byli bratem i siostrą. Nie pokosztowali jabłka, ledwie odetchnęli jego słodkim aromatem, ale udzieliła się im świadomość samych siebie, a niewinność rajskiego ogrodu była poza nimi. Dotknęło ich skrzydło ludzkiej namiętności.

Dafne ujęła jego rękę i położyła ją na swojej piersi. Dotknięcie, chociaż przez suknię, jakby go sparzyło: wyrwał jej rękę.

— Nie wiesz sama, co robisz — rzekł.

— Mogę zrobić wszystko, co zechcesz — szepnęła.

Westchnął, dotknął palcami jej długich włosów i usiadł. Dafne oparła aksamitny policzek o jego nagą pierś. Objął ją ramieniem i powtórzył, chociaż teraz z mniejszym przekonaniem:

— Nie wiesz, co się dzieje ze mną.

— Nie traktuj mnie jak dziecko — odparła. — A jak myślisz, co w ciągu tych ostatnich tygodni działo się ze mną? Nie jestem z kamienia! Nie tylko ty chcesz...

Peter opanował się. Gładził spokojnie jej włosy.

— Zielony ze mnie młokos — powiedział. — Ty jesteś dziewczyną z miasta, bawiłaś u krewnych, wiesz więcej. To przyszło na mnie tak nagle...

— Nie zmartwiłeś mnie — uśmiechnęła się. — Ale kiedy już „na ciebie przyszło" jak i na mnie, co dalej?

— Powiedzą, żeśmy za młodzi, żeby się pobrać.

Wiedząc, że jeśli chodzi o jej rodziców, przeszkód będzie więcej, Dafne powiedziała:

— Moglibyśmy uciec i gdzieś wziąć ślub.

— Żaden ksiądz nam nie da ślubu: dwa dzieciaki zbłąkane w lesie! — mruknął. — I nie mielibyśmy z czego żyć. Lepiej spojrzeć prawdzie w oczy. Ja nic nie umiem, jak tylko pomagać w sklepie, i może trochę znam się na gospodarce. Nie potrafię zapewnić ci przyzwoitego utrzymania.

— Jaki ty jesteś praktyczny, *acushla* — westchnęła. — I niestety masz rację. Oczywiście mój ojciec mógłby kupić dla nas sklep. Ma na to dość pieniędzy. Niech go Bóg zachowa, pewno by to nawet zrobił. On by dla mnie gwiazdkę z nieba ściągnął. Ale matka! Zaplanowała sobie, że muszę poślubić grubą forsę — i starego grubasa.

— Myślę, że moi rodzice wszystko by dla mnie zrobili — rzekł Peter. — I nasz sklep z każdym rokiem więcej dochodu przynosi. Ale będą uważali, że jesteśmy za młodzi. A twoja matka...

Dafne rozmyślała na głos:

— Matka chciałaby dla mnie męża jeśli już nie bogatego, to w jakimś sensie wybitnego, sławnego... Może by jej nawet wystarczyła lokalna sława, aby mogła się chwalić zięciem. Głupie, prawda? Ale tak już jest.

— Potrzebne nam nowe powstanie — odparł. — A Megaw powiada, że pora się zbliża. Wtedy bym im pokazał!

— Gdybyś mógł! Rodzice mają może dziwaczne poglądy na pewne sprawy, ale są patriotami do szpiku kości. I kocham ich za to.

Peter westchnął, ale odrzekł stanowczo:

102

— Musimy czekać. Jak mawia mój ojciec: może coś się zdarzy.

— Będę czekała, jak długo trzeba — powiedziała Dafne.

— Ale nie wyobrażaj sobie, że czekanie będzie dla mnie łatwiejsze niż dla ciebie.

Jego ramiona znowu się do niej wyciągnęły. Całował jej włosy, jej szyję. Oddała się pieszczotom, szepcząc coś cicho w słodkim zachwyceniu. Ręka jego zawędrowała po jej plecach, pod ramiona, pod pachy, napotkała miękkie wzniesienie... Nagle odtrącił ją szorstko, skoczył na równe nogi i zaczął wkładać koszulę.

Powiedział jak dziadek James w dzień ślubu:

— Ściemnia się, musimy się zbierać!

Ale to nie zachód słońca tak go ponaglał, lecz strach przed nowym a natarczywym pożądaniem.

Peter spędził burzliwy tydzień. Opowiedział matce o wszystkim, a raczej opowiedział tyle, ile mu pozwoliła dyskrecja, o tym co zaszło między nim a Dafne.

— Dziwię się tylko — zauważyła Pat — że to się nie zdarzyło wcześniej. Ciężko wam będzie obojgu, ale nic tu nie da się zrobić, synku. Chciałabym cię zapewnić, że dostaniesz nagrodę. Ale wiesz sam, co ojciec mówi o starych O'Neillach.

Pomyślała, że powinna doradzić synowi, aby nie widywał się więcej z Dafne. Choćby był pewien, że potrafi nad sobą zapanować, choćby raz mu się to udało, mogło być tylko jedno zakończenie tych potajemnych spotkań. Młoda krew gra. A chociaż rozkosz dzieli się po równi, miłość w owych czasach groziła niebezpieczeństwem tylko jednej ze stron. Ale czy taka rada by się na co przydała?

Gdy wieczorem w łóżku Pat zwierzyła sekret Michałowi, ten rzekł:

— Muszą sami walczyć o swoje szczęście. Sami decydować. Jeśli będziemy się wtrącać, tylko chłopaka zrazimy do siebie. Bądź rada, że ci się zwierzył, i niech tak pozostanie. My tylko możemy stać w gotowości z bandażami i opatrunkami na wypadek bolesnego upadku.

— Myśmy nie czekali na dzwony kościelne, mój jedyny — przypomniała mu.

— Czyż mógłbym nie pamiętać o tym? — Przycisnął ją do siebie. — Ale byliśmy jednak trochę starsi, staliśmy już na linii naszego życiowego startu i nie było żadnych O'Neillów, którzy mogliby zabronić rozpoczęcia wyścigu.

IV

Na następne spotkanie z Dafne Peter biegł przez całą prawie drogę. Podniecony, wyobrażał sobie, jak rzuci mu się w objęcia, przypomniał sobie smak jej warg, dotknięcie języka. Śmielsze myśli odpychał od siebie.

Dafne jeszcze nie przyszła do zatoki.

— Biegłem za szybko. Zrobię tak jak ona ostatnim razem: pójdę naprzeciw na spotkanie.

Teraz szedł wolniej, a w miarę jak się zbliżał do Lanragh, niepokój narastał mu w sercu. Ani śladu Dafne. Zawrócił w nagłym przestrachu, że może się rozminęli, że poszła jakąś inną drogą. Ale zatoka leżała cicha i pusta. Teraz rzeczywiście strach go ogarnął.

— Wrócę jeszcze raz. Jeśli jej nie spotkam po drodze...

Serce biło mu szybko, teraz już nie z powodu rozkosznie podniecających wizji, ale z obawy, sam nie wiedział przed czym.

— Czyżby zmieniła zdanie? Czy wstydzi się...? Czy mi nie ufa, że będę czekał, dopóki się nie pobierzemy?

Znalazłszy się w Lanragh, Peter przejawił charakterystyczną cechę odziedziczoną po matce — skłonność do działania najpierw, a myślenia później. Gdy minionego tygodnia trzymał Dafne w objęciach, potrafił się opanować. Ale teraz desperacja go popędzała. Poszedł do jej domu.

Peadar O'Neill we frontowej części ogrodu podwiązywał róże, które ucierpiały od wichury poprzedniego dnia. Był to jegomość korpulentny, około pięćdziesiątki, o krótkiej szyi i okrągłej łysince. Nalane policzki obwisły, ale oczy miały wyraz dobroci.

— Dobry wieczór, szanowny panie.

Odpowiedź zabrzmiała sztywno, ale chłopca to nie zraziło.

— Chciałbym się widzieć z córką szanownego pana, jeśli można.

— Moja córka wyjechała. — O'Neill nie przerywał swojego zajęcia.

Powiedział prawdę. Gdy poprzedniego tygodnia Dafne dotarła do domu, przed drzwiami stał powóz, a na nim już spakowane jej rzeczy. Tego samego wieczoru ojciec O'Connor wrócił na probostwo bardzo późno i bardzo zmęczony. Daleka to była dla niego i uciążliwa droga do Lanragh i z powrotem.

— Wyjechała? Dokąd? — spytał Peter z większą prostotą niż grzecznością.

— Nie masz prawa zadawać pytań, młody człowieku. Nic ci do tego, gdzie obraca się moja córka.

— Ale ja... ona... nic mi nie mówiła!

— Doszło moich uszu, że spotykałeś moją córkę po kryjomu, podstępnie. Jej matka... to jest, ja sobie nie życzę, aby ona się z tobą widywała.

Peter wybuchnął:

— Ale ja się chcę z nią ożenić!

— Nie opowiadaj głupstw. Toż to dziewuszka!

Peter nie pohamował słów, które mu się nasunęły:

— Właśnie dlatego chcę się z nią ożenić, szanowny panie.

— Impertynent z ciebie, młody człowieku. I być może nieprzystojny. — Ale Peadar, jak Dafne mówiła, chętnie by nieba przychylił ukochanej jedynaczce. — Młodzi muszą uczyć się czekać — ciągnął łagodniejszym tonem. — Cierpliwość jest próbą.

To nie brzmiało beznadziejnie. Peter odezwał się pojednawczo:

— My rozumiemy, że musimy czekać... — zaczął.

Ale w tej chwili w otwartych drzwiach domu ukazała się Katarzyna O'Neill, wyższa od swego małżonka, ciężka, wyprostowana, obnosząca bujny biust jak sztandar. Stała niby posąg obrażonego macierzyństwa. Jej mąż pochylił się nisko nad krzakiem róż. Ona wymówiła tylko jedno słowo:

— Peadar!

Ale wymówiła to słowo tonem królewskiej i urażonej wymówki, jakby go przyłapała na całowaniu pokojówki — co rzekłszy prawdę, zdarzało się, zdarzało.

Korpulentny jegomość rzucił na nią wzrokiem i jakby zyskał na odwadze ze strachu przed żoną. Wyprostował się, a jego wydatny brzuszek zabawnie ujęły w uścisk gałązki róż: tylko że Peterowi nie było do śmiechu. O'Neill, podkreślając słowa gestem ręki, w której trzymał kozik do cięcia róż, powiedział:

— Moja żona... to jest, mówię ci, że nie może być nigdy mowy o małżeństwie jej... mojej... naszej córki z synem Anglika, synem...

Pani O'Neill przyszła mu teraz z pomocą, hucząc niskim głosem na całą ulicę:

— Synem szlachcica, który spadł do poziomu sklepikarza!

W Peterze zawrzała porywcza wściekłość Kernana, niepohamowana wściekłość Pat.

— Ja mogę czekać i Dafne może czekać. — Pochylił się ku małemu człowieczkowi i jego aroganckiej małżonce. — Ale jedno powiem: Dafne nigdy nie wyjdzie za mąż za nikogo innego, tylko za mnie! — Uderzył się w pierś melodramatycznym gestem. — Głowę dam za to! I pobierzemy się nie w żadnej odległej zakazanej dziurze, ale tu, w kościele w Lanragh albo w Kenmare, a wokół nas będą wszyscy: moi

106

bliscy i jej, i pani, i pan także! I wtedy będziecie dumni z tego, że macie Wintera za zięcia! Do zobaczenia!

Odszedł, ale jeszcze odwrócił się, by zuchowato rzucić przez ramię:

— Proszę nie zapomnieć przekazać Dafne wyrazów mego oddania, szanowna pani. I zapewnić ją, że zgłoszę się po nią, jak tylko państwo będą musieli zmienić zdanie.

Tak, to dobrze zabrzmiało. Ale gdy Peter, wciąż pieniąc się ze złości, szedł drogą, szybki marsz zaczął ochładzać jego wściekłość. Zastanowił się nad urzeczywistnieniem swoich przechwałek.

— Jak?... dumni, że macie Wintera? Wyjdę na durnia, jeśli mi się nie uda... i Dafne... Ale musi mi się udać!

V

Michał — pokpiwający z pogardy Katarzyny O'Neill — i Pat — wściekła — z całego serca pragnęli pomóc swemu pierworodnemu w zrealizowaniu chełpliwych zapewnień i zdobyciu ukochanej.

W niedzielę w Iveragh zebrało się familijne konklawe, bez Denisa i Williama, za to z Rogerem Megawem jako honorowym członkiem. Zgodna rodzinna solidarność — wyjąwszy Kevina, który chociaż najmniej wykształcony, czuł się najbardziej niezależnym z młodych Winterów w świadomości, że jest już kompetentnym hodowcą owiec.

— Miłość! — szydził. — Wiązać się na całe życie! Co za pomysł, Peter! A po co ci to? Przecież nie brak jagniczek na pastwisku.

— Jesteś ordynarny, Kevin — zaprotestowała Pat, zastanawiając się w duchu, jak bliskie stosunki z dziewczętami miewał już ten jej szesnastoletni syn.

— Zmienisz zdanie, gdy spotkasz właściwą dziewczynę — dodał Michał.

— W takim razie będę dobrze uważał, żeby jej nie spotkać — odparł Kevin i wyszedł do owiec.

Pat potrząsnęła głową w zatroskaniu. Michał zmarszczył brwi. Kernan prychnął krótkim śmiechem. Megaw chciał jak najprędzej przejść do rzeczowej rozmowy. Adela nie reagowała wcale i przez cały czas późniejszej dyskusji nie wtrącała się do niej: należała od niedawna do rodziny i postanowiła nie mieszać się do narady.

— Wykształcenie, przygotowanie do jakiejś profesji — wywodził Megaw — takiej jak prawo, medycyna, pedagogika, zaimponuje ludziom pokroju O'Neillów najbardziej, w braku oczywiście pieniędzy, i to grubych pieniędzy. Gdy spotykam Peadara, zawsze tytułuje mnie z szacunkiem „profesorem".

— Nauka kosztowałaby dużo — przypomniała Pat.

— I ojciec potrzebuje mnie w sklepie — dodał Peter.

Michał ruchem ręki odtrącił to zastrzeżenie:

— Co do sklepu, dam sobie radę. Denis pomoże i William już podrasta.

— A i pieniądze się znajdą — powiedział Kernan.

— Odłożyłem pewną sumę na spłacenie długu hipotecznego. To może być dla ciebie, mój chłopcze, oddasz mi, gdy będziesz wziętym adwokatem.

Stary przemytnik stracił ostatnio zwykłą werwę. Dochodził do przekonania, że małżeństwo w jego wieku to zupełnie co innego niż małżeństwo dla mężczyzny trzydziestoletniego. Rankami bywał czasem bardziej zmęczony niż młodzi ludzie po całym dniu ciężkiej pracy.

— Jak powiedziała Pat w dzień twego ślubu: zacny z kościami człowiek z ciebie, wuju Kernanie — rzekł z uśmiechem Michał. — Sądzę, że i my moglibyśmy zmobilizować trochę gotówki, a trochę też pożyczyć. Masz rację, Rogerze.

— Może do szkoły sztuk pięknych? — zaproponowała z wahaniem Pat.

— To trudna sprawa, bo musiałby wyjechać do Dublina — zaoponował Megaw. — I w tej dziedzinie nie tak szybko można stwierdzić, czy się naprawdę ma talent. Peter mógłby parę lat studiować, a później usłyszeć: „Żałujemy, ale...". Natomiast rodzaj studiów, jaki ja proponuję, wymaga nie tyle szczególnych uzdolnień, ile pracowitości, zainteresowania.

— Czy nie można by na wydział celtycki? — spytał Peter.

— Dobra myśl — pochwalił Michał. — Język już znasz. Ja go nigdy nie mogłem opanować, chociaż usilnie się starałem. — Trochę żałosny uśmiech skrzywił mu twarz. — Prócz tego będzie ci potrzebna znajomość historii, stylistyki i łaciny. Z dwóch pierwszych przedmiotów możemy cię przygotować, Roger, wielebny David i ja. Do łaciny trzeba będzie wziąć korepetytora.

— Tak, piękny patriotyczny pomysł — zgodził się Megaw. — W Cork jest odpowiedni fakultet. Peter może później zostać bibliotekarzem, kustoszem, pedagogiem, pisarzem. Bardzo nam są potrzebni humaniści wykształceni w języku celtyckim, by podtrzymywać znajomość naszej starożytnej tradycji. Przed takimi O'Neillowie klękną na oba kolana!

Tak też zdecydowano po dłuższej jeszcze dyskusji. Megaw znał dobrego korepetytora, który miał ostatnio mało zajęcia, i mógłby się zgodzić na przyjazd do Kenmare, gdyby mu zapewniono pokój i utrzymanie.

— Taką okazję należy oblać! — oznajmił Kernan i wyciągnął flaszkę, a Adela zakrzątnęła się i w mig podała wyborny posiłek.

Michał mówił:

— Związek, który z pozoru wydaje się niemożliwy, może się okazać najpiękniejszy. Mam powody twierdzić, że tak bywa!

Położył rękę na ramieniu Pat, a ona rzekła z błyszczącymi oczyma:

— Ja też!

— Zaciśnij zęby, Peter — ciągnął Michał. — Jeśli twoje uczucie dla Dafne jest prawdziwe, wygrasz!

Kernan wzniósł toast:

— Zdrowie Dafne O'Neill! Zawsze ją lubiłem jako dzieciaka, a teraz, jeśli jest tą dziewczyną, której chce Peter, będzie ją miał!

Założywszy, że wszystko dobrze pójdzie, Peter w dwudziestym drugim roku życia skończyłby uniwersyteckie studia. Irlandczycy rzadko się żenili przed trzydziestką. Mało który mógł sobie na to pozwolić.

Megaw odwiózł troje Winterów do domu. Ściemniało się już, nim podjechali do Kenmare. Gdy bryczka przystanęła przed sklepem, Pat dostrzegła o parę kroków przed nimi kulejącego mężczyznę w łachmanach. Odwrócił się:

— Ach, czyż to nie najpiękniejsza w Irlandii kobieta, jaką oczy moje oglądały, i czyż to nie jej małżonek, najhojniejszy z hojnych. Dzięki niech będą wszystkim świętym w ich chwale...

Mówił niewyraźnie, zacinał się, chwytał oddech.

— Nie pleć, Luke, i chodź do środka! — zawołała Pat. — To wspaniale widzieć ciebie znowu po tylu latach!

Luke potrząsnął ręką Michała, potem zwrócił się do Petera:

— A ten wspaniały okaz młodego Irlandczyka musi być tym chłopcem... I Roger, drogi, zacny... dawno już, jak twoje buty się rozlazły... musiałem sprzedać to, co z nich zostało, i mało co mi za nie dali... bo...

Pat pociągnęła go za rękaw i kawałek zbutwiałego materiału został jej w ręku. Michał ujął go pod ramię, próbując łagodnie skierować do domu. Luke potknął się, wyprostował z wysiłkiem i osunął się bez przytomności całym ciężarem na Michała. Wnieśli go do środka, położyli na kanapie. Megaw powąchał jego usta.

— Nie, nie jest pijany — rzekł.

Luke otworzył oczy.

— Nie, i na Matkę Boską, nie jestem... obżarty...

Znowu zamknął oczy, ale uśmiechał się radośnie.

— To z głodu — powiedziała Pat. — Zapakujcie go do łóżka, ja pójdę przygotować coś gorącego i posilnego. Ale po odrobince, nie za wiele naraz!

Minęło kilka dni, zanim wynędzniały Luke O'Flaherty, pielęgnowany przez Pat i całą rodzinę, mógł stanąć na nogi. Ale ponieważ żył, więc usta mu się nie zamykały. Już następnego dnia po zemdleniu opowiadał o swych wędrówkach — z Kerry na północ, do hrabstwa Clare, stamtąd do Galway i jeszcze dalej na północ, i na zachód, do Mayo, nawet do Donegalu. Z czego żył przez te wszystkie lata — nigdy nie wyjaśnił. Ale Winterowie wiedzieli. Snuł ciekawe opowieści, przymawiał się i żebrał, w ostateczności kradł.

— Jeśli mi nie zapłacą, co winni, to sam muszę wziąć — mawiał.

Tylko Kernan widział list naskrobany przez Luke'a przed jego odejściem. Ale Winterowie i Megaw nie byli ślepi ani głusi, rozumieli niejedno. Uważali, że byłoby nietaktem wypytywanie, dlaczego Luke opuścił Clogbur właśnie tej nocy, gdy celnik Jones został zasztyletowany.

Dziesięciolecie, w ciągu którego tyle się zmieniło w życiu Kernana i Winterów, nie przyniosło zmian w położeniu Irlandii. Jednakże O'Flaherty napomykał niejasno i okrężnie o budzącym się ponownie ruchu rebelianckim w różnych stronach kraju. Nowa konspiracja, nowa organizacja. Luke mówił o jakimś Irlandzkim Bractwie Republikańskim:

— ...a może bractwie rewolucyjnym... Bo rzekłszy prawdę, panie Michale, ja tam mało wiem o takich sprawach. Gdy Irlandia powstanie, Luke O'Flaherty znajdzie się w pierwszych szeregach, bo to Irlandia, bo ród O'Flahertych zawsze walczył i krwawił, i ginął...

— Tak, wiemy — przerwał Michał. Ale Luke nie dał się zbić z tropu:

— Jeśli Irlandia walczy, Luke O'Flaherty walczy. Walczył w czterdziestym ósmym i chociażby się zestarzał, to gdy się znowu zacznie, będzie w szeregach choćby po to, by przynieść wodę rannym i opowiadać im tak ciekawie, że zapomną o bólu.

— Ale co słyszałeś o bractwie? — dopytywała się Pat. Węszyła spiski, bitwy, proch i jak stary bojowy koń nastawiała uszu.

— Ach, moja biedna głowa! Jakbym ją w wór z owczą wełną wsadził... pani Winter. Co może nie jest źle. Nam, Irlandczykom, lepiej nie pamiętać za dużo tego, cośmy usłyszeli. Jak się nie pamięta, to się nie powtarza, a jak się nie powtarza, to na nikogo kłopotów się nie ściąga... Tak, wymieniano jeszcze inną nazwę... fenianie, tak mi się zdaje. I coś mówiono, że ci fenianie najpierw się zorganizowali w Ameryce. Zacni patrioci irlandzcy, wygnani z naszej pięknej wyspy głodem albo wypędzeni przez Anglików, tam, w Ameryce, założyli nową organizację... O tak, policja poszukuje ich tutaj, wyłapała sporo... A jeden z nich nazywa się chyba Stephens, ale jak mu na imię? John? Jeremiah? Nie, James... Ten James Stephens wymknął się z ich łap i przeprawił przez morze... do Ameryki czy może do Francji... mylą się te wszystkie zamorskie kraje...

VI

Peter zabrał się do nauki z zapałem i determinacją. Denis, któremu przyrzeczono, że gdy jego pora nadejdzie, zapewni mu się jakimś sposobem możliwość studiowania, przykładał się do pomocy w sklepie, by odciążyć brata. A ten zawzięty student pochłaniał wiedzę, chodząc od ojca do Megawa, od wielebnego Davida — całym sercem popierającego plan — do korepetytora od łaciny. Petera podniósł na duchu i do jeszcze większych wysiłków skłonił list od Dafne:

Acushla, gdy myślę o Tobie, o Twoich objęciach, płaczę. Ale kiedy myślę o moich głupich rodzicach, którzy sobie wyobrażają, że mogą nas rozdzielić na dłużej, to się śmieję. Nie gniewaj się na nich. Oni myślą, że to dla mego dobra. Jestem ich córką, kocham ich i pragnęłabym gorąco, żebyś i Ty mógł ich pokochać. Znajdziesz sposób, ja wiem, byśmy mogli być razem... Będę wiernie czekała tak długo, jak trzeba będzie... Nie pisz do mnie, najdroższy, moja ciotka pilnuje, zabrałaby list adresowany nieznaną jej ręką... Odwagi, acushla, i cierpliwości. Irlandia może czekać, by wygrać w końcu..., możemy i my...

VII

Życie w małym miasteczku nie odpowiadało naturze Luke'a O'Flaherty'ego. Skoro tylko trochę pozdrowiał — chociaż zdaniem Pat daleko mu było jeszcze do odzyskania sił w pełni — zakomunikował o zamiarze wyprowadzenia się do lasu, sklecenia sobie nowego szałasu, by móc wieczorami, jak powiadał:

— ...siadać spokojnie w otoczeniu drogich króliczków skaczących sobie koło mnie... Niech mi Bóg wybaczy, jeśli się czasem zapomnę i zawiodę ufność, jaką we mnie pokładają... wybornie smakują, upieczone nad ogniskiem... i ptaszków przypatrujących mi się z drzew...

Więc Pat wyposażyła go w starą kurtkę i spodnie Michała, a parę butów Petera.

Nie mówiono o sprawach familijnych w obecności Luke'a. Ale on był mistrzem w podsłuchiwaniu, starym praktykiem, którego nikt przy dziurce od klucza nie przyłapał. Toteż gdy w wilię odejścia spotkał Petera wracającego z lekcji, przysunął się blisko do niego i zasypawszy go na wstępie zwykłymi przesadnymi komplementami, powiedział:

— ...a gdyby się tak zdarzyło, że byłby jakiś list do doręczenia komuś, na przykład w mieście Cork, to Luke O'Flaherty znalazłby drogę, a z pomocą świętego Patryka i Matki Boskiej upewniłby się, że nikt inny nic by o tym nie wiedział, tylko osoba, do której list napisano...

— Luke! Jesteś pewny, że nikt inny...? — zapytał podniecony Peter. — Bo przysporzyłoby to wielkich kłopotów komuś... i mnie też.

— Bez obawy, panie Peterku. Luke O'Flaherty wie, co to wdzięczność, wie, ile jest winien całej waszej rodzinie... najpiękniejsze to kwiaty, jakie rozkwitły na naszej Szmaragdowej Wyspie, Winterowie... Luke cię nie zawiedzie. List dostanie się przez okno do rąk osoby, która wtedy będzie sama w pokoju...

— Ale jak znajdziesz dom?

— Luke znajdował igłę w stogu siana. Bywało, bywało... Zawsze są sposoby, panie Peterku, czasem modlitwa, a czasem co innego.

Więc Peter napisał, donosząc ukochanej o swoich planach, o tym, że za rok będzie już studiował — w Cork!

Nie martw się, najdroższa. Złościłem się na Twoich rodziców, ponieważ Ciebie wysłali. Ale moi rodzice i dziadek Kernan tak się wspaniale znaleźli, że to w końcu może się obrócić na dobre dla nas, chociaż jesteśmy tymczasem nieszczęśliwi. Pokocham Twoich rodziców, jak mi nakazujesz. Obliczyłem, że muszą upłynąć co najmniej cztery lata, zanim będziemy na zawsze połączeni, ale Twojej wierności moja dorówna. Nie będę miał nigdy żadnej innej dziewczyny. Znalazłem posłańca, który się zaklina, że odda Ci list do rąk tak, żeby nikt się o tym nie dowiedział. Mam powody mu ufać...

VIII

Napomknienie Luke'a o odradzającej się działalności politycznej w różnych okolicach Irlandii omawiane było w domu Winterów nieustannie. Pat ogarnęło podniecenie.

— Musimy się dowiedzieć czegoś więcej. Gdy Stephens odwiedził Iveragh, wuj James obiecał mu... mój Boże, jak to było dawno, co ten człowiek robił przez ten czas?

— Gromadził swoich trzystu sprawiedliwych, do których grona ja się nie nadawałem — przerwał Michał z uśmiechem.

— Biedny Michale, zabolało to ciebie, prawda? — powiedziała Pat. — Ale to odległa przeszłość i czas o tym zapomnieć.

— Teraz jeszcze mniej się nadaję — westchnął Michał. — Przywykłem myśleć, że gdy dojdzie do zbrojnego starcia, będę mógł dowieść lojalności wobec Irlandii. Ale z tym... — dotknął pustego rękawa.

Nie wyraził w słowach — nigdy o tym nie mówił — czegoś, co może zraniło go jeszcze boleśniej niż Jones celnik: że choć rodacy wyklęli go, to i tak mało kto w przybranej ojczyźnie ufał mu bez zastrzeżeń. Na przykład James Stephens.

— Najdroższy, masz takie wykształcenie i wrodzoną bystrość umysłu! — Pat łagodziła, schlebiała. — Będziesz niezastąpiony! — I wróciła do pierwotnego tematu. — Wuj James obiecał Stephensowi, że kiedy się zacznie, my do sprawy przystąpimy.

— Może ja bym pojechał do Cork i postarał się dowiedzieć czegoś więcej o Irlandzkim Bractwie Republikańskim albo o fenianach — wtrącił Peter z miną niewiniątka.

Pat pokiwała głową.

— Tylko narobisz kłopotu Dafne i sobie, jeśli zaczniesz jej tam szukać — powiedziała. — O'Neillowie gotowi ją wysłać gdzieś dalej, na przykład do Dublina.

Peter się zaczerwienił, a Michał rzekł pośpiesznie:

— Oczywiście o jego wyjeździe nie ma mowy. Ale pomysł sam w sobie nie jest zły. Może by tak Roger...

W parę dni później Megaw wyprawił się do Cork, a wkrótce po jego wyjeździe Luke O'Flaherty wsunął się do sklepu Winterów. Czekał cierpliwie, oglądając porozkładane towary, aż wyszedł klient. Wówczas powiedział:

— Pozdrowiwszy pańskie najdobrotliwsze serce, panie Michale, chciałbym powiedzieć, że przynoszę nowiny dla pańskiego wspaniałego syna.

Peter nie taił przed rodzicami misji, jakiej się podjął Luke. Stary włóczęga zapewnił ich teraz, że doręczył list.

— Prosto do jej pokoiku — opowiadał. — Własnymi oczyma widziałem, jak spadł na podłogę i jak ona sama — a cudna jest jak anieli w niebie — obudzona moim ostrożnym stuknięciem w szybę, podniosła biały liścik. Luke O'Flaherty długo wypatrywał, by sprawdzić, gdzie ona sypia.

— Ale jak się tam dostałeś? — wypytywała Pat.

— Ach, pani Winter, święci, którzy na nas patrzą z góry, a boję się, że i demony też, mogliby powiedzieć, że to nie po raz pierwszy Luke O'Flaherty wspiął się po pnączach obrastających dom aż do okna.

— Tak — powiedział Michał, w zamyśleniu gładząc podbródek. — Gdy o tym napomknąłeś, przyszło mi do głowy, że rzeczywiście... nie po raz pierwszy...

IX

Adela od ślubu jeszcze sprawniej radziła sobie w Iveragh. Jej mąż teraz mniej zajmował się gospodarką, a ona, silna i zręczna, pracowała razem z Kevinem i Keefem. Ale nigdy, o ile mogła tego uniknąć, nie pomagała Kevinowi, gdy był sam. Czuła jakąś awersję do tego wnuka swego męża. Wysoki i rozrośnięty jak na swój wiek, chłopak obnosił się arogancko ze swą wspaniałą młodością i męską siłą.

Przed rokiem Kevin zaledwie ją zauważał, przyjmując jej usługi, jak się przyjmuje użyteczność narzędzi gospodarstwa domowego. Ale od zamążpójścia nabrał zwyczaju pod nieobecność Kernana przechwalania się swą siłą fizyczną. Jedną ręką podnosił ciężkie meble; był często bez koszuli, mięśnie na jego plecach grały pod napiętą lśniącą skórą.

Zaczął ją traktować nie tyle jak swoją babcię — którą bądź co bądź była, chociaż ledwo o dziesięć lat od niego starsza — ile raczej tak, jak panicz we dworze traktuje młodą służącą. Źle się stało, rozmyślała Adela, że nie nazywał jej „babcią", ale Kernan powiedział, że to by brzmiało głupio. Chłopak rzucał znaczące uwagi, mrugając do niej porozumiewawczo, w rodzaju:

— Kobiety lubią silnych i młodych, może nie?

Zginając ramię w łokciu, zachęcał, by dotknęła jego bicepsów, twardych jak żelazo.

— Nie przechwalaj się — odparła Adela, nie przerywając roboty. — Smarkacz z ciebie i tyle!

Wyniosła kosz z bielizną do pralni za domem, a on zawołał jeszcze za nią:

— Ale mogę wykonać robotę mężczyzny!

Adela zaczęła się go wystrzegać. Dobra z niej była kobieta i chciała być wierną żoną. Ale też — była kobietą w każdym calu. Starała się wychodzić z domu, gdy męża nie było, aby nie zostawać sam na sam z Kevinem.

Kernan rozkoszował się młodą żoną, jej ciałem silnym i prężnym, o łagodnie zaokrąglonych kształtach, aksamitnej skórze. Nocami jego pieszczoty budziły w niej pożądanie, ale rzadko kiedy mógł je zaspokoić, a jeśli, to kosztem wielkiego wyczerpania. Jej kobiecość domagała się swych praw. Powiedziała do Pat Winterowej, że przywykła „obchodzić się bez tego", ale wtedy od roku sypiała sama na wąskim żelaznym łóżku.

Czas upływał, a Adela stawała się coraz posępniejsza. Nierzadko zwracała się do męża z niespodziewaną szorstkością i zaraz żałowała tego, biegła go przeprosić, pocałować. Kernan pieścił ją — i pogarszał sprawę.

Kevin obserwował nastroje Adeli, wydawało mu się, że je rozumie. Nie istniała dla niego jako kobieta. Ale jako młoda żona dziadka zagrażała jego ambicjom. Kevin głęboko pokochał ziemię, po której codziennie chodził, zwierzęta, którymi się zajmował. Przywykł do myśli, że to wszystko będzie jego, stał się tak zazdrosny o Iveragh jak stary wieśniak o gospodarkę należącą do rodziny od pokoleń. Nie wątpił, że we właściwym czasie folwark Jamesa Kernana przejdzie na niego, Kevina Wintera. Ale jasne było, że stary przemytnik rozkochał się w Adeli bez miary. Kevinowi nie brak było sprytu, doszedł więc do wniosku, że musi zdobyć władzę nad Adelą, by nie śmiała sprzeciwiać się jego interesom. I wydawało mu się, że sprawy układają się tak, jak by sobie życzył.

Mniej zajęty gospodarką, Kernan częściej wyprawiał się do Kenmare na targ, a później w odwiedziny do Winterów, gdzie chętnie przesiadywał. Adela nie mogła zostawiać domu równie często i na tak długo. Jednego z takich targowych dni Kevin wcześniej wrócił z pola do domu. Nagi, tylko z ręcznikiem owiniętym dokoła bioder, wszedł do pralni, gdzie Adela stała nad balią. Namydlił twarz i opalony tors. Adela nie odrywała się od roboty, walcząc z podniecającą świadomością jego fizycznej, aż nadto fizycznej bliskości. Kevin rozwiązał ręcznik. Adela wybiegła do kuchni, a chłopak zawołał za nią:

— Nie przeszkadzaj sobie! Ja tam się nie wstydzę. Nie byłabyś pierwszą kobietą, która mnie widziała całego. Mogłabyś mi mydło potrzymać.

Adela uciekła z domu, nie mogąc złapać tchu — ze strachu, mówiła sobie. Poszła do Molly Keefe i siedziała u niej, aż dopóki nie usłyszała na drodze turkotu bryczki wracającego Kernana. Myślała, żeby się poskarżyć mężowi, ale nie chciała wszczynać waśni w rodzinie. Kernan wściekłby się, gdyby wiedział o incydencie tego popołudnia. Jego siły pozwalały mu może tylko na zrywanie kwiatów na swoim polu, ale nie należał do ludzi, którzy by się zgodzili, żeby kto inny to pole zaorał. Wyrzuciłby chłopaka natychmiast. A jak gospodarować bez Kevina? Prócz tego, chociaż Winterowie odnosili się do niej przyjaźnie, z pewnością posądziliby ją, że intryguje, by się pozbyć Kevina.

Kernan siedział w Iveragh przez kilka dni. Wydawało się, jakby wyczuł nie wypowiedzianą prośbę Adeli, by nie wyjeżdżał. Ale któregoś dnia znalazł wiernego Rory'ego utopionego w pobliskim stawie. Biedny osiołek oślepł na starość — musiał potknąć się i wpaść do wody. Strapiony Kernan zaprzągł klacz do bryczki i pojechał do Kenmare, by zawiadomić o smutnym wydarzeniu Pat, właścicielkę zwierzęcia.

W chwilę później rozpadał się deszcz. Adela wyjrzała przez okno i zobaczyła nadchodzącego Kevina. Na jedną chwilę zapomnienia zapatrzyła się na niego po prostu jak na wspaniały okaz mężczyzny, młody dębczak, tryskający wigorem. Nie powstrzymała myśli: „Jak młody bóg!"

Kevin uśmiechnął się do niej porozumiewawczo. Zachłysnęła się własnym oddechem, odwróciła gwałtownie. W oszołomieniu popełniła taktyczny błąd: wybiegła do pralni. Usłyszała, jak wchodzi do kuchni, rygluje wejściowe drzwi. Deszcz lał teraz. Jak w pułapce w tym domu razem z nim! I w taką pogodę nie było nawet nadziei, żeby ktoś zaszedł. Starała się opanować przyśpieszony oddech, podeszła do stołu do prasowania.

Wszedł gwiżdżąc, znowu udrapowany w ręcznik.

— Umyć się to rzecz pierwsza! — rzekł. I mydląc ręce, spytał:

— Niewiele masz pociechy z dziadka, co?

— To niesłuszny zarzut — odparła, świadomie nie chcąc go zrozumieć. — Jest bardzo hojny.

— Wiesz, co mam na myśli. W łóżku. Jest za stary.

— Gadasz jak ślepy o kolorach.

— Doprawdy? Założyłbym się, że miałabyś ochotę znowu na parę takich nocek jak z twoim pierwszym mężem.

— Nie twoja rzecz.

Odstawiła żelazko i poszła do kuchni. Deszcz padał strumieniami. Ale Kernan nie zawróci z powodu deszczu.

Wytarłszy ręce, Kevin wszedł za nią do kuchni. Wybiegła do sąsiedniego pokoju. Ale klucz od drzwi zagubił się dawno. Kevin szedł w ślad za nią.

— Proszę cię, odejdź! — powiedziała zdyszana.

Kevin stał plecami oparty o drzwi. Nie śpieszyło mu się. Babcia Adela wcale go nie podniecała. Zdawał sobie sprawę, że nie powinien użyć przemocy. Ona musi się oddać sama, jeśli możliwe, prosić o to. Ryzykował. Gdyby zaszła w ciążę, za ojca dziecka uznano by Kevina. Wszystko by poszło na marne. Ale chytry Kevin znajdzie sposób i na to.

Adela udawała, że wygląda oknem. Długie milczenie. Trzeba je było jakoś przerwać. Kobieta odwróciła się. Na jego twarzy widniał triumfalny uśmiech. Nie odrywał od niej wzroku, a pod tym przenikliwym spojrzeniem poczuła się naga, jakby wzrokiem zdzierał z niej suknie. Jej umysł nienawidził go, ale to nie uciszało gwałtownego wołania ciała. Próbowała wytrzymać jego wzrok, ale oczy ją zdradzały. Tupnęła nogą.

— Czego tu chcesz? Wyjdź z tego pokoju!

— Chcę tego samego co ty... tego, czego ci nie daje stary pryk...

Znowu odwróciła się do okna. Co począć? Z takim osiłkiem! Łatwo potrafi ją zmusić do uległości.

Podszedł do niej. Trzymał ręce założone do tyłu — i z twarzy nie schodził mu zarozumiały, triumfalny a jednocześnie irytująco obojętny uśmiech. Ale co za mężczyzna... dębczak tryskający sokami.

— No cóż, gotowa jesteś, droga babciu? — spytał wesoło. — Czy mam cię rozebrać czy też sama...?

„Babciu"! Co za pogarda! Jakby miała sześćdziesiąt lat, siwe włosy, obwisłe piersi, nogi grube, z żylakami! O co mu chodzi? Oszalał z pożądania? Czyż nie mógł sobie wziąć jakiejś dziewczyny ze wsi? Nienawistny... ale jaki piękny...

Kevin bynajmniej nie szalał z pożądania. Postępował z chłodnym wyrachowaniem.

Chciała odejść, ale nogi odmówiły jej posłuszeństwa. Całą siłą woli sprzeciwiała się temu, co miało nastąpić. Ale jego prawie że nagie ciało, tak bliskie, rozpalało jej pragnienia. Gest batuty dyrygenta — i orkiestra musi zagrać. Pojęła teraz, gdy wciąż stał nieruchomo, że chce, aby mu się sama oddała. Ale dlaczego?

— Wiesz sama, że chcesz tego — powiedział cicho.

— Ja nie... ty nie możesz... twój dziadek... jestem jego żoną...

— A jesteś i dużo z tego masz. Ja ci się lepiej podobam. Wiesz o tym. Znudziły ci się zabaweczki.

Wyciągnął rękę, ujął ją za podbródek, przysunął jej twarz blisko swojej. Ostatnim rozpaczliwym wysiłkiem Adela chciała mu zademonstrować swoją nienawiść, a zarazem swoją pogardę dla własnych zgłodniałych zmysłów. Zawsze potępiała młode żony, które zdradzały swych starszych mężów.

Uderzyła go z całych sił otwartą dłonią w policzek. Kevin nie drgnął. Tylko na twarz wypłynął mu czerwony ślad jej ręki.

— Teraz, jak sobie ulżyłaś, będzie ci lepiej — powiedział. Otworzył drzwi. — Idź, jeśli wciąż jeszcze chcesz wyjść! — zaprosił.

Zawahała się na jedną chwilę — i była zgubiona. Szybkim ruchem objął ją, ale nie przyciągnął do siebie. Jak zaplanował, ona dokonała reszty. Storturował ją ponad wytrzymałość. Płacząc nie z żalu, lecz ze wstydu, oparła policzek na jego nagiej brązowej piersi. I podniosła ku niemu twarz. Z rozwartymi wargami, językiem szukającym jego języka, przywarła do niego. Wbrew sobie. On wiedział, całując ją brutalnie, zadając świadomie ból, że oddawała się nie jemu — mógłby ją wziąć siłą, gdyby mu to odpowiadało — ale własnemu nieodpartemu pragnieniu.

Stali zwarci w twardym uścisku, ich złączone ciała chwiały się, dygotały, przemawiały do siebie bez słów. Teraz niczego jej nie oszczędzi. Sama chciała. Aby wzmóc niecierpliwe pożądanie, które w niej wyczuł, ściągnął z siebie ręcznik — „jak młody bóg" — i zaczął pomału, z namysłem, rozpinać guziki jej bluzki.

— Nienawidzę ciebie! — I zdarła z siebie suknie własnymi rękoma.

121

— Wszystkie tak mówią — odparł. — Niech Bóg broni, żeby mnie kochały. O wiele bezpieczniej, kiedy nienawidzą. Z miłości to się tylko czepiają.

Ledwie spojrzawszy na jej nagość, uniósł ją, jakby była wiązką siana, i rzucił na łóżko bez czułości, bez pieszczoty.

— Jakbym była ladacznicą — zajęczała. — Nie dbasz o mnie, nie dbasz nawet o moje ciało.

Jej słowa oznaczały dla Kevina triumf. Wyrażały jej nienawiść i jej poniżenie. Reszta była dla niego tylko rutyną.

X

Tuzin razy w ciągu następnych dni Adela powtarzała sobie:

— Nigdy więcej! Nigdy, nigdy! — Nie zastanawiała się, jak teraz mogłaby go uniknąć. — Wziął mnie jak byk krowę, potem wstał ze śmiechem i poszedł! Żeby go piekło pochłonęło!

Co gorsza, powiedział:

— Chciałbym, żebyś miała dziecko i musiała przekonywać pryka, że to jego!

— A mogłoby być! — Próbowała obudzić w nim gniew. Ale on tylko wzruszył nagimi ramionami:

— Nie wierzę w cuda! — Zabrał ręcznik i wyszedł z pokoju, a w chwilę później z domu.

Wbrew wszelkim jej postanowieniom Kevin nadal trzymał w ręku dyrygencką batutę. Gdy następnym razem Kernan wyjechał, Adela nie poszła, jak jej zdrowy rozsądek dyktował, do Molly Keefe. Czekała w pralni — co za mężczyzna, jak młody bóg! Magnetyzm działał jeszcze silniej.

Trwało tak przez parę tygodni. Adela przestała nawet mówić sobie, że będzie się opierać. Nienawidziła Kevina, ale chciwie obejmowała łańcuchy, którymi ją związał.

Podniecającymi pieszczotami darzył ją mąż; zaspokojenie brutalne, ale całkowite — znajdowała u jego wnuka. Minęła jej posępność. Śpiewała przy pracy. Chętnie poddawała się jałowym karesom Kernana, robiła wszystko, by mu sprawić przyjemność. Stary był zachwycony. W jego obecności Adela i Kevin zachowywali się tak samo jak dawniej. I nie udawali tego. Ich wzajemne zainteresowanie sobą było z każdej strony ściśle ograniczone.

Gdy Winterowie odwiedzili Iveragh, Pat powiedziała do Adeli:

— Widać, że wasze małżeństwo doskonale się ułożyło. Wszyscy tutaj zadowoleni, swobodni... Dobrze się spisujesz, kochana, bo to kobieta decyduje o szczęściu w domu... A ty sama promieniejesz! Słowo daję — zachichotała — dzielny wuj James! Nie przypuszczałam...

Przyjęła nagłe odwrócenie głowy Adeli za wstyd — i tak było, tylko z innego niż myślała powodu.

Któregoś dnia Adela była sama w kuchni. Na dworze szalała wichura.

Kevin wszedł, początkowo nie spojrzał na nią, stanął przy kredensie, zabawiając się jakimś kubkiem. Zwrócił się do niej nagłym ruchem.

— Chcę z tobą pogadać — rzekł.

— Przynajmniej rozmaitość — odparła. — Zazwyczaj nie zabawiamy się rozmową.

— Czas, żebyś wiedziała, o co mi chodzi. — Głos miał zimny, wyraz twarzy zacięty. Mówił dalej rozkazująco:
— Masz nakłonić dziadka, by zrobił testament i mnie zapisał Iveragh.

W jej niezbyt bystrym umyśle zaczęło błyskać światełko zrozumienia.

— Więc o to ci chodzi...

— Tak. Właśnie o to. Wychodząc za dziadka, stanęłaś mi na drodze. Musisz się usunąć.

— Przecież wiem, że powinien zaopatrzyć ciebie na wypadek swojej... na później. I na pewno to zrobi.

— Zrobi, bo ty go namówisz. Stary uważa, że z twojego tyłka słońce świeci.

— Jak to romantycznie wyrażone! A co się stanie ze mną, gdy cała gospodarka będzie należeć do ciebie?

— Twoja rzecz. Ty chciałaś mnie wypchnąć, ale będzie na odwrót. A ja się ożenię.

— Ty zwierzu! Oczywiście, że się ożenisz, a mnie wyrzucisz, starą babkę... Ale nie potrzebujesz tego mówić mi w twarz.

— Dziadek może długo pożyć. A ja ciebie rzucam teraz, już.

Serce w niej zamarło. Wyciągnęła ręce:

— Nie możesz...

Wiatr trzaskał okiennicami, wył ze wzmożoną siłą. Krzyczeli, by się usłyszeć.

— A czemu nie? Miałaś swoją przyjemność — i dość. A co, myślałaś, że za darmo? O, nie! Ja miałem w tym swój cel. Czy obiecujesz...?

— Nie! Nie będę się mieszała do spraw Jamesa. Jeśli gospodarkę zechce zostawić mnie, mogę ci obiecać połowę udziału...

— Jaka wspaniałomyślna! Ale nie dosyć wspaniałomyślna. Zrobisz, jak powiedziałem albo też dziadek usłyszy, czym się zajmowałaś, gdy jego nie było w domu.

— Kevin, przecież nie mógłbyś...

Strach przed odkryciem zdrady czaił się zawsze w głębi jej myśli. Ale nie przypuszczała, że w ten sposób...

— Och, nie mógłbym? — mówił szyderczo. — O to mi od początku chodziło. Trzymam cię w garści! — wyciągnął rękę i zacisnął ją w pięść. — Decyduj się, bo jak nie, to dziadek wyrzuci cię na złamanie karku! — Uśmiechał się zjadliwie i dodawał pogróżkę do pogróżki. — Uwiodłaś niewinnego młodziutkiego wnuka, który dał się chwilowo ponieść zmysłom, ale teraz skruszony błaga o przebaczenie... i tak dalej, i tak dalej. To będzie bardzo wzruszająca historia. Opowiem ją dobrze, obiecuję ci. Dorzucę pytanie: jeśli jeden, może i inni?... Wybieraj! Wracasz zaraz, skąd przyszłaś, albo zostaniesz tu do jego śmierci. Oczywiście dziadek jest gwałtowny. Może cię po prostu zabije...

Skoczyła. Już nie upokorzona kochanka — tygrysica. Chwyciła go za włosy. Przeorała mu policzek paznokciami. Strącił ją z siebie gwałtownie. Upadła, chciała się podnieść, rzucił się na nią, przygwoździł rękoma do podłogi.

W drzwiach zamajaczyła postać.

— Aaaa! — wrzasnęła Adela.

Topór świsnął w powietrzu. Kevin bez żadnego jęku nawet osunął się na kobietę. Głowę miał rozciętą nieomal na pół.

Stary przemytnik źle widział. Wróciwszy wcześniej od Winterów, zobaczył tylko mężczyznę nad leżącą kobietą i usłyszał przeraźliwy krzyk żony.

Adela podźwignęła się, na wpół obłąkana ze zgrozy:

— Zabiłeś... swego wnuka! — Jej twarz zbielała jak ściana. Odgarnęła włosy z nieprzytomnie wytrzeszczonych oczu. — Nie... to ja zabiłam... twego wnuka.

Wypadła z domu.

Później tego wieczoru George Keefe ujrzał wstrząsający widok. Chłopak leżał z rozpłataną głową w kałuży krwi. James Kernan siedział w fotelu przechylony, z otwartymi ustami; przed nim pusta butelka potiny; na podłodze topór i strzelba; w piersi starego przemytnika okrągła rana.

A Adela? Przypływ przyniósł zwłoki prawie do ujścia Kenmare, nim wielkie fale, traktując jej ciało z równą pogardą, z jaką Kevin traktował je za życia, wyrzuciły je na skały. Lekarz orzekł, że zmarła była ciężarna.

Trzy ofiary zabrały do grobu tajemnicę tragedii tego wieczoru w Iveragh. I wielu poprzednich wieczorów.

ROZDZIAŁ CZWARTY

I

Groza potrójnej tragedii rzuciła posępny cień na całą okolicę ujścia Kenmare, od miasteczka aż do omywanych falami Atlantyku skał, gdzie morze wyrzuciło ciało Adeli. Kevina znano jako pracowitego, całym sercem oddanego gospodarce młodego rolnika. Wielu podziwiało go jako przepyszny okaz młodzieńca wchodzącego w pełnię męskich sił. Co do Kernana, tego w bliższej i dalszej okolicy powszechnie szanowano, gdyż był doświadczonym przemytnikiem, dobrym gospodarzem i gorącym patriotą, kompanem do wypitki i wybitki; a niejeden pamiętał z wdzięcznością pomoc, jakiej udzielał w ciężkich czasach potrzebującym. Oczywiście jego porywczość przysparzała mu wrogów wśród tych, którym wytykał bez pardonu nieuczciwość i brak patriotyzmu, nie żałując ani obelg, ani pięści. Ale tych nie było wielu, a przy tym woleli chować urazę w milczeniu.

Winterowie również cieszyli się popularnością w Kenmare. Katoliccy księża co prawda jawnie zwali ich bezbożnikami, ale mało kto z parafian zwracał na to uwagę, widząc ich rzetelność, dobre serce i wzorowe życie rodzinne. Michał musiał zamknąć sklep na cały tydzień po pogrzebie, by zaoszczędzić Pat i sobie rozdrapywania rany nieustannymi odwiedzinami natrętnych, czasami nawet życzliwych, ale ciekawskich sąsiadów. Luke O'Flaherty też bardzo znużył rodzinę recytacją cnót i zalet zmarłych.

Do wstrząsu, którym zawsze jest śmierć dla rodziny i przyjaciół, dołączyła się przerażająca groza wydarzeń. Otrząsnąwszy się z pierwszego szoku, Winterowie próbowali dojść przyczyny tragedii. Wśród znajomych jedni omawiali tragedię ze współczuciem, inni plotkowali nieprzystojnie, prychając dwuznacznym rechotem. Podejrzewano, że stary przemytnik natknął się na dowody romansu łączącego jego żonę z Kevinem. Może odkrył, że Adela zaszła w ciążę nie za jego sprawą? Na pewno nie wiedziano. Molly Keefe i inni mieszkańcy Clogbur i Kenmare, znający bliżej Adelę, mówili o jej skromności, o przywiązaniu, jakim darzyła drugiego męża, o tyle starszego od niej. Młode dziewczęta, które mogłyby coś niecoś powiedzieć o miłosnych podbojach Kevina i jego nieodpartym pociągu fizycznym, oczywiście wolały zamilczeć.

Pat chwilami myślała, że może Adela uwiodła Kevina i że spotkała ją zasłużona kara; to znowu wątpiła, aby taka rzecz się naprawdę zdarzyła. Kiedy indziej po prostu rozpaczała po stracie syna. Obwiniała siebie o to, że sama skierowała Adelę do Iveragh jako gospodynię:

— Wciąż ściągam nieszczęścia na głowy tych, których kocham.

Michał bolał nad śmiercią syna głęboko, chociaż w milczeniu. Umacniał się na duchu i pocieszał Pat utrzymując, że śmierć Kevina musiała być wynikiem jakiejś okropnej omyłki i że zrozumienie tej pomyłki doprowadziło Kernana do samobójstwa. Według niego Adela, przerażona podwójną tragedią, w przypływie rozpaczy wybrała śmierć, nie chcąc żyć w cieniu podejrzeń albo jako wdowa po mordercy. Nikt nie wiedział, ani nawet nie przypuszczał, że przyczyną wszystkiego było namiętne pożądanie ziemi i sadystyczna chytrość młodego Kevina.

Z wolna osieroceni rodzice zaczęli godzić się z myślą, że tajemnica pozostanie na zawsze nie rozwiązana. I lepiej było dla pamięci ofiar przyjąć teorię o pomyłce. Ciągłe roztrząsanie sprawy nie przydawało się na nic ani żywym, ani zmarłym.

Ale jeden z Winterów zdawał sobie sprawę, że ponura afera rzuciła cień również na plany jego osobistego szczęścia.

— Bez względu na to, jaka jest prawda — mówił Peter do Rogera Megawa — O'Neillowie będą mnie teraz uważali za brata cudzołożnika i wnuka mordercy. Czy potrafię wymazać tę plamę?

— To będzie zależało od tego, jakie ci się nadarzą sposobności — odrzekł zagadkowo Megaw.

Dafne napisała, zapewniając, że nic nie zmieni jej miłości ani jej wiernego oczekiwania. Ale Peter wiedział, że nie tylko jej wierność rozstrzygnie o ich ostatecznym połączeniu.

Megaw wrócił z Cork bardzo przejęty wiadomościami o nowych poczynaniach odradzających odwieczną walkę Irlandii o niepodległość. Z początku mało kto się tym interesował. Wreszcie jednak nadszedł dzień, gdy Winterowie, wszyscy prócz Williama, zasiedli, by go wysłuchać.

Wzmianki Luke'a O'Flaherty'ego o Bractwie Feniańskim, wywodzącym się ze środowisk emigrantów irlandzkich w Ameryce, były zasadniczo prawdziwe. James Stephens odwiedził ich po ucieczce, zebrał fundusze i powrócił, by zorganizować na terenie Irlandii Bractwo, które wchłonęło kluby Feniks.

Nazwę fenian zaczerpnięto ze starożytnej legendy o irlandzkich wojownikach, zwanych fianna, walczących niegdyś pod wodzą Finna MacCunhaila.

— Każdy z fiannów — opowiadał Megaw — powinien był umieć ułożyć balladę i zaśpiewać ją, akompaniując sobie na harfie. Kandydat wstępował do wykopanej w ziemi jamy tak głębokiej, że skrywała go do pasa. Do jamy tej wchodził jedynie z tarczą i leszczynowym kijem długości przedramienia. Wówczas dziewięciu wojowników, każdy z dzidą, atakowało go z odległości dziesięciu wyoranych skib. Rzucali w niego dzidami równocześnie, a on musiał się tak bronić, by nie odnieść żadnej rany...

— Uf! To musiało być niełatwo! — wykrzyknął Denis.

— Taka była pierwsza próba — ciągnął Megaw. — Następnie w długie włosy kandydata wplatano luźne przepaski i wysyłano go na bieg przez las. Dziewięciu wojowników ruszało w pościg za nim, gdy przebiegł długość największego konara rozrosłego drzewa. Jeśli go dogoniono lub zraniono, jeśli pod stopą chrust mu zatrzeszczał — nie dopuszczano go do następnej próby. Potem w pełnym biegu musiał przeskoczyć umieszczony poziomo na wysokości jego czoła kij i prześlizgnąć się pod drugim, na wysokości jego kolana. Wreszcie, nie zwalniając biegu, musiał wyciągnąć sobie kolec z nogi. Gdyby zawiódł w jednej chociażby z tych prób — nie przyjmowano go. Ale jeśli powiodło mu się we wszystkich, wówczas odbywała się wielka uczta, na której witano go jako jednego z ludzi Finna.

— A czy fenianie dzisiaj też muszą przechodzić takie próby? — zapytał z szeroko otwartymi oczyma Denis.

Roger uśmiechnął się.

— Nie ma dziś takich wojowników, mój chłopcze. Ale członkowie Bractwa Feniańskiego muszą być silni i sprawni, muszą też zaprzysiąc gotowość poświęcenia wszystkiego — pracy, rodziny, nawet życia — walce o wolność Irlandii.

Sama świadomość istnienia aktywnej organizacji powstańczej podnieciła Pat.

— Gdzie i jak fenianie werbują ludzi do swoich szeregów? — spytała.

— Obawiam się, że nie biorą kobiet — odparł Megaw, potrząsając głową. — Wiem, że sporo żołnierzy odbywających służbę w wojsku angielskim złożyło feniańską przysięgę. Nasi spotykają ich w piwiarniach. Poza tym fenianie się rekrutują ze sklepikarzy, rzemieślników i tych, co pracują w fabrykach, od robotników do nadzorców. Mówi się, że wśród takich właśnie ludzi miłość ojczyzny jest żywsza niż wśród bogatych kupców albo urzędników. Mieszczanin bywa patriotą, jeśli go się przekona, że powodzenie sprawy przyczyni się do rozwoju jego interesów. Ale nie chce być buntownikiem, który musi narażać wszystko, co ma.

— Ilu ludzi, mówiąc ogólnie, zebrali w swoich szeregach fenianie? — spytał Winter.

— Podobno sto tysięcy — odparł Megaw. — To znaczy w samej Irlandii. Jest też dość liczna grupa fenian w Anglii, złożona z irlandzkich robotników i sympatyzujących z nimi Anglików. Posyłano tam od nas ludzi, by zdobywali broń, a także wysadzali w powietrze budynki, podkładali bomby i w ogóle starali się zwrócić uwagę opinii publicznej na problem Irlandii.

— Myślę, że tego rodzaju działalność raczej wrogo do Irlandii nastawi opinię publiczną — wtrącił Winter.

Megaw wolał przekazywać informacje, niż wdawać się w dysputy. Mówił dalej:

— W Irlandii urządza się wiece tam, gdzie można przewidzieć, że ludzie nadciągną tłumnie, na przykład na meczach piłki nożnej. Konspiracyjna musztra odbywa się w świetlicach robotniczych i takich lokalach, do których policja zazwyczaj boi się zaglądać.

Faktem było, że przygotowanie do wszelkich irlandzkich powstań ułatwiała niedbałość albo zwyczajnie, tchórzliwość policjantów. Jeśli nie szli całym oddziałem, niechętnie zjawiali się na jakichkolwiek liczniejszych zgromadzeniach Irlandczyków. Woleli zatrudniać się takimi sprawami, jak na przykład eksmisje wieśniaków, bo tam przychodzili liczną grupą, a nierzadko w asyście żołnierzy.

— Jeśli przygotowania mają tak masowy charakter, jak mówisz — zauważył Winter — to założyłbym się, że władze powtykały już wszędzie swoich szpiegów. A jaki jest cel? Insurekcja?

— Fenianie głoszą pogląd — odrzekł Megaw — a ja się z nimi zgadzam, że niczego się nie wydostanie od Anglii inaczej jak siłą. Głoszą ideę przelewu krwi jako niezbędnej, acz wstrętnej konieczności.

Winter, jak zawsze, opowiedział się przeciwko przemocy.

— Od ilu już stuleci — mówił — przemoc przytłacza ten kraj? Zamachy, bunty, insurekcje ze strony Irlandczyków, a w ich następstwie represje, ucisk, zsyłki, egzekucje ze strony Anglików. A wynik? Co Irlandia zyskała? Spójrzmy w oczy faktom i prawdzie.

— Prawdy nie da się wydedukować z faktów — odparł Megaw — bo fakty można interpretować na różne sposoby, by odpowiadały różnym poglądom. Na podstawie faktu o zgnieceniu insurekcji zwycięzcy wnioskują, że słuszność, Bóg i prawda są po ich stronie. Z tego samego faktu my, zwyciężeni, wyciągamy wniosek, że następnym razem musimy mieć więcej broni, strzelać celniej i modlić się goręcej. Dla narodu w niewoli jedyną prawdą jest, że wszystkie narody, włącznie z ich własnym, powinny być wolne.

— Ale historia dowodzi — argumentował Michał — że wasza prawda nie może stać się rzeczywistością metodą gwałtów i przelewu krwi.

— Jedyna bitwa, która się liczy, to bitwa ostatnia — odparł Megaw. — A tę wygramy. Hiszpanie mają takie przysłowie: „Dąb jest w żołędziu i rośnie powoli". Musimy walczyć wciąż, byśmy nie zapomnieli, że jesteśmy Irlandczykami.

— Muszę temu przyklasnąć! — zawołała Pat.

— I ja też — wtórował Peter.

— Ty siedź cicho — powiedział ostro Michał. — Masz się zajmować studniami.

— Jeśli dojdzie do walki zbrojnej — odparł Peter — i będę mógł przydać się krajowi, to studia zawieszę na kołku. Dafne, a z pewnością i jej rodzice, nie powezmą o mnie dobrego mniemania, jeśli będę ślęczeć nad książkami, gdy inni chwycą za karabiny.

Kierował się mieszanymi motywami, ale tak zwykle bywa z powodami ludzkich poczynań. Peter, szczery patriota, czuł także, że trzeba czegoś więcej od dyplomu uniwersyteckiego, by zyskał w oczach O'Neillów.

Winter znalazł się w trudnym położeniu. Nie wątpił wcale, że sprawa Irlandii jest słuszna. Ale nie pochwalając metod proponowanych dla osiągnięcia słusznego celu, stawiał siebie na pozycji co najmniej obojętności. Michał przede wszystkim kierował się rozumem. Nie ufał romantycznym zrywom Irlandczyków, sądził, że prowadzą do poczynań, których jedynym rezultatem było pomnażanie męczenników. Oczywiście w razie gdyby jego rodzina i przyjaciele związali się z powstaniem... Dopiero wydarzenia nakazywały jego sercu owładnąć rozumem, jak we Włoszech w roku 1847, gdy dowiedział się o klęsce głodowej w Irlandii i pognał w drogę powrotną, by czynić co w jego mocy dla ratowania umierających; i jak wtedy, gdy — od dawna zakochany w Pat — dopiero ocaliwszy ją z rąk angielskich żołnierzy, bez namysłu zdecydował się uciec z nią lub razem z nią zginąć. Kiedy brakowało wydarzeń wymagających spontanicznej decyzji, natychmiastowego działania — Michał wolał obserwować rozwój sytuacji, zanim się osobiście zaangażował.

— Peter ma słuszność — powiedziała Pat. — Najpierw to, co najważniejsze. Jeśli Irlandia będzie ciebie potrzebowała, studia muszą poczekać. Ty też nie chciałbyś go zatrzymywać, Michale.

— Mnie nikt nie zatrzyma — odezwał się Denis.

— Jesteś za młody! — rzekł Winter. Podświadomie nie chciał narażać synów na niebezpieczeństwo.

— Powiem, że jestem starszy, jeśli będzie trzeba. To się nie obejdzie beze mnie.

Denis nie rozwinął się wprawdzie tak bujnie jak młody wieśniak Kevin, ale już przerósł Petera. Wyglądał na więcej niż piętnaście lat.

Pat uśmiechnęła się, dumna z chłopców.

— Tę „niezbędną, acz wstrętną konieczność", przelew krwi — mówił Winter — księża potępią jako niemoralną. A ty jesteś wierzący, Rogerze!

— Irlandczyk, bo katolik, czy katolik, bo Irlandczyk — odparł Megaw — sprowadza się do tego samego: Irlandczyk. A kiepski to patriota, który sam sobie nie dyktuje moralności.

Wtrącił się Peter, nietaktowny i szczery:

— Ojciec sprzeciwia się przelewowi krwi, bo to angielską krew będziemy przelewać.

Pat zaczerwieniła się i wybuchnęła gniewnie:

— To nieprawda, Peter, i masz natychmiast ojca przeprosić. Ojciec mówi o tym, co jego zdaniem jest dobre dla Irlandii, nie Anglii!

— I nie powinieneś przypuszczać, synu — dodał spokojnie Michał — że każdy, kto myśli inaczej niż ty, kieruje się niegodnymi motywami.

— Przepraszam — wymruczał Peter — ale...

Megaw pośpiesznie wmieszał się, aby chłopiec nie zmarnował swych przeprosin, i tak dosyć niechętnych:

— Muszę wam powiedzieć, że polecono mi utworzyć koło fenianów tutaj, w Kenmare i okolicy. Będziemy musieli zebrać broni, ile się da, strzelb i wszystkiego, a z Cork nadeślą nam karabiny, gdy je dostaną.

— Oddaję się do twojej dyspozycji jako pierwszy rekrut — oznajmił Peter.

Denis drugi.

Pat powiedziała prędko:

— Będziemy z was dumni!

Michał osłabił trochę jej deklarację, dodając:

— Nie będę wam wzbraniał.

Wszyscy wiedzieli, że nie jest przekonany. Chciał jednak uniknąć otwartego rozłamu między sobą a synami.

Przed odejściem Megaw dorzucił jeszcze:

— Dopuściłem was wszystkich do tajemnicy. Ale pamiętajcie, że absolutnie nie wolno wspominać o tym nikomu innemu. Uwaga, chłopcy: żadnych przechwałek przed kolegami!

— Ręczę za nas wszystkich — powiedziała Pat.

— Ani ja w nikogo nie wątpię — zakończył Megaw z uśmiechem. Zależało mu na tym, by nie naruszyć przyjaźni łączącej go z Winterem. Cenił go wysoko. Ale przewidywał, że to może być trudne.

II

George Keefe z pomocą starszych synów zajmował się tymczasem gospodarką Kernana. Pat, jako najbliższa krewna, uważała się za właścicielkę Iveragh. Przewiozła do Kenmare kilka sztuk mebli, które szczególnie lubiła. Jeździła też często do Clogbur, sama lub z Michałem, by udzielić wskazówek George'owi, który pracował solidnie, lecz brakowało mu inicjatywy i wyobraźni potrzebnych, by naprawdę dobrze prowadzić hodowlę owiec.

— Nie wiadomo, co właściwie począć z Iveragh — mówił Michał. — Mogłabyś sprzedać gospodarkę, ale nowy właściciel pozbyłby się pewno George'a. A co oni by wtedy poczęli?

Wydawało się, że sam los rozstrzygnął dylemat.

Pat dostała list od żony swego jedynego pozostałego przy życiu brata, Józefa O'Donovana, który sam nie bardzo sobie radził z piórem w ręku. Józef niegdyś pracował jako ogrodnik u starego Wintera, ojca Michała, a później, gdy najstarszy brat wyemigrował do Ameryki, zajął się dzierżawioną w Kilegad gospodarką O'Donovanów, gdzie i on, i Pat także urodzili się i wychowali. Ożenił się z Różą O'Dwyer. A teraz oto Róża pisała, że jej rodzice zmarli, a ona i Józef, nie mając potomstwa, nad czym wielce cierpieli, ni żadnych rodzinnych więzów, które by ich łączyły z Kilegad, dotkliwie odczuwają samotność. W obliczu nadchodzącej starości chcieliby znaleźć się bliżej Pat, jej męża i młodych Winterów. Czy nie ma jakiejś możliwości wzięcia w dzierżawę małej gospodarki w pobliżu Kenmare? Nie będą, pisała Róża, ciężarem dla Winterów. Starzy O'Dwyerowie niespodziewanie zostawili trochę pieniędzy.

— Wydaje się, że opatrzność jednak czuwa nad nami — zauważyła Pat, parokrotnie odczytawszy list. — Może tylko jednym okiem, ale lepsze to niż nic.

Michał uśmiechnął się.

— Drogi opatrzności są ponoć niezbadane — powiedział. — Widocznie śmierć starych O'Dwyerów była potrzebna, by nam pomóc w naszych kłopotach.

— Nie rób ze mnie samoluba — odrzekła Pat. — Wiesz, że nie to miałam na myśli. Róża jest porządną kobietą, a dla Józefa zawsze miałam ciepły kącik w sercu.

— Oddasz im Iveragh? — spytał Michał.

— Wątpię, żeby się na to zgodzili. Wydzierżawimy im gospodarkę bezpłatnie, powiedzmy na dwa lata, a później niech zaczną kupować ją rocznymi spłatami, których wysokość Józef ustali zależnie od tego, jak im się będzie wiodło.

— A te pieniądze — zaproponował Michał — można by przeznaczyć na kształcenie naszych synów.

III

Bractwo Feniańskie nie było mitem. Podczas amerykańskiej wojny domowej irlandzcy emigranci walczyli po obydwu stronach, nie tyle się troszcząc o ideologię, ile dążąc do zdobycia doświadczenia bojowego. Po skończeniu wojny w 1865 roku przez Atlantyk popłynęły do Irlandii pieniądze; zaczęli też przybywać dawni amerykańscy oficerowie i żołnierze, oficjalnie w celu odwiedzania rodzin. Ci zajęli się wyćwiczeniem szybko mnożących się szeregów feniańskich ochotników. Ich przyjazd wywołał też fantastyczne plotki, które wbrew wszelkim napomnieniom o zachowanie tajemnicy przechodziły z ust do ust.

Pewnego dnia Denis powiedział, że słyszał, jakoby tuzin okrętów amerykańskich z ładunkiem broni było już w drodze.

— No, zanimby zawinęli do naszych portów — mruknął sceptycznie Winter — trzeba by najpierw zatopić angielską flotę.

Megaw również wyszydził wieść:

— Równie dobrze można by się spodziewać, że z Nowego Jorku przyleci do nas stado latających potworów, jakichś olbrzymich mew, i przydźwiga na grzbietach sto tysięcy żołnierzy, każdego z rewolwerem w jednej ręce, a karabinem w drugiej, z prochem i kulami!

Natomiast nie plotką, lecz rzeczywistością okazał się pewien aspekt sytuacji, który Winter przewidział. Katolicki proboszcz Kenmare, wielebny ojciec Francis Sigerson, żarliwy choć cokolwiek prymitywny dekorator swego kościoła — dla którego to celu wymuszał pensy od katolików i protestantów na równi — potępił z ambony przywódców feniańskich jako:

— ...kusicieli i oszustów kryjących się przed niebezpieczeństwem, szydzących z naiwności okpionych przez siebie prostaczków i przejadających amerykańskie srebrniki.

Szeregowych fenian nazwał „szumowinami świata, nędzną hołotą". Nie było to ani wyrozumiałe, ani taktowne, bo olbrzymia większość tej „hołoty i szumowin" liczyła się do praktykujących katolików, o ile im oczywiście nie wzbraniano sakramentów za ich patriotyzm.

— Na każdego kto czytuje gazetę fenian „The Irish People" — oznajmił ojciec Sigerson — będzie rzucona klątwa. I potępieni będą ci ojcowie rodzin, którzy tolerują tę brudną szmatę w swoich domach i pozwalają młodym ją czytać!

Podobne kazania wygłaszali wzdłuż i wszerz Irlandii księża na różnych szczeblach hierarchii, od arcybiskupów w dół. Megaw zauważył z goryczą:

— Był czas, kiedyśmy mieli drewniane kielichy w kościołach i złotych księży, a teraz mamy złote kielichy, ale księży z drewna!

Jednakże nie wszyscy księża byli „z drewna". Do mniejszości, która nie zastosowała się do dyrektyw wyższego kleru, należał ojciec Liam O'Connor z Clogbur.

Pat dostawała egzemplarze „The Irish People". Peter i Denis wstąpili do Bractwa Feniańskiego. Matka radowała się w głębi ducha ich patriotyzmem, ale nie ujawniała swoich uczuć wobec Michała, który trwał w milczącej dezaprobacie. Tak więc harmonia rodzinna, już naruszona wstrząsem nagłej śmierci Jamesa Kernana i Kevina, pękła teraz ze zgrzytami, rozdzierana różnicą poglądów nie tyle w sprawach celu, ile metody. I trzeba będzie nowych wstrząsów, by rodzina się znowu zjednoczyła od podstaw.

Do chwili kazania księdza Sigersona mieszkańcy Kenmare unikali otwartych rozmów o fenianizmie. Teraz przestano się krępować. W domach, w karczmach, w odlewni żelaza, nawet na targu rozprawiano o możliwości wybuchu w Dublinie powstania, które by objęło pożogą cały kraj. Urzędnicy i policja uznali za najrozsądniejsze udawać ślepych i głuchych. Zresztą Slattery zajęty był czym innym. Zmarł poseł do parlamentu z tego okręgu, zamieszkały w Bantry. Lada dzień spodziewano się zarządzenia o wyborach uzupełniających. Jednym z kandydatów był ziemianin Walter Biggin. Jego majątek leżał w okolicach Cork i równie mało znano go w Kenmare, jak i poprzedniego posła. Drugim był Artur Slattery, który teraz zajął się bez reszty sprawą przeprowadzenia swego wyboru.

Roger Megaw, utrzymując się częściowo z dawania lekcji opłacanych przez Wintera, a częściowo z funduszy Bractwa Feniańskiego, zamieszkał w pokoju na poddaszu w domu Joego McCaila. Zorganizował wspólne odczytywanie artykułów z „The Irish People" i dyskusje co wieczór kolejno w domach znanych sympatyków fenianizmu. Pewnego dnia do sklepu Winterów przykuśtykał McCail.

— Piękny dzionek mamy, Michale. I cieszcie się z pogody, póki możecie, bo strzykające bóle od mego odcisku aż do kolana zapowiadają bardzo mokry wieczór!

— Rozmaite bywają rodzaje mokrych wieczorów — żartował Winter. — A ty o jakim myślisz, Joe?

— Na świętego Patryka, ty chyba myśli odgadujesz, bo prawdą jest, że ja właśnie przyszedłem, by zaprosić ciebie i twoją zacną panią do mnie na dzisiejszy wieczór. Będzie Roger i jeszcze paru. Pogadamy sobie i może się trochę odświeżymy, chociaż za mało mam w domu, by urządzić taki naprawdę mokry wieczór.

— Zawsze z przyjemnością przychodzimy do ciebie, Joe — odrzekł Michał. — Ale wiesz, że ja nie jestem w formalnym sensie jednym z was...

— Ach, któż to wie na pewno, kto jest jednym z nas? — McCail mrugnął porozumiewawczo. — I ponoć nie powinno się wiedzieć, czy ja na przykład jestem „jednym z nas", jak ty to nazywasz. Ale przyjdziesz dziś wieczorem? Roger mi polecił, bym się upewnił.

— Przyjdę bardzo chętnie i myślę, że mogę to powiedzieć w imieniu Pat również.

— Doskonale, przyjacielu, doskonale! Będziemy czekać na ciebie koło siódmej. Sklep już będzie zamknięty, więc przyjdziesz od podwórza...

— Tak, tak, wiem!

— Ale posłuchaj, Michale. Bądź ostrożny, podchodząc do furtki. Musisz ją popchnąć ramieniem i uważaj, byś nie rozdarł rękawa o klamkę...

— Dobrze, będę uważał.

Winter sprawdzał skrzynki z towarem i chciał dokończyć roboty. Ale Joe ciągnął z uporem:

— I dawaj baczenie na gałęzie drzewa. Odsuń je ramieniem, a wtedy drzwi będziesz mógł łatwo otworzyć pchnięciem łokcia. Przyjdziesz na pewno?

— Obiecuję, że przyjdę. Ale co ty opowiadasz o odsuwaniu ramieniem i popychaniu łokciem? Ja tylko jedną rękę straciłem, wiesz!

— Oczywiście, że wiem. Ale jak inaczej poradzisz sobie z furtką, gałęziami i drzwiami, niosąc dwie butelki whisky w jednej zdrowej ręce? Nie upuść ich, Michale, na litość boską! Nie mam ochoty pokrwawić sobie języka, zlizując ten cenny trunek z kamieni!

Winter wybuchnął śmiechem.

— Co za gaduła z ciebie, Joe! Dobrze, będzie whisky. Ale czemu nie powiedziałeś po prostu, o co ci chodzi?

138

— Ach, Michale, jak mogłem? Za żebraka mnie bierzesz?

Przyszedłszy wieczorem wraz z cennymi butelkami Winterowie zastali już Rogera, a także siodlarza Sullivana i wysokiego, barczystego, o posępnej twarzy mężczyznę nazwiskiem Gerald Wolfe, który pracował w hucie żelaza.

Napełniono szklaneczki, Megaw przeczytał z ostatniego egzemplarza „The Irish People" parę artykułów atakujących arcybiskupa Dublina i innych księży za ich wrogość wobec fenianizmu. Powieściopisarz i patriota Charles Kickham pisał:

Należy uczyć odróżniania księdza kapłana od księdza polityka... Gdy księża przemieniają ołtarz w trybunę; gdy głoszą, że jest śmiertelnym grzechem nawet życzyć sobie wyzwolenia Irlandii; gdy wzywają parafian, by się stali donosicielami; słowem, gdy biskupi i księża działają na rzecz wroga, wówczas naszym obowiązkiem jest mówić ludziom, że biskupi i księża bywają złymi politykami, a jeszcze gorszymi Irlandczykami...

Księża w Irlandii często parali się polityką. Niektórzy z ich parafian stosowali się do ich nakazów, inni je ignorowali. Wielu z tych ostatnich pozostało wiernymi katolikami. Szli lub jechali często wiele mil od własnej parafii, by wysłuchać mszy i przyjąć sakramenty z rąk księży ograniczających się do kapłańskich funkcji.

Megaw oznajmił:

— Sądzę, że powinniśmy uważać powstanie za sprawę bliskiej przyszłości, może zaledwie paru tygodni.

— Jak jesteśmy przygotowani — spytał Winter — do tak ważnego przedsięwzięcia?

— Mamy ludzi, broń i sprawną organizację — odpowiedział Megaw. — Jeżeli nie zawiedzie metoda poinformowania lokalnych ośrodków o dniu i godzinie insurekcji, to tym razem zwyciężymy.

— Czy forma organizacji jest tajemnicą? — nalegał Winter.

— Nie. Oparta jest na wzorach międzynarodowych stowarzyszeń rewolucyjnych w Paryżu. Istnieje główny wódz narodowy, który ma czterech zastępców, po jednym na każdą z prowincji Irlandii. Pod ich zwierzchnością działają tuziny kół lokalnych, jak nasze, każde z jednym pułkownikiem „A" i dziewięciu „B", czyli kapitanami. Każdemu „B" podlega z kolei dziewięciu „C", czyli sierżantów, a każdemu „C" — dziewięciu „D", czyli szeregowych. Dla zapewnienia nienaruszalności i bezpieczeństwa całej organizacji w wypadku dekonspiracji którejkolwiek jej części każdy z fenian zna tylko swego bezpośredniego zwierzchnika oraz dziewięciu kolegów, nikogo więcej.

— To tak wygląda pięknie na pierwszy rzut oka — mruknął John Sullivan. — Ale według mnie ta cała tajemnica jest śmiechu warta. Mężowie i synowie regularnie wychodzą z domów na ćwiczenia. Czy wy sądzicie, że ich rodziny nie wiedzą, co się święci? Że kobiety nie plotkują? Na targu aż się trzęsie!

— Mogą się tylko domyślać — bronił się Megaw. — I znają najwyżej parę miejscowych nazwisk. Sierżanci musztrują szeregowych w oddzielnych grupach. Całe koło zbierze się razem dopiero do konkretnej akcji.

— Może tak i jest — zauważył McCail — ale jednak wszyscy wiemy, kto jest wodzem narodowym, a kto naczelnym komendantem sił zbrojnych, nieprawdaż? Jeśli władze dowiedzą się tych nazwisk, a to chyba nietrudne, to może się zdarzyć, że Bractwu utną głowę.

Istotnie twierdzenie o rzekomym zakonspirowaniu organizacji fenian, jak i ich liczebności i sprawności — mijało się z prawdą. Powszechnie wiedziano, że Jamesa Stephensa — chełpliwego zawadiakę, nieustannie wyznaczającego i odkładającego termin powstania — zastąpił pułkownik Thomas Kelly, były oficer amerykański obecnie przebywający w Irlandii. Naczelnym komendantem feniańskich sił zbrojnych mianowano Francuza Gustawa Clusereta, który walczył pod Garibaldim i w amerykańskiej wojnie domowej, a teraz, wieczny bojownik o sprawę wolności, ofiarował swe usługi Irlandii.

— Na tym polega specyficzny charakter naszej organizacji — odpowiedział McCailowi Megaw — że nawet jeśli głowę utną, członki pozostaną, bo każdy ośrodek może egzystować samodzielnie, aż...

— Ale bez oczu, uszu i języka — przerwała mu Pat. — Taka gadanina do niczego nie prowadzi. Musimy czekać, dopóki nam nie powiedzą, że czas walczyć, a wtedy walczyć. I to wszystko.

— Na to się zgadzamy ja i moi towarzysze z huty — rzekł Gerald Wolfe. — Kiedy trzeba, potrafimy się bić. A póki co, gęby na kłódkę i otwierać chyba tylko po to... — I pół szklanki whisky wlał sobie w gardło. Otarłszy ciężki czarny wąs wierzchem ręki, mówił dalej: — Ale ja i moi towarzysze chcemy wiedzieć jedno. Co pan robisz tutaj? — Wskazał gniewnie palcem na Wintera. — Anglik! My i nasze kobiety kupujemy w twoim sklepie, a jakże, ale kiedy chodzi o... znaczy się, takie sprawy jak powstanie, to my, prawdę mówiąc, nie ufamy panu. Ja jestem prosty człowiek i gadam po prostu, czy się to komu podoba czy nie.

Megaw powiedział pośpiesznie:

— Ja ręczę za pana Wintera, Geraldzie. Nie zapominaj, że on żyje wśród nas już blisko dwadzieścia lat. Dawniej chodził z nami na przemyt. Ja osobiście nigdy nie miałem bliższego przyjaciela. On jest po naszej stronie.

Winter chciał coś powiedzieć, ale tubalny głos Wolfe'a zagłuszył go:

— Tak ty myślisz, Rogerze. Ale w hucie nie każdy jest tego pewien. Wy, edukowani, zawsze się razem trzymacie... Pani Winterowa tak, znamy jej życiorys, to jest życiorys walczącej patriotki. Ale pan Winter... bardzo przepraszam, mnie tu przysłali koledzy, żebym powiedział, co mam do powiedzenia, i powiem! Pan Winter znalazł się między nami, bo chciał spać z kobietą, która jest teraz jego żoną... Nie, żebym się temu dziwił...

Pat zaczerwieniła się i wtrąciła pośpiesznie:

— W czterdziestym ósmym mój mąż, a jeszcze wtedy nie był moim mężem, ocalił mnie od angielskich żołdaków, którzy byliby mnie... i mógł mnie wydać władzom, by mnie powieszono razem z moim bratem albo skazano na zesłanie. Ryzykując własne życie, przyprowadził mnie tutaj.

— To, że nie był takim draniem, aby stać i patrzeć jak gwałcą kobietę — rzekł Sullivan — jeszcze nie dowodzi, że syn angielskiego dziedzica zmienił się w irlandzkiego patriotę. O ile wiem, nie jest pan fenianinem, panie Winter. Czy mógłby nam pan powiedzieć, dlaczego nie wstąpił pan do Bractwa?

Pat wskazała na pusty rękaw, ale Michał odpowiedział:

— Bo nie wierzę, aby niepodległość dla Irlandii można było zdobyć gwałtami, walką czy powstaniem. Rodzina i najbliżsi przyjaciele, łącznie z Megawem i McCailem, znają moje poglądy. Ale powiedziałem dawniej i powtarzam raz jeszcze: jakąkolwiek metodę obierze większość patriotów, by zyskać niepodległość, będę ich popierał, gdy nadejdzie czas. A to dlatego, że chociaż jestem Anglikiem, z całego serca nienawidzę sposobu, w jaki rząd angielski sprawuje władzę w tym kraju. Ale na razie uważam, że powinienem jasno określić mój punkt widzenia.

— Nie ufam takiemu, co nienawidzi własnych rodaków, chociażby to byli moi wrogowie — mruknął Wolfe.

Pat wstała.

— Wychodzę — rzekła. — Nie będę słuchać, gdy się w ten sposób mówi o moim mężu.

Winter zatrzymał ją gestem.

— Bynajmniej nie nienawidzę moich rodaków, Wolfe, i wcale tego nie powiedziałem. Nie należy ich identyfikować z rządem. Setki tysięcy moich rodaków, uczciwych robotników jak i wy, nienawidzą angielskiego rządu tak samo jak ja

142

i ty. Pracują rzetelnie i przestrzegają prawa, jeśli go nie mogą zmienić. Uważam to za zaletę.

— Anglikowi łatwo przestrzegać prawa — powiedział Sullivan. — To ich własne prawo, nie nasze. Dlatego je łamiemy, by okazać naszą pogardę tym, którzy chcą je nam narzucić.

McCail nie pochwalał ataku na Michała, swego gościa i przyjaciela. Zastosował unik za pomocą typowo irlandzkiego humoru.

— Na wszystkich świętych, Michale, ty masz też jedną z angielskich cnót: bronisz swoich. My, Irlandczycy, jesteśmy tacy prawdomówni, że nigdy nic dobrego o sobie nie mówimy.

Megaw wstał.

— Przepraszam cię, Michale, za narażenie na taką przykrość — powiedział. — I czas już się rozejść. A wy, Sullivan i Wolfe, powtarzam jeszcze raz...

— Nie trzeba — przerwał mu siodlarz. — My potrafimy myśleć za siebie.

Gdy Winterowie wracali do domu, Pat pieniła się ze złości, natomiast Michał starał się ją uspokoić:

— Nie powinnaś im brać tego za złe, *acushla*. Ja ich wcale nie winię. Rozumiem ich wątpliwości. Naprawdę.

Ale to nie znaczyło, by nie bolał nad swoim położeniem. Dopóki aktywność polityczna trwa jakby w zimowym śnie, nie wydawało się tak ważne, że ten i ów mu nie ufa. Ale z chwilą wybuchu powstania nieufność mogła przybrać dotkliwe formy.

IV

Wybory uzupełniające mało obudziły zainteresowania w okolicy. Żaden z kandydatów — ani Biggin, ani Slattery

143

— po obiorze nie starałby się o korzyści dla kogokolwiek prócz ludzi własnej sfery.

Irlandia wysyłała do angielskiego parlamentu, który nią rządził, około stu posłów. Niewielu wieśniaków miało prawo głosu, a ci — stosunkowo zamożniejsi — którzy mieli, najczęściej głosowali tak, jak im dziedzic nakazał. Postępując inaczej, naraziliby się na groźbę eksmisji, bo przecież głosowanie nie było tajne. Czeladnikom i robotnikom nie przyznano jeszcze praw wyborczych. Toteż irlandzcy posłowie do parlamentu składali się przeważnie z ludzi pokroju Biggina i Slattery'ego, z dodatkiem kilku prawników i kupców. Mało który z nich przejmował się sprawą niepodległości Irlandii. Dobrze im się powodziło, ich wyzysk osłaniała policja i wojsko i raczej się obawiali, że stracą swoją uprzywilejowaną pozycję w wolnej Irlandii z własnym rządem i parlamentem.

Co za różnica była między posłem Slatterym a posłem Bigginem? Przed wyborami każdy terroryzował własnych dzierżawców. Przemówień prawie nie wygłaszali. Żaden nie miał nic do powiedzenia, co mogłoby pociągnąć ludzi szczerze zainteresowanych sprawą zrzucenia jarzma angielskiego. Do właścicieli sklepów i zakładów rzemieślniczych Biggin i Slattery posłali swych najemników, by kupować głosy za pieniądze lub za obietnice protekcji. Fenianie nie mieszali się do wyborów. Obaj kandydaci wyklinali ich otwarcie jako bandytów. Ale parę osób w Kenmare, włącznie z Michałem i Pat, agitowało bez wytchnienia przeciw sędziemu.

W dzień wyborów dwaj kandydaci zasiedli na platformie wyborczej ustawionej na rynku w Kenmare, przysłuchując sie głosowaniu. Ich poplecznicy kręcili się między wyborcami, próbując jeszcze w ostatniej chwili różnego rodzaju perswazji w stosunku do niezdecydowanych, którzy im przyrzekli głosować przeciw Slattery'emu. A gdy wywołano nazwisko Michała, ten śmiało i głośno wybrał „pana Waltera Biggina".

McCail, Sullivan, inni sklepikarze i majstrowie uczynili to samo. Slattery siedział wściekły. Jeżeli w najbliższym jego majątku miasteczku głosowano przeciw niemu, to niewielkie miał szanse wyboru.

Gdy następnego dnia ogłoszono rezultat wyborów, okazało się, że sędzia ziemski z Kenmare otrzymał zaledwie połowę liczby głosów oddanych na Biggina. Rozwścieczony haniebną porażką, Slattery zapamiętał, że Winterowie prowadzili kampanię przeciw niemu.

V

Władze angielskie nie były tak ślepe i głuche, jak feniańscy przywódcy przypuszczali. Około godziny trzeciej pewnego styczniowego dnia w roku 1867 Luke O'Flaherty, wędrując po okolicy, natknął się na świeżo rozbity obóz żołnierzy w odległości jednego dnia marszu od Kenmare. Wprawiwszy w ruch swój obrotny język, wkręcił się na posiłek przyrządzany przy ognisku. Jedząc, strzygł uszami. Dwaj sierżanci rozmawiali o powierzonym im zadaniu. O'Flaherty dokończył jedzenia i wyśliznął się niepostrzeżenie.

Zmrok zapadał wkrótce po czwartej. Luke wynalazł w pobliskim majątku niedomkniętą stajnię. Zawsze umiejętnie radził sobie ze zwierzętami. Poklepał jednego z koni po szyi, zagadał do niego, wyprowadził za próg. Ze zdumiewającą zręcznością wskoczył na nieosiodłany grzbiet, pochylił się nad grzywą i — wciąż coś poszeptując do końskiego ucha — pogalopował, nie zwalniając ani na chwilę, do Kenmare, do domu Megawa.

Krótko po północy Winterów obudziło kołatanie do drzwi sklepu. Michał pośpiesznie wciągnął spodnie i zszedł na dół. Zastał przed domem czekającego Geralda Wolfe'a, który rzekł śpiesznie:

— Twoi synowie są mi potrzebni, Peter i Denis.

— Co? W nocy? — wykrzyknął Michał.

— Dzień czy noc, za równo to będzie dla patriotów. Zawoła pan chłopców?

— Co oni mają zrobić?

— Mają się spotkać z Rogerem Megawem na podwórzu za sklepem McCaila. To pilne.

— Dobrze. Przyślę ich. Będą tam na pewno za parę minut.

Chłopców obudziło kołotanie, teraz u szczytu schodów słuchali i ubierali się jednocześnie. Wybiegli na ulicę.

Rodzice już nie spali tej nocy. Co się szykowało? Czy już dano sygnał do powstania? Dumna ze swoich synów Pat jednak bała się o nich i nie umiała tego ukryć. Michał czuł to samo, chociaż lepiej nad sobą panował.

Z ulicy dochodziły odgłosy krzątaniny, śpiesznych kroków. Noc była smoliście ciemna, bezksiężycowa. Wypatrując oczy, Winterowie dostrzegali zarysy postaci przechodzących parami i przenoszących jakieś ciężkie pakunki. Zdawało im się, że rozróżnili Petera idącego z Sullivanem. Później Denisa z kimś, kogo nie można było rozpoznać po ciemku...

Wreszcie na ulicy zapanował spokój. Około szóstej nad ranem mężczyźni mieszkający w sąsiedztwie zaczęli wracać i wchodzić do swoich domów.

Peter i Denis byli radośnie podnieceni, bardzo z siebie zadowoleni i bardzo ważni.

— Czy możemy zapytać...? — zaczęła Pat.

— Nic nie odpowiemy, mamo — odrzekł Peter. — Bardzo mi przykro, ale sama zrozumiesz, że tak najlepiej. Nie każdy by utrzymał język za zębami, więc Megaw...

Denis, by nie pozostać w tyle za starszym bratem, dokończył prędko za niego:

— Megaw kazał nam zaprzysiąc dochowanie tajemnicy. Ale niedługo będzie drugi akt. Wtedy zrozumiecie, przynajmniej po części, o co chodzi.

Nie w smak to było Pat. Gdy szykowano się do powstania w czterdziestym ósmym, przywódcą lokalnej grupy rebeliantów był jej brat Sean, a ona należała do ścisłego sztabu... Jej obecną gorycz zaostrzała jeszcze świadomość, że to z powodu nieufności niektórych fenian do Michała również ona sama musi tym razem pozostać tylko w roli widza. Zrozumiał to również Michał. Nad tą parą, przez tyle lat żyjącą w sielankowym szczęściu, zawisnął cień rzucony przez wielkie narodowe wydarzenia i narodowe różnice.

— Cierpliwości! — mówił Michał. — Gdy to wszystko przeminie, będziemy mogli znowu być sobą.

Ale Pat wiedziała, że dla niej to nie takie proste. Być sobą? Czuła, jakby były dwie Pat: jedna gorąco kochająca swego angielskiego męża i druga, urodzona buntowniczka, która zmagała się z goryczą, ponieważ z powodu swego małżeństwa musiała stać bezczynnie na uboczu, o niczym nie wiedząc.

Harmonijna jedność rodziny przestała istnieć. Nikt nie mógł przewidzieć, że tę jedność przywróci właśnie wróg.

Przez cały dzień w miasteczku wrzało. Nic nie można było wydusić z fenian na temat nocnej krzątaniny. Ludzie plotkowali, zgadywali, czasem byli bliscy prawdy, jednakże nikt nic nie wiedział na pewno — aż do drugiego ranka po owej niespokojnej nocy.

Miasteczko obudziło się w strumieniach deszczu — i w otoczeniu licznych oddziałów wojska. Ledwie noc zszarzała, angielscy żołnierze ruszyli ulicami i zaczęli walić do drzwi domów.

— Otwierać! W imieniu królowej! Rewizja!

Przerażeni mieszkańcy otwierali na roścież drzwi. Ciężkie zabłocone buty wkraczały na czyściutkie podłogi. Brutalne ręce wywlekały starych i chorych z łóżek, przynaglały powolnych ukłuciami bagnetów, wyrzucały materace, pościel, odzież i bieliznę z szaf, szuflad i komód. Jastrzębie oczy sierżantów zaglądały do piwnic i na strychy, do każdego zakątka. Młodzi oficerowie stali w pobliżu, pogardliwie przypatrując się operacji, szydząc z obawy widocznej w niespokojnych spojrzeniach, w pośpiesznym posłuchu rozkazom

— by żołnierski karabin nie wystrzelił, oczywiście przypadkiem. Takie przypadki się zdarzały niejednokrotnie w przeszłości.

Teraz zrozumiano powody nocnej krzątaniny fenian. Żołnierze szukali broni, amunicji, dokumentów i list członków Bractwa.

W tym czasie Luke wędrował daleko, wiele mil od Kenmare, idąc w kierunku odwrotnym niż jego wieczorna przejażdżka. Konia sprzedał za parę funtów farmerowi, który nie znał zwierzęcia, a wobec sposobności taniego kupna wolał nie zadawać pytań.

Slattery, w nieprzemakalnym płaszczu i kapeluszu rybackim, stał pośrodku ulicy, rozmawiając ze szpakowatym majorem, dowódcą oddziału. Gdy policjant wprowadził żołnierzy do sklepu Winterów, major skinął głową swemu rozmówcy i obaj weszli również do środka.

— Dzień dobry, panie Slattery — powiedział Michał z obojętną grzecznością.

Nie otrzymał odpowiedzi. Sędzia zwrócił się do majora i rzekł sarkastycznie:

— To jest pan Winter, miejscowy angielski sklepikarz. Nie spodziewałby się pan znaleźć tu niczego, nieprawdaż? W domu Anglika! Tylko że ten Anglik ożenił się z rebeliantką, zadaje się z rebeliantami. I trudnił się dawniej przemytem. A ponieważ jest tak sprytny i tak lojalny, niczego pan tu nie znajdzie, panie majorze. Może chce się pan przywitać ze swoim rodakiem?

— Nie chcę znać renegatów! — burknął pogardliwie major i wyszedł ze sklepu.

Nie przejawiał pogardy do towarzystwa Irlandczyka Slattery'ego, pomagającego w prześladowaniu swych irlandzkich rodaków.

Winter dygotał z wewnętrznego gniewu. Ale trzymał się w garści. Miał dwóch synów, którzy byli fenianami. Nie wolno mu prowokować indagacji, śledztwa, często prowadzonego metodami dalekimi od łagodnych. Zanim rewizja dotarła do sklepu, ubłagał Pat, by panowała nad sobą w obecności żołnierzy.

Na ulicy sędzia zapytał majora:

— Czy pan zabiera stąd później swoich ludzi?

— Tylko o parę mil. Rozbijemy obóz. Możemy być jeszcze potrzebni. Jak ja nienawidzę tego wiecznego deszczu w tym kraju!

— Czy mogę pana zaprosić do mego domu? Skromna to gościna, ale zadbam o pana wygodę, panie majorze. Namioty i obozy w taką pogodę nie są dla ludzi w naszym wieku.

— Przyjmuję z wdzięcznością.

Wreszcie rewizja dobiegła końca. W całym Kenmare nie znaleziono nawet pistoletu zabawki.

— A broń była tutaj! — powiedział major. — Otrzymaliśmy informację. Łajdacy wywieźli ją jakoś. Ale dokąd? Jak ją znaleźć? Nie możemy przekopywać całej okolicy!

Rzeczywiście broń była w Kenmare. W czasie nocnej operacji fenianie wywieźli ją i zakopali, tak jak major przypuszczał. Ale dlaczego ją wywieźli — o tym wiedział tylko Megaw i pewien wymowny włóczęga.

Później tego samego wieczoru Slattery i major zasiedli przed płonącym na kominku ogniem, wygodnie rozparci w fotelach. Zjedli wyśmienity obiad. Kieliszki napełniano wielokrotnie. Cygara otaczały ich aromatycznym dymkiem. Za oknami deszcz lał znowu i major winszował sobie w duchu, że znalazł kwaterę o wiele wygodniejszą od żołnierskiego namiotu. Slattery ocenił, że gość jest już w odpowiednim nastroju i czuje się zobowiązany do wdzięczności.

— Mam tu do przeprowadzenia pewną drobną akcję, a skoro pańscy ludzie pozostaną w pobliżu Kenmare jeszcze kilka dni, może mógłbym poprosić pana o pomoc. Zupełnie oficjalnie oczywiście, sprawa ta jest w ramach moich obowiązków. Chociaż gdyby nie pana obecność, mógłbym mieć kłopoty z jej przeprowadzeniem.

Dość szeroko pojmował swoje „oficjalne obowiązki", ale to nie pierwszy raz.

Majorowi troszeczkę język się plątał, gdy odpowiedział:

— Chętnie się odwzajemnię za tak miłą gościnę.

— Akcja będzie dotyczyła nielegalnych poczynań tego Anglika Wintera i jego żony.

Nie miał zamiaru dokładniej majorowi wyjaśniać, o jaką nielegalność chodziło. I było to zbędne.

— Jeśli trzeba przytrzeć rogów renegatowi, to chętnie pomogę — rzekł major. Podniósł kieliszek pod światło, popatrzył trochę zamglonym wzrokiem. — Świetny koniak! Ci Francuzi wiedzą, co robić z winnym gronem.

VI

Joemu McCailowi nie dolegał odcisk, gdy przyszedł do sklepu Winterów, by się pożegnać z odjeżdżającym Peterem. Serdecznie potrząsając ręką chłopca, mówił:

— Będziesz miał wspaniałą pogodę, jak przystało takiemu wspaniałemu chłopcu! Ale czasem sobie myślę, że wszyscy wspaniali chłopcy są tacy sami, więc strzeż się cudzoziemskich kobiet! One lubią nabijać w butelkę, a my Irlandczycy skłonni jesteśmy wierzyć, że one naprawdę myślą to, co mówią. Słyszałem o jednym irlandzki kochasiu, który tak uwodzicielsko przemawiał do pewnej hiszpańskiej dzierlatki, że ta mu obiecała aż do Dublina pójść za nim z Madrytu i zdjąć dla niego mantylę. A on, naiwniak, myślał, że mantyla to zupełnie co innego. Więc strzeż się. Cudzoziemskie kobiety zgrabnie potrafią w pole wyprowadzić, a swoją furteczkę rzadko komu otwierają!

McCail wybuchnął śmiechem i klepnął zarumienionego chłopaka po plecach.

Poprzedniego wieczoru do Kenmare przyjechał posłaniec z Cork. Przywiózł Megawowi polecenie wysłania dwóch fenian z jego grupy, najlepiej młodych, do Anglii. Posłaniec podał adres w Dublinie, gdzie młodzi ludzie mieli się najpierw zgłosić, i hasło, którym się mieli wylegitymować. Z kilku innych ośrodków w różnych prowincjach Irlandii również wysłano ludzi do pomocy w specjalnych akcjach, podejmowanych przez fenian w Anglii.

— Mieliśmy tu kompanię żołnierzy — zakomunikował Megaw. — Przeprowadzili rewizję w poszukiwaniu broni, ale — dotknął palcem nosa i mrugnął porozumiewawczo — nic nie znaleźli.

— Dobra robota — odrzekł posłaniec. — Rewizje odbywały się w całym kraju, ale nie wszystkie ośrodki tak się spisały. Będą kłopoty z zastąpieniem zarekwirowanej broni. Może te akcje w Anglii mają z tym coś wspólnego? Nie wiadomo.

Megaw wybrał Petera — by mu dać szansę wyróżnienia się — i Thomasa Keefe'a, jednego z synów George'a i Molly.

Peter był radośnie podniecony. Jego rodzice zdawali sobie sprawę, że taka misja może narazić chłopca na wielkie ryzyko, ale z drugiej strony, przy tak podminowanej sytuacji w Irlandii Anglia mogła się okazać nawet bezpieczniejszym miejscem pobytu. Pat drżała o synów, ale spaliłaby się ze wstydu, gdyby stchórzyli.

— Zapiszą swoje imiona w dziejach walk o niepodległość Irlandii! — mówiła.

Michał pokiwał głową, uśmiechnął się i westchnął:

— A ileż tych imion ma być? Czy ziemia irlandzka nie dość już nasiąkła krwią męczenników?

Pat zirytowała się:

— Powiemy „dość", gdy Irlandia będzie wolna, by mogła własną drogą pójść do wszystkich diabłów!

— Ja wynajdę O'Flaherty'ego — obiecał Michał z westchnieniem. — Za drobne wynagrodzenie Luke podejmie się znowu roli listonosza.

— Kapitalnie, ojcze! — odrzekł z nieudawaną wdzięcznością Peter.

Wintera uradowała jego serdeczność. Boleśnie odczuwał ochłodzenie tak bliskich do tej pory stosunków łączących go z synami.

Wysyłają mnie ze specjalną misją — pisał Peter. — *Oczywiście muszę przerwać studia i nie wiadomo, na jak długo. Wszystko bardzo tajemnicze. Zapieczętowany rozkaz. Ty, która kochasz swoich rodziców za to, że są dobrymi patriotami, nie zechciałabyś, bym tchórzył i siedział za piecem. Może teraz nigdy nie zostaniesz żoną pedagoga lub bibliotekarza. Ale jeśli potrafię dzielnością dorównać Twoim przodkom O'Neillom, to wystarczy. Za dawnych dni Twój rycerz odjeżdżałby na wojnę o świcie, a Ty byś z murów jedną ręką rzuciła mi szarfę do szyszaka, a drugą ocierała łzy chusteczką. Ale dzisiaj jadę buchającą brudnym dymem czarną kupą żelastwa i nie zaznam ani spojrzenia Twoich najmilszych oczu. Niech i tak będzie. Nie tylko po to jadę, by zyskać sławę i zdobyć ukochaną, ale przede wszystkim, by służyć Irlandii... Surowe to czasy dla nas obojga. Będę ci zawsze i wszędzie wierny. A Ciebie, acushla, niechaj nasza miłość chroni... jesteś moja... wrócę, by się o Ciebie upomnieć...*

Wczesnym rankiem po wyjeździe syna Winter bez zwłoki udał się do lasów w pobliżu Clogbur. Odnalazł starego włóczęgę, jak przypiekał wędzony boczek nad ogniskiem, a skórkami karmił całą rodzinę myszy, które biegały dookoła jego nóg.

— Na świętą studnię błogosławionego Columbkilla! — powiedział Luke. — Dla takiego wspaniałego chłopca chętnie się przysłużę tym drobiazgiem. — Odrzucił pańskim gestem pieniądze, które mu Winter proponował. Po sprzedaniu ukradzionego konia był przy forsie jak rzadko kiedy. Zachichotał. — A nieczęsto się to zdarza, panie Michale, by taki hultajski obwieś jak Luke O'Flaherty — chociaż Boga się boi i do Najświętszej Panienki modli — odgrywał rolę wysłańca

152

miłości! — Chichot przekształcił się w głęboki, basowy dudniący śmiech.

W powrotnej drodze do Kenmare Winter zastanawiał się, dlaczego władze, tak na pozór dobrze poinformowane, ograniczyły się tylko do poszukiwania broni.

— Woleliby dopuścić do wybuchu — rozważał. — Muszą być pewni, że potrafią stłumić cały ruch feniański, militarnie osłabiony utratą broni.

VII

W domu Winter zastał Józefa i Różę O'Donovanów, świeżo przybyłych. Pat witała ich radośnie — od blisko dwudziestu lat nie widziała brata, który dobiegał już pięćdziesiątki.

Przy wysokim wzroście garbił się lekko, miał długi nos, trochę jakby cofnięty podbródek, łagodnie zarysowaną dolną szczękę i wyraz poczciwej nieśmiałości. Ale ta pozorna nieśmiałość mogła wprowadzić w błąd, bo Józef zdolny był w potrzebie do energii i odwagi. Po powstaniu z roku czterdziestego ósmego z niemałym ryzykiem dla siebie dopomógł siostrze i młodemu Winterowi wymknąć się Anglikom. Róża, choć jej świeża, dziewczęca uroda zgasła, wywierała niezwykle miłe wrażenie. Jej twarz o dużych oczach i łagodnym owalu, ale nosie zbyt szerokim, czerwieniła się chorobliwymi rumieńcami. Jednakże nie pieściła się z sobą i wyglądali oboje z Józefem na zadowoloną z życia parę, a bezdzietność była ich jedynym strapieniem.

Radosne, serdeczne powitania. Józef przywiózł wiadomości o niepokoju we wszystkich okolicach, przez które przejeżdżali.

— Jakby drzewa szumiały przed burzą — mówiła Róża.

Chwilami dźwięczał dzwonek w sklepie i Michał lub Denis wychodzili, by obsłużyć klienta. Młody William odniósł się z taką serdecznością do Róży, że od razu jej przypadł do serca. Uparł się, że będzie siedział obok niej, gdy Pat podała naprędce przygotowany posiłek. Róża gawędziła z nim o nauce i dowiedziała się, że najbardziej go ciekawi matematyka.

— Coś mi się wydaje, że Róża znalazła sobie gotowego syna — zauważył Józef.

Pat powiedziała, że George Keefe zajrzał do sklepu wcześniej rano. Przyjechał bryczką na targ sprzedać dwa tryki.

— To doskonale — rzekł Michał. — Będzie mógł z powrotem zabrać Różę i Józefa do Iveragh. Ale za tryki nie dostanie dzisiaj dobrej oceny. Żołnierze się kręcą jeszcze po okolicy, mało kto jedzie na targ.

Rozpytywano o starych znajomych z Kilegad. A Józef, chociaż taktownie nie dowiadywał się bliższych szczegółów o śmierci Kevina i wuja Jamesa, zasypywał pytaniami o gospodarkę i możliwości hodowlane.

Wszedł George Keefe. Byli dawnymi przyjaciółmi z Józefem, razem pracowali w majątku starego Wintera. O'Donovanowie, praktykujący katolicy, pytali o proboszcza w Clogbur, co to za człowiek.

— To zależy — odrzekł Keefe. — Nie widzę na waszych twarzach śladów wielu grzechów. Ojciec O'Connor lubi takich parafian. Ale według mnie wygłasza za długie kazania. Już jak on się dorwie do ambony! Więc niezbyt regularnie chodzę do kościoła, chociaż Molly jest odporniejsza. Ostatni raz, kiedy poszedłem, nie spodobałem się księdzu, bo mu powiedziałem, że jego kazanie przepchnęło nas spory kawałek przez zimę. A byle do wiosny!

— George! — wykrzyknęła Róża. — Mam nadzieję, że cię porządnie skarcił za taką nieuprzejmość!

— No cóż, powiedział: „Kiepski z ciebie katolik. Częściej zapominasz o swojej religii, niż o niej pamiętasz". Więc ja mu mówię: „A jakżeż to, ojcze? Prawda, czasem kłamałem, biłem się, przeklinałem i rabowałem, a przed małżeństwem kilka młodych dziewcząt miałem na sumieniu. Ale ani na chwilę nie zapomniałem wiary, w której się wychowywałem".

Józef się roześmiał.

— Nic się nie zmieniłeś — zauważył. — Nigdy nie potrzebowałeś sięgać po język do kieszeni.

Dni były krótkie i chociaż niechętnie, trzeba było zakończyć familijne spotkanie. Pat zaproponowała, by O'Donovanowie zostali na noc, a rankiem ona sama zawiezie ich do Clogbur.

— Powinniście przyjechać do Iveragh za dnia — mówiła — by obejrzeć dokładnie gospodarkę i żeby Róża mogła się zagnieździć w kuchni!

— Słuchaj, George, u Megawa jest dodatkowe łóżko — wtrącił Winter. — Tam się prześpisz, a McCail weźmie klacz do swojej stajni. Molly nakarmi chyba owce?

— Jak ona się pogodziła z wyjazdem Toma? — pytała Pat.

— Narzeka po trochu. Dwaj starsi synowie w Ameryce, teraz Tom wyjechał do Anglii. No, ale jeszcze ma pięcioro w domu. Według mnie to dość dla każdej kobiety!

— Nie udawaj takiego zatwardziałego — rzekł Michał. — Wiem, że i ty boleśnie odczuwasz wyjazd Toma.

Keefe skrzywił się, wzruszył ramionami i śpiesznie wyszedł na ulicę, by zająć się klaczą.

Po wczesnym śniadaniu Pat poszła z Różą po zakupy. Chciały zaopatrzyć się w żywność na początek gospodarowania w Iveragh. Niewiele jednak dostały, bo żołnierze pozabierali, co tylko się dało.

Pat wsiadła do bryczki obok George'a, jej brat z żoną usadowili się z tyłu. Nie padało, ale gościniec nadal tonął w błocie. Po drodze układali optymistyczne plany co do przyszłości gospodarki. Iveragh nie było dużą posiadłością, ale zawsze prosperowało. Pastwiska nadawały się idealnie dla owiec. Józef wtrącił nieśmiało:

— Wiesz, Pat, ja nie mam doświadczenia z owcami.

— George ci dopomoże — zapewniła Pat. — On się doskonale zna na tym. Żywienie, strzyża, wykoty nie mają dla niego tajemnic!

Zjechali na boczną drogę i Iveragh ukazało się ich oczom. Pat chwyciła się nagle za szyję:

— Jezus, Maria! — krzyknęła. — A oni co tu robią?

W parę godzin później, gdy Winter był w sklepie razem z Williamem, a Denis poszedł do wielebnego Davida Robertsa, na ulicy zaturkotała bryczka. Zanim William zdołał wyjrzeć, do sklepu wpadła Pat. Michał obsługiwał klienta.

— Przyjdź zaraz do pokoju! — powiedziała Pat bez tchu i pobiegła przez sklep. Michał przekazał klienta Williamowi i wyszedł za nią.

— Slattery zajął Iveragh! — wybuchnęła Pat. — Żołnierze... policja... wszyscy tam są!

— Co? Ależ jakim prawem?! Przecież to twoje! — zawołał Winter.

Weszli O'Donovanowie, bardzo przygnębieni.

— Slattery'ego tam nie było — objaśniał Józef. — Rozmawialiśmy z takim młodym oficerem. Nawet był dość uprzejmy, ale powiedział, że ma rozkaz od majora i sędziego, aby nie wpuszczać do budynków i obejścia nikogo prócz człowieka nazwiskiem George Keefe.

Pat, Róża i Józef zaczęli opowiadać wszyscy naraz:

— Molly tam była i ludzie ze wsi. Ojciec O'Connor także. Ale nic nie mogli...

— Oficer trzymał swoich żołnierzy w garści. Nie dał im wejść do domu...

— Zostawiliśmy George'a...

— Molly pozwolono wypuścić owce na pastwisko...

— Musimy coś na to zaradzić, Michale. Niech mnie diabli porwą, jeśli tak na to bez słowa pozwolę!

— Oczywiście, nie pozwolimy — rzekł Winter. — Zobaczę, czy Slattery jest w sądzie.

Nie było go. Winterowie i O'Donovanowie mogli tylko czekać, zirytowani i bezsilni, aż do wieczora. Około szóstej

Winter z Józefem pojechali bryczką do Kenmare Lodge. Pat zdecydowała, że nie pojedzie. — Tylko wpadnę w gniew — powiedziała — i wygarnę coś, co pogorszy sprawę. — Pat zaczynała poznawać samą siebie.

Kiedy niemłoda służąca wprowadziła Wintera i O'Donovana do gabinetu sędziego, Slattery siedział razem z majorem, który dowodził przeprowadzaniem rewizji. Major kiwnął głową sędziemu i wyszedł, nawet nie spojrzawszy na nowo przybyłych.

Michał z trudem panował nad sobą, wspominając, jak ci dwaj znieważyli go w sklepie.

— Chciałbym wiedzieć, dlaczego żołnierze zajęli gospodarstwo mojej żony — rzekł szorstko.

Slattery przybrał wyraz twarzy, jakby urzędował w sądzie.

— Kim jest ten drugi osobnik?

— Mój szwagier, Józef O'Donovan. Od śmierci Jamesa Kernana moja żona jest prawowitą właścicielką Iveragh i powierza swemu bratu gospodarowanie.

— To nie ma nic wspólnego ze sprawą — Slattery gestem ręki odprawił O'Donovana jak lokaja. — Proszę poczekać w sieni, jeśli na dworze pada.

Po wyjściu Józefa Winter nie przyjął krótkiego zaproszenia sędziego, by usiadł. Slattery powiedział:

— Wyobrażałem sobie, że pan się cokolwiek orientuje w prawodawstwie angielskim. Żona nie może niczego posiadać osobiście. Własność, jaką nabywa legalnie, staje się własnością jej męża.

— To wszystko jedno — odrzekł Winter. — Pozwolę mojej żonie dysponować wszelką własnością, jaka za pośrednictwem jej osoby dostaje się mnie.

— Ale dla mnie to nie wszystko jedno — odparł Slattery, przekładając jakieś papiery na biurku, jakby w nich znajdował poparcie dla swoich słów. — Widzi pan, panie Winter, pan jest, jak mój przyjaciel major bezceremonialnie określił, renegatem...

Rozwścieczony obelżywym wyrażeniem, z którym ostatnio bezpośrednio czy pośrednio spotykał się nazbyt często, Winter przerwał mu z większą otwartością niż taktem:

— A jak major nazywa Irlandczyka w służbie wrogów uciskających Irlandię?

— Nie pomoże pan sprawie obelgami — rzekł Slattery.

— Kto jest naprawdę wrogiem Irlandii, to jeszcze rzecz do dyskusji. Jestem na służbie władz i prawa obecnie rządzącego tym krajem. Ale powracając do sprawy, o którą chodzi. Pana historia nie jest w Dublinie nieznana, zapewniam pana. Pana żonę można by uważać za współwinną śmierci pana ojca, a także śmierci innych Anglików poległych w akcji militarnej mającej na celu zgniecenie bandy rebeliantów, do której ona należała. Pan sam popełnił przestępstwo, pomagając jej w ucieczce...

— To wszystko należy już do historii starożytnej — zaprotestował Winter.

— Owszem — zgodził się Slattery. — Ja sam dowiedziałem się o tym dopiero w pięć czy sześć lat po popełnieniu przestępstw, to znaczy, kiedy już zostałem sędzią i zasięgnąłem informacji.

— I co to wszystko ma wspólnego z faktem — rzekł Winter — że pan zajął przy pomocy żołnierzy gospodarkę mojej żony czy jeśli pan woli, moją gospodarkę?

— Dużo wspólnego, bardzo dużo — odparł Slattery, teraz ugrzecznionym tonem. — Doprawdy proszę, by pan usiadł.

— Wolę stać.

Slattery wzruszył ramionami i ciągnął, nie patrząc na Michała.

— Jak pan sobie życzy. Zająłem gospodarkę w Clogbur. Uważałem to za obowiązek z uwagi na pana przeszłość. Jeżeli pan zechce, może pan wystąpić do sądu przeciw mnie. Będzie to sąd w Dublinie, do którego kompetencji takie sprawy należą, z angielskimi sędziami albo sędziami mianowanymi przez rząd. Wątpię, czy proces przypadnie panu do gustu.

Z ironicznym uśmiechem na twarzy spojrzał teraz na Michała Wintera.

— Pana dobrze znana historia „starożytna" zostanie przed sądem zrekapitulowana. Sędziowie mogą, jak mi się wydaje, niechętnie odnosić się do... renegata. Mało prawdopodobne — nie uważa pan? — by takiemu przyznano ziemię irlandzką, nadawaną zwykle ludziom, którzy dobrze służą angielskim interesom. Nic pan nie zyska, panie Winter, a narazi się na znaczne, bardzo znaczne koszty: opłaty sądowe, honoraria adwokatów, jeśli pan znajdzie takich, którzy zechcą wystąpić w pana sprawie przed sądem.

Przez chwilę Winter milczał, oszołomiony bezczelnością sędziego. Slattery przekładał papiery.

— Ależ to szantaż — wybuchnął wreszcie.

— Brzydkie słowo — odpowiedział Slattery. — Wolałbym powiedzieć, jak już sam mówiłem, jak powiedział major dowodzący wojskiem i jak jestem pewien, powiedzą sędziowie w Dublinie: że wypełniam mój obowiązek.

— Jeśli to jest pana obowiązkiem, to rozumiem, dlaczego Irlandczycy w tym kraju uważają angielskie prawo za narzędzie ucisku!

— Pan sam sobie wybrał pozycję, którą w tej chwili zajmuje, Winter. Angielskie prawo dosięga zwykle przestępców, wcześniej czy później. A karze różnymi metodami.

Postawiony w sytuacji bez wyjścia, Winter pozwolił sobie na wybuch:

— Jest pan potworem!

— Proszę zamknąć drzwi, gdy pan będzie wychodził — odrzekł Slattery.

Sam w gabinecie, pan sędzia nalał sobie koniaku. Podnosząc kieliszek, pomyślał:

...Nareszcie! Gospodarka Kernana. Teraz jestem właścicielem całości ziemi uprawnej między ujściem rzeki a zatoką Bantry. A także na północ w stronę Killarney. I nareszcie odpłaciłem pięknym za nadobne tej ponętnej suczce, Patrycji Winterowej...

W powrotnej drodze Michał wściekał się i pienił, a zarazem czuł się bezsilny. Opowiedziawszy Józefowi o bezczelnym szantażu sędziego, powtarzał:

— I pomyśleć, że sędzia ziemski, przedstawiciel prawa...

— Tacy zwykle bywają najgorsi — zauważył O'Donovan. Powstrzymał się od przypomnienia, jak rodzony ojciec Michała, również sędzia i urzędnik państwowy, posługiwał się wojskiem, by eksmitować z domów i gospodarstw dzierżawców, którzy odmówili płacenia samowolnie podwyższanych tenut, albo inaczej mu się narazili.

— Tak, to racja — zgodził się Michał. — Ale chociaż od tylu lat żyję w Irlandii, nie mogę przywyknąć do takiego nadużywania prawa.

— To trwa tutaj od wieków...

— Myślę, że nigdy się naprawdę nie pojmuje niczego, dopóki się nie pozna na własnej skórze — rozważał Winter. — Z tym już była bieda — wskazał na swój pusty rękaw — ale wtedy ryzykowałem świadomie, no i raz się nie udało. Ta sprawa z gospodarką to rozbój na prostej drodze!

— Ja tylko nie rozumiem — powiedział Józef — czemu on właściwie czekał tak długo, jeśli chciał zagarnąć Iveragh?

— To się da wytłumaczyć — odrzekł Winter. — Przed wyborami wolał nie ściągać na siebie powszechnego oburzenia. A my z Pat agitowaliśmy przeciwko niemu podczas kampanii przedwyborczej, co pewno go jeszcze bardziej zezłościło. I ostatecznie wykorzystał sposobność: ma teraz na miejscu żołnierzy do dyspozycji.

— Co zamierzasz przedsięwziąć? — spytał Józef. Była to dla niego również osobista katastrofa. Pozbył się swego gospodarstwa w Kilegad, zakładając, że w Clogbur czeka na niego drugie.

— Najpierw musimy to obgadać z Pat, oczywiście — powiedział Winter. — Ale ja zamierzam wybrać się do Dublina. Nie damy się zastraszyć ani szantażować temu... temu łotrowi. Mam w Dublinie przyjaciela prawnika — o ile jeszcze żyje. To on dla mnie wydobył pieniądze z ojcowskiego majątku. Nazywa się Flanagan. Uczciwy z niego człowiek. Może coś poradzi.

Józef potrząsnął z powątpiewaniem głową.

VIII

Leżał jeszcze gęsty mrok owego lutowego ranka, gdy Michał Winter wyszedł na pustą ulicę. Joe McCail, w którego stajni zamieszkała klacz od dnia zamachu sędziego na Iveragh, czekał z bryczką. Miał odwieźć Wintera na pociąg do Killarney i wrócić.

Michał wydał ostatnie polecenia i pożegnał się z rodziną w domu. Pat sprzeciwiała się uparcie jego wyjazdowi.

— Pewnie, że to trudno tak oddać Slattery'emu gospodarkę bez walki — mówiła. — Ale jeszcze bardziej trapi mnie myśl o tym, co ci się może przytrafić w Dublinie.

— Prawo w tych stronach jest takie, jakim chce je widzieć miejscowy sędzia — argumentował Michał. — W Dublinie przynajmniej prawo własności jeszcze obowiązuje.

— Może dla Anglików — odparła Pat. — Ale na pewno nie dla nas, Irlandczyków, i nie dla ciebie. Zobaczysz.

Winter nie dał się przekonać. Pat bała się o niego osobiście, a jednocześnie była zdania, że jego upór może narazić rodzinę na nowe kłopoty. Rozstanie było chłodne i Pat nie wyszła za mężem do drzwi.

Dom, który Winterowie wynajmowali razem ze sklepem, składał się z bawialki i kuchni na parterze oraz trzech pokoi sypialnych na piętrze. Denis i William przenieśli się do najmniejszego pokoju, a O'Donovanowie zamieszkali w dawnej sypialni chłopców. Podczas nie-obecności Michała Pat z Józefem mieli prowadzić sklep, mając do pomocy Williama. Chłopiec przywiązał się od pierwszej chwili do Róży i zaproponował, że będzie jej pomagać w domowych zajęciach — czego nigdy nie chciał robić dla matki.

George Keefe przyszedł, by powiedzieć, że zostanie w Iveragh aż do powrotu Michała. Ale jeżeli Pat nie odzyska gospodarki, odejdzie. Zakomunikował już o tym Slattery'emu. Keefe miał przyjaciela, rybaka, który gotów był dopuścić go do spółki w połowach.

Gdy Michał wsiadał do bryczki, na jego ramieniu spoczęła ciężka dłoń. Strząsnął ją i odwrócił się, by znaleźć się wobec Johna Sullivana. Ten rzekł:

— Slattery zrobił świństwo, zabierając gospodarkę, ale cóż, jedna świnia kradnie drugiej, co?

— Nie rozumiem — mruknął Winter, marszcząc brwi.

— Och, rozumie pan. Gdyby mi pozwolono, tobym ob-szedł się z panem tak, jak żołnierze obeszli się z pocz-mistrzem, chociaż był całkiem niewinny. Kto inny jak nie ty, angielski podwójny oszuście, sprowadziłeś na nas wojsko, by szukało broni?

Winter niezupełnie zapomniał uprawianej za młodu sztuki bokserskiej. Strzelił lewym sierpowym celnie w szczękę oskar-życiela. Sullivan padł na wznak, ciężko uderzając o bruk. Winter wskoczył do bryczki i rzekł:

— Potrząśnij lejcami, Joe. Jedziemy.

Gdy Sullivan z trudem gramolił się na nogi, jedną ręką pocierając szczękę, a drugą siedzenie, bryczka turkotała po pustej ulicy.

McCail powiedział:

— Nie powinieneś był tego robić. Mściwa bestia z tego Sullivana.

— A co na moim miejscu ty byś zrobił? — spytał Winter, ssąc rozcięty naskórek na kostkach ręki.

McCail prychnął śmiechem:

— Masz zwyczaj zadawać pytania, które lepiej zostawiać bez odpowiedzi.

Później tego wieczora Roger Megaw posłał po Sullivana. Nie było go w domu. Jego żona oznajmiła, że nie ma pojęcia, gdzie się podziewa. Rzecz dziwna, bo nie miewał przed nią sekretów.

ROZDZIAŁ PIĄTY

I

Wydawało się, że wspinaczka, chociaż po ciemku, nie nastręczy szczególnych trudności. Zamek Chester stał nad rzeką Dee i od tej strony dach przybudówki dotykał tak zwanej Wieży Cezara. Od załomu między przybudówką a wieżą rynna, umocowana solidnymi żelaznymi klamrami, biegła do góry wzdłuż muru wieży aż do jednej z ambrazur, obniżonej nieco, ażeby woda swobodnie spływała z platformy.

— Dasz radę? — spytał feniański sierżant.

— Chyba tak — odrzekł Peter dość pewnie, choć serce biło mu podwójnym tempem. — Muszę tylko stanąć komuś na ramiona, dopóki nie uchwycę tej krawędzi.

I zdjął obuwie, by lepiej przywrzeć stopą do muru.

Na dach przybudówki wlazł rzeczywiście dość łatwo. Z kolei sprawdził rynnę, która wydawała się solidna. Objąwszy ją kolanami, zaczął się wspinać od jednej klamry do drugiej, ocierając palce i kolana o chropowatości starego kamiennego muru. Wreszcie wsparty stopami na najwyższej, ostatniej klamrze, uchwycił palcami krawędź parapetu. Ugiął odrobinę kolana, by pchnąć się do góry. Stopa ześliznęła mu się z klamry. Rozpaczliwie ściskając kolanami rynnę, cal po calu sięgał wyżej rękoma, aż poczuł pod palcami wewnętrzną krawędź. Podciągnął się, rozdzierając spodnie o mur. Nareszcie — jedno kolano na parapecie. Był bezpieczny — w każdym razie od upadku. Z wolna wlazł przez ambrazurę na

164

wewnętrzną platformę i zasłonięty parapetem, leżał dłuższą chwilę, oddychając ciężko po wysiłku wspinaczki i po przestrachu ostatniej chwili. Odsapnąwszy, wyjrzał przez otwór strzelniczy. Daleko w dole rozróżniał postacie trzech towarzyszy oddalających się od zamku swobodnym, pozornie beztroskim krokiem spacerowiczów. Nie będą już dłużej potrzebni.

Peter był sam w fortecy wraz z garnizonem żołnierzy smacznie śpiących.

Zamek Chester leżał około 25 km na południe od Liverpoolu, przy głównym gościńcu i trasie kolei żelaznej ze środkowej Anglii do Holyhead na wybrzeżu walijskim, portu, z którego odchodziły regularne statki do Irlandii. Oprócz Wieży Cezara i drugiego jeszcze okrągłego bastionu zamek, pamiętający dziesiąty wiek, rozebrano przed sześćdziesięciu laty. Na obszarze dawnego zamku i dziedzińca, nadal otoczonego murem, mieścił się teraz arsenał i koszary. W obecnej chwili brakowało prawie połowy pełnego składu garnizonu, co było jedną z przyczyn, dla których Peter znalazł się na wieży.

Ledwie kilka dni upłynęło od chwili, gdy razem z Tomem wyjechał z Kenmare. O rok od niego młodszy Tom Keefe był wysoki i chudy, chociaż muskularny. Wyrósł na dryblasa, urodziwszy się z ojca niskiego i matki małej i tęgiej, więc George Keefe musiał znosić niewybredne żarty na temat tego swojego syna, w rodzaju:

— Musiałeś owej nocy na szczudłach położyć się do łóżka!

Tom miał kwadratową kościstą twarz i milczące usposobienie. Był głęboko przywiązany do Petera, przywódcy wszystkich zabaw i eskapad z ich dziecinnych lat.

Żaden z chłopców nie wyjeżdżał dotąd z rodzinnych stron. Po drodze do Dublina trzymali nosy rozpłaszczone na szybie przedziału kolejowego, wymieniając półgłosem zdumione uwagi na temat mijanych pól, hałaśliwych stacji, zapełnionych pociągami towarowymi węzłów kolejowych, niekiedy widoku pięknego kościoła lub dworu albo stłoczonych razem, jakby dla ciepła, ubogich ruder w slumsach.

Z dworca dublińskiego wybrali się na poszukiwanie oberży, której adres Megaw kazał im zapamiętać. Skierowani przez dobrodusznego dorożkarza, poszli uboższą dzielnicą miasta. Ulice tchnęły wstrętnym — zwłaszcza dla wieśniaków — odorem brudu i pomyj wylewanych z drewnianych baraków tak ubogich, że w Kerry chlewy często lepiej wyglądały. Skrajna nędza, głód. Wychudłe, zaniedbane kobiety siedziały na przyzbach, z niemowlętami przy piersi. Na wpół odziane dziewczęta, czternasto- i piętnastoletnie, przywoływały ich z okien gestami. Jeszcze młodsi chłopcy pociągali przechodzących za rękaw, proponując im swoje siostry za sześciopensówkę. Obdarci chudzi mężczyźni wspierali się o ściany lub stali grupkami, wrogo popatrując na obcych. Dwaj młodzi przybysze przyśpieszyli kroku w obawie, by ich nie pobito, ponieważ nosili przyzwoite ubrania.

Wreszcie dotarli do oberży. Nieśmiało weszli do hałaśliwego zatłoczonego pomieszczenia. Mężczyzna, robiący wrażenie pijanego, zatoczył się w ich stronę i wymamrotał, ziejąc na nich oddechem najzupełniej wolnym od woni alkoholu:

— A wiecie, że kiedyś, dawniej, zjadano czterolistną koniczynę pływającą w whisky?

Chłopcy odpowiedzieli równocześnie słowami, które sobie nieustannie powtarzali podczas podróży:

— Dzisiaj nikt nie dba o czterolistną koniczynę.

— Dobra — mruknął mężczyzna. — Wejdźcie w tamte drzwi. Milligan, właściciel tej nory, da wam jeść.

W wewnętrznej izbie wokół długiego stołu siedziało już kilku młodych ludzi. Mężczyzna w fartuchu, niegdyś białym, wskazał im dwa wolne zydle. Peter i Tom przyglądali się spod oka kompanom za stołem, a w zamian ich samych mierzyły baczne spojrzenia. Najbliższy sąsiad Petera oznajmił, że nazywa się Gregory Nolan, z hrabstwa Galway, i zapytał, skąd dwaj nowi przybywają. Inny młodzik, o bladawej ładnej twarzy, zmysłowych ustach i czarnych długich rzęsach, wydobył niebezpiecznie wyglądający składany nóż i powiedział głośno, chełpliwie:

— Czekam, kiedy będę mógł go wepchnąć jakiemuś Anglikowi pod żebra!

Oberżysta odezwał się szorstko:

— Schowaj to. Bez głupiej gadaniny tutaj! — I on się bał donosicieli.

Później wszedł pijany-niepijany mężczyzna, rozdał bilety na parowiec do Liverpoolu, poinformował o godzinie odjazdu, kazał zapamiętać adresy, gdzie młodzi fenianie mieli się grupami stawić.

Gregory Nolan przyłączył się do Petera i Toma, by razem połazić po Dublinie. Za dzielnicą slumsów ciągnęły się dalsze ulice, już nie tak skrajnie nędzne, a jeszcze dalej piękne domy, wspaniałe gmachy, szerokie place, wypielęgnowane ogrody. Strojni jeźdźcy na lśniących wierzchowcach. Eleganckie pojazdy z herbami na drzwiczkach, stangreci w liberiach. Panowie w cylindrach i czarnych płaszczach; starsze panie pogardliwie spoglądające przez lorniony; młodsze, czasem nieśmiało schowane w głębi pojazdów, inne o bezczelnym spojrzeniu, szczęśliwsze siostrzyce dziewcząt, które kiwały na nich z okien w dzielnicy slumsów. Chłopcy z zachodu spoglądali w oszołomieniu na wystawy z pięknymi strojami, egzotycznymi przysmakami, połyskującą biżuterią, cennymi meblami, porcelaną, kryształami.

Porównując w myślach te widoki z cuchnącą nędzą slumsów, wspominając ziemian w rodzinnych stronach, żyjących w ostentacyjnym zbytku obok z trudem wegetujących wieśniaków, Gregory zauważył sucho:

— Trzeba sobie wybrać odpowiednich rodziców.

— Rodzice odpowiedni w jednym sensie bywają nieodpowiedni w innym — odrzekł Peter. — Założyłbym się, że w slumsach więcej można znaleźć szczerego patriotyzmu niż między tymi z nabitą kabzą.

...Na platformie wieży Peter odnalazł drzwi trapowe prowadzące na kręcone schody. Spróbował unieść pokrywę za grube żelazne kółko. Nie ustąpiła. Metaliczny dźwięk wyjaśnił mu, że drzwi były zaryglowane od dołu. Usiadł na wewnętrznej kamiennej framudze i stwierdził, że schylając się poniżej ambrazur, nadal był bezpiecznie schowany za parapetem. Przypomniał sobie opowiadanie matki, jak przed wielu laty wspięła się na wieżę kościoła protestanckiego, by zerwać i spalić flagę angielską, która tam powiewała.

Pobudka! Gdzieś pod nim odezwała się trąbka wojskowa. Niebawem dziedziniec koszarowy rozbrzmiał głosami. Ostrożnie wyglądając przez ambrazurę, Peter dostrzegł przechodzących żołnierzy w spodniach tylko i koszulach, z ręcznikami na ramieniu. Szli się myć, nieświadomi obserwujących ich oczu młodego fenianina.

Czekając na godzinę wyznaczonej akcji, Peter pomyślał, jak w ciągu paru dni zmieniło się jego dotychczas bezbarwne, zwyczajne życie. Oto siedział na szczycie Wieży Cezara, wybrany spośród innych ochotników do ważnego zadania, od którego mogło zależeć powodzenie przedsięwzięcia fenian w Chester...

Na parowcu kursującym między Dublinem a Liverpoolem zobaczyli znowu młodych ludzi z izby za oberżą, a także wielu więcej, na pozór wyjeżdżających w poszukiwaniu pracy.

— A praca będzie — zauważył Peter — ale tej nasi angielscy gospodarze nie docenią.

Nadal nie wiedzieli, na czym ta ich praca miała polegać. W porcie liverpoolskim młodzi Irlandczycy rozdzielili się na grupy, odszukali wyznaczone punkty kontaktowe. Peter, Tom i Gregory mieli podany ten sam adres — znowu oberżę, znowu w ubogiej dzielnicy, zamieszkanej głównie przez robotników irlandzkich, emigrantów stałych lub sezonowych. Niewysokie ceglane domy stały ciasnymi szeregami; po zaśmieconych ulicach biegały dzieci donaszające widocznie odzież po rodzicach.

Zjedli pospiesznie posiłek w oberży i znowu pociągiem do Manchesteru — pulsującego ośrodka przemysłu bawełnianego, źródła bogactwa dla nielicznych, gehenny dla dziesiątków tysięcy robotników, których dolę opisywał Dickens w powieści „Ciężkie czasy". Wybuchały tu częste rewolty, tłumione brutalnie, jak w Irlandii, przy pomocy wojska.

Innych młodych fenian napływających do Anglii skierowano do różnych miast nieco dalej na południe.

Organizacja feniańska w Angli działała sprawnie i potajemnie, ujawniając się tylko w określonych operacjach — jak wysadzenie w powietrze jakiegoś publicznego gmachu albo też wykolejenie pociągu — którymi zwracano uwagę na tragiczne położenie Irlandii. Pułkownik Kelly, wódz powstania, umieścił swój sztab w odległości trzech kilometrów od pałacu Buckingham, a generał Cluseret, dowódca sił zbrojnych, zainstalował się przy sąsiedniej ulicy. Obaj czekali sygnału do powstania, by się przeprawić do Irlandii.

...Przed koszarami otrąbiono wezwanie do posiłku. Żołnierze zjedli śniadanie, później ustawili się szeregami. Było ich pięćdziesięciu czy sześćdziesięciu. Oficerowie i sierżanci przeprowadzali inspekcję, dociągali zbyt luźne pasy, klęli z powodu nie dość błyszczących butów, nakazywali przycięcie włosów, zaglądali do luf karabinów. Wkrótce pod komendą sierżanta o tubalnym głosie rozpoczęła się musztra. Żołnierze maszerowali tam i z powrotem po dziedzińcu, „prezentuj broń", „na ramię broń" — wyraźnie brzmiały okrzyki rozkazów.

Peter z ukrycia przyglądał się scenie.

...Wszystko pójdzie dobrze... mało ich... łatwo się z nimi rozprawimy... Naszych są setki, a dzisiaj jeszcze przyjadą z północy Anglii...

Miał czas na rozmyślania. Rysował postacie na brudnym piasku zalegającym kamienną podłogę szczytu wieży, potem starł wszystko. Powtarzał sobie deklinacje łacińskie, daty z historii Irlandii. Ale nauka wydawała się odległa, nieważna. Myślami wrócił do najświeższych wydarzeń.

...Następnego dnia po przyjeździe do Manchesteru niejaki John Joseph Corydon przyszedł, by rozmówić się z młodymi Irlandczykami, którzy noc przespali na gołych deskach podłogi Klubu Robotniczego. Corydon był od dawna zaufanym fenianinem, niejednokrotnie jako kurier przewoził depesze między Anglią, Irlandią i Ameryką. Cieszył się pełnym zaufaniem inicjatora i organizatora obecnej operacji, kapitana Johna McCafferty'ego, irlandzkiego Amerykanina, przyjaciela Kelly'ego i Clusereta.

— Jutro — powiedział Corydon — będziecie mieli sposobność zadać poważny cios w walce o wolność naszego ukochanego kraju.

Przedstawił im ambitny plan — ni mniej, ni więcej tylko zdobycie zamku Chester. Pozorowany atak frontalny na koszary, by związać siły garnizonu. Jeden fenianin ma zsunąć się wówczas na dół z Wieży Cezara i otworzyć furtkę na tyłach koszar nad rzeką, by tamtędy wpuścić główne siły fenian. Wzięci w dwa ognie Anglicy będą musieli się poddać albo zginąć.

— A gdy wy będziecie zdobywać zamek — mówił Corydon — inni z naszych rodaków zawładną dworcem w Chester, pociągami na trasie do Holyhead, a także parowcem pocztowym. Druty telegraficzne będą przecięte, by wiadomości nie dotarły do innych ośrodków wojskowych aż do chwili, gdy już będziemy mieli broń i amunicję załadowaną, a parowiec na morzu, zdążający w kierunku sekretnej przystani na wybrzeżu irlandzkim.

— Aby nam się udało wszystko przeprowadzić — szepnął Peter — święty Patryk będzie musiał dokonać cudów większych od wypędzenia żab z Irlandii!

— Cóż, musimy spróbować! — odrzekł Gregory.

Tom Keefe milczał jak zwykle i tylko przygryzał wargi.

Corydon chodził między młodymi Irlandczykami, przyglądając się im. Zbliżywszy się do Petera, obejrzał go z uznaniem i przywołał na twarz obleśny uśmiech, który uważał za ujmujący.

— Potrzeba mi takiego chłopaczka jak ty — powiedział. — Chciałbyś zostać moim przybocznym adiutantem? Do ataku pójdziemy oczywiście wszyscy razem, ale tymczasem będziesz miał wygodniejszą od tej tutaj kwaterę w moich pokojach.

Pokusa była silna. Jako adiutant Corydona wyróżniłby się spośród tłumu szeregowców, miałby szansę poznania dowódców, otrzymywałby zlecenia ważnych misji, specjalnych poruczeń. Ale nie chciał zostawiać Toma. Prócz tego, chociaż nie umiałby swoich doznań ująć w słowa, czuł, że coś go odstręczało od Corydona.

— Dziękuję. Ale mój kolega, Tom Keefe, pochodzi także z Kerry. Dawny przyjaciel. My zawsze będziemy się trzymać razem.

Corydon wzruszył ramionami i poszedł dalej. Na adiutanta wybrał sobie młodzika o zmysłowych wargach i ciemnych dziewczęcych rzęsach, tego samego, który w oberży dublińskiej wymachiwał nożem. Peter i Tom nie mieli dość doświadczenia, by wiedzieć, po co Corydonowi był potrzebny „chłopaczek" na przybocznego adiutanta.

...Na wieży czas się włókł. Żołnierzom ćwiczącym na dole pozwolono na chwilę odpoczynku: odmaszerowali poza zasięg wzroku Petera. Dziedziniec był pusty. Odczekawszy, aż samotny wartownik chodzący przed wejściem do koszar odwróci się, Peter wyjrzał na wewnętrzny mur, po którym będzie musiał schodzić, wypatrując szczelin i nierówności. Niełatwe, ale Peter uznał, że możliwe. Wspinając się od dzieciństwa po skałach i skarpach koło Clogbur, nauczył się chodzić po prawie prostopadłych ścianach i przywierać do nich stopami.

Ukrywszy się znowu za ambrazurą, spojrzał w drugą stronę, na miasto Chester. Średniowieczne mury z czerwonego piaskowca, otaczające śródmieście nieregularnym czworobokiem, pozostały nietknięte. Na południowy zachód od zamku rzekę Dee przecinał most Grosvenor długości 70 metrów, jeden z największych podówczas mostów w Europie. A dalej na zachód most kolejowy. Tamtędy będzie przejeżdżać zdobyta przez fenian broń w drodze do Holyhead i do Irlandii. W mieście roiło się, jak Peter dobrze wiedział, od obcych.

Irlandczycy przyjeżdżali w ciągu całego ranka, wysypując się tłumnie z pociągów z Manchesteru, Warrington, Crewe i innych okolicznych miast.

Około południa następnego dnia Corydon znowu się zjawił w Klubie Robotniczym, gdzie trzymano młodych fenian, nie pozwalając im wychodzić, aby się gdzieś nie popili i nie wygadali.

— Trzeba mi ochotnika do wspięcia się na Wieżę Cezara — powiedział — i do otworzenia furtki, by wpuścić naszych ludzi.

Kilkunastu wystąpiło, między innymi Peter, Tom i Gregory. Corydon spojrzał na nich, złośliwie łypnął okiem na Petera.

— Ty pójdziesz. Nie lubisz wygodnego łóżka, to dzisiejszej nocy wcale łóżka nie zaznasz. Zdajesz sobie sprawę, że może ciebie z dołu wypatrzeć strażnik?

— Myślę, że nie narażam się na większe niebezpieczeństwo niż ci, którzy jutro pójdą do walki — odrzekł Peter. — A w każdym razie zrobię wszystko co w mojej mocy.

— Czy mogę z nim pójść? — spytał Tom.

— Czemu nie? Nawet jeszcze trzeci będzie potrzebny i sierżant. Tego już wyznaczyłem. Ty... jak się nazywasz?

— Winter.

— Ty, Winter, pierwszy spróbujesz się wspiąć. Jeśli ci się nie uda albo jeśli spadniesz, nie wywołując oczywiście alarmu, inni spróbują kolejno. Jeden z was musi wleźć na tę wieżę!

Peter, Tom, Gregory Nolan i sierżant wyjechali pociągiem do Chester. Chłopcy chcieli zaraz pójść obejrzeć wieżę, ale sierżant sprzeciwił się:

— Możemy zwrócić uwagę, a wtedy nocna warta będzie się miała na baczności.

Zjedli więc posiłek i łazili po mieście, aż znaleźli opuszczony, na wpół zrujnowany budynek przystani rzecznej. Tam się schronili i czekali coraz bardziej zdenerwowani. Podszedłszy pod zamek tuż przed świtem, zaobserwowali, że nocą dwaj wartownicy patrolowali od zewnątrz mury zamku, jeden na każde dwa boki czworokątu. Co pewien czas spotykali się na rogach. Sierżant wysłał Gregory'ego do miejsca najdalszego od rzeki, by wciągnął wartowników w rozmowę. Tom, najwyższy z czwórki, podstawił swoje plecy, a Peter wlazł na niego.

Około południa żołnierze wrócili na dziedziniec, a trąbka wezwała ich na obiad.

Dobra myśl — uznał Peter i wydobył z kieszeni pogniecioną paczuszkę. Ale zaledwie dźwięki trąbki koszarowej przebrzmiały, do uszu chłopca dobiegły dalekie odgłosy orkiestry grającej wojskowego marsza. Zgięty wpół Peter przebiegł po wieży do miejsca, skąd rozciągał się widok na miasto.

O jakieś trzysta metrów od bram koszar zaczynała się ulica Grosvenor, która dalej łączyła się pod ostrym kątem z ulicą Bridge, prowadzącą do centrum miasta. Tej ulicy Peter już nie mógł dostrzec ze swego punktu obserwacyjnego, ale plac łączący obie ulice widział wyraźnie. I na ten plac wmaszerował teraz kapelmistrz, wymachując pałeczką dyrygencką jak żongler. Za nim dobosze, orkiestra. A dalej — jeden za drugim głębokie szeregi angielskich żołnierzy, z nastawionymi bagnetami połyskującymi w słońcu, oficerowie konno. Skręcili w ulicę Grosvenor, zmierzając bez wątpienia do koszar.

— Przeklęte czerwone mundury! — wykrzyknął sam do siebie Peter. — Setki czerwonych mundurów! Co się stało? Przecież taka liczba żołnierzy rozniesie w puch naszych chłopców!

A żołnierze szli i szli, coraz nowe szeregi wyłaniały się na plac, przechodziły, aż zapełniły całą długość ulicy Grosvenor. Wreszcie ostatni batalion. Za nim bateria dział polowych. Garść ludzi z garnizonu wybiegła przed koszary, by przyglądać się niespodziewanemu nadejściu kolegów.

Kapitan John McCafferty wyjechał tego ranka z Manchesteru, by objąć komendę ataku na arsenał w zamku Chester. Kilka tuzinów fenian znajdowało się w tym samym pociągu. W Runcorn, mniej więcej w połowie drogi między dwoma miastami, pociąg zjechał na boczny tor, stanął. Pieniąc się z niecierpliwości, McCafferty musiał patrzeć, jak puszczono przodem inny pociąg do Chester — załadowany wojskiem w czerwonych mundurach. Stało się jasne, że o planie doniesiono władzom. Zdrajca w ich gronie!

Tymczasem Irlandczycy w Chester, dowiedziawszy się o przybyciu silnych oddziałów posiłkowych do koszar, zorientowali się, że wszystko przepadło. Ale co mieli teraz począć?

— Wracajcie grupkami, nie liczniejszymi jak pięciu lub sześciu ludzi, z powrotem na dworzec — zalecali im feniańscy sierżanci. — Tam wsiadajcie w pociągi do tych miast, z których przyjechaliście rano.

Kilku zakomunikowało, że nie mają pieniędzy na bilety. Sierżant odparł:

— Ani ja nie mam. Ale rozproszcie się szybko, jeśli wam życie miłe.

Nikt z dowodzących nie pomyślał o ochotniku uwięzionym jak w pułapce na szczycie Wieży Cezara.

Fenian, którzy nie mieli przy sobie ani szylinga na bilet kolejowy, zabrali na nocleg sympatyzujący z nimi mieszkańcy Chester. Ale tej nocy policja przeszukiwała domy i wielu z nich wykryła. Inni wyprawili się pieszo, mając przed sobą pięćdziesiąt lub sześćdziesiąt kilometrów marszu. Z tych wielu przyłapano i razem z fenianami zabranymi z prywatnych domów w Chester odesłano do Irlandii pod opiekę dublińskiej policji. Dowódcę nieudanej operacji aresztowano, gdy schodził na ląd z węglarki koło Dublina. Podał nazwisko Williama Jacksona, ale podczas rewizji znaleziono wszyty w podszewkę jego płaszcza pierścień z wyrytym napisem: „Erin, kocham Ciebie i Twoich wiernych synów — ofiarowane kapitanowi Johnowi McCafferty'emu przez Bractwo Fenian w Detroit w dowód estymy".

Peter ze swojej wieży niespokojnie obserwował poczynania podjęte bez zwłoki przez nowo przybyłe bataliony. Działa porozmieszczano tak, by panowały nad podejściem do koszar, skrzynki z amunicją postawiono wewnątrz murów, zwiadowców porozsyłano na wszystkie strony, również wzdłuż brzegu rzeki. Kaprale, każdy z paru szeregowcami, zabrali się do przeszukiwania pomieszczeń zamkowych, by sprawdzić, czy nie kryją się tam jacyś zamachowcy.

...Wejdą schodami na wieżę — pomyślał Peter. — To pewne. Jestem w pułapce...

Przechodził zgięty od ambrazury do ambrazury, szukając możliwości ucieczki. Istniała jedna szansa, ale nikła. Ledwie ją zauważył, gdy usłyszał głosy i zgrzyt metalu. Mężczyźni w podkutych butach szli do góry długą spiralą żelaznych schodów.

Peter przelazł przez parapet na zewnątrz. Ryzykował, że go zobaczą z dołu, ale nie miał innego wyjścia. Może nikt nie spojrzy do góry, dopóki znowu się nie skryje. To była jego jedyna szansa.

Po stronie prawej w stosunku do tej, po której wspiął się na wieżę, zauważył na jakieś półtora metra poniżej otworu ambrazury wystający z muru występ, niegdyś zapewne dekoracyjną figurę, teraz zniszczoną tak, że trudno było poznać jej pierwotne zarysy. Była na tyle szeroka, że można było na niej postawić stopy. Ale czy wytrzyma ciężar? W pośpiechu Peter nie miał nawet czasu się nad tym zastanawiać. Pod figurą widniał gzyms, poniżej gzymsu od wewnętrznej przybudówki sterczał komin metalowy, właściwie tylko rura o dość dużej średnicy.

— Jeśli tylko zdołam się dostać do tego komina, może jakoś się tam skryję aż do zmroku — mówił sobie Peter, bosymi stopami próbując wymacać kamienną figurę. Nie czas było myśleć, że miał bardzo skąpe szanse przeżycia. Stanął na figurze, zachwiał się niebezpiecznie, przywarł do chropawej powierzchni muru. Niżej, na gzyms. Jakoś dotarł. Usłyszał metaliczny zgrzyt — żołnierze odsuwali zardzewiały rygiel zamykający drzwi trapowe prowadzące na szczyt wieży. Peter musiał zaryzykować skok w dół, na dach przybudówki. Wylądowawszy, zaczął się ześlizgiwać po pochyłości, z trudem zatrzymał się i wdrapał aż do komina sterczącego mniej więcej w połowie stromizny od strony rzeki. Zaledwie komin osłonił go od strony wieży, gdy usłyszał głosy. Żołnierze byli na platformie na szczycie. Nie widział ich, ale słyszał dobrze:

— Jeśli jakiś irlandzki bękart tu był, to teraz musiałby leżeć na dole ze skręconym karkiem. Nie sposób zejść po tym murze. Ja tam wolałbym dać się złapać i pójść do paki.

Ciężkie buciory tupały po kamiennej posadzce na wieży. Peter słuchał z zadowoleniem. Zadepczą ślady jego pobytu. Wreszcie drzwi trapu zatrzaśnięto z hukiem. Peter przesunął się ostrożnie wokół komina i usiadł skulony między kominem a spadzistością dachu. Osłonięty od trzeciej strony przez wieżę, mógł być dostrzeżony tylko z czwartej strony, a i to mało prawdopodobnie, bo dach był dość długi.

Czy potrafi utrzymać się w tej niewygodnej, skurczonej pozycji aż do zapadnięcia ciemności? Wepchnął się mocniej w ciasną przestrzeń, usadowił na zimnych dachówkach, nogami oparty o komin, kolanami nieomal dotykając piersi. Był głodny. Zaczął siąpić zimny, przenikliwy kapuśniaczek. Żeby mieć swobodę ruchów przy wspinaniu się na wieżę, Peter zostawił płaszcz Tomowi. I nie spał od owej niespokojnej nocy — czy możliwe, że to było tylko trzydzieści sześć godzin temu? — w Klubie Robotniczym w Manchesterze. Głowę wsparł na kolanach.

Peter zapadł w półsen. Śniło mu się, że fenianie atakują koszary, że on sam jakoś otworzył drzwi trapowe na wieży, ale gdy zaczął schodzić, spirala stopni zwężała się, mury zamykały się wokół niego coraz ciaśniej, nie mógł już iść dalej.

Ale patrząc w dół, widział jakieś światełko, nagle gdzieś otworzyły się drzwi i w jasnym blasku stanęła Dafne...

Nie wiedział, że upragnione ciemności już go osłaniają. Nie dostrzegł łódeczki, która prześliznęła się wzdłuż rzeki i zatrzymała przy przeciwległym brzegu pod osłoną krzaków.

Dwaj mężczyźni w łódce rozmawiali:

— A jeśli siedzi jeszcze na wieży?

Drugi mu odpowiedział:

— Jak będzie trzeba, to wlezę i na wieżę.

Peter nie widział wysokiej, suchej postaci, która nago przepłynęła rzekę, ani nie słyszał stłumionego rzężenia, gdy zarzucony od tyłu sznur zacisnął się na szyi samotnego strażnika chodzącego powoli pod murem — i udusił go.

...Peter wyciągnął ramiona do Dafne — i przebudził go wstrząs staczania się w dół po stromym dachu koszar. Spadł poprzez rynnę i za mur. Przytomność wróciła mu o tyle, że w ostatniej chwili pomyślał:

...Rozbiję się na miazgę...

Zapewne by się rzeczywiście rozbił, gdyby nie Tom Keefe, który usłyszawszy hałas i szuranie na dachu, podskoczył i własnym ciałem złagodził upadek... Potoczyli się obaj po drodze.

— Prędko! Do łodzi! — naglił Tom.

Peter, chociaż świetny pływak, był jak sparaliżowany od zimna i długiego siedzenia w skurczonej pozycji. Tom, nagi i swobodny, przeholował go przez szerokość rzeki jakieś sto metrów.

W łodzi Gregory Nolan narzucił płaszcz na plecy Toma i zaczął wiosłować z całych sił. Peter leżał na dnie łodzi, zaledwie świadom, że Tom rozciera mu ramiona, a później nogi, by przywrócić swobodniejszy obieg krwi.

Na brzegu rzeki, pod murami koszar, ktoś biegł, krzyczał. Padło parę strzałów — kule plusnęły nieszkodliwie do wody za łodzią. Peter i jego towarzysze już zniknęli w ciemnościach.

— Musimy jeszcze wydostać się z tego przeklętego Chester i z powrotem do Irlandii — dyszał Gregory nad wiosłami.
— Wcale nie proste!

Resztę nocy przepędzili w tym samym na wpół rozwalonym budynku przystani, gdzie czekali, zanim Peter wspiął się na wieżę. Gregory spał, ale Tom czuwał, niespokojny o przyjaciela, który na przemian dygotał w dreszczach albo rzucał się w gorączce. Peter zapewniał go, że to nic, że przejdzie, że po prostu zziąbł na wieży, a później w rzece. Gdy w końcu nadszedł świt, trzej fenianie znaleźli w pobliżu skromną oberżę. Jej właścicielka, pani Taylor, tęga i dobroduszna, popatrzyła na nich ze zrozumieniem.

— Chodźcie do kuchni — powiedziała. — Tu ciepło i lepiej dla was wszystkich, by was nie widziano w oberży. W całym mieście roi się od policji.

Oberżystka przygotowała naprędce gorący posiłek i herbatę. Tom i Gregory pałaszowali z apetytem jajecznicę na boczku, ale Peter jadł niewiele, siedząc skulony przy piecu i tylko chciwie łykał herbatę, jeden kubek za drugim. Wziąwszy się pod boki, oberżystka stanęła obok stołu i powiedziała:

— Jeżeli jesteście tymi, za jakich was mam, to omijajcie dworzec kolei żelaznej w Chester.

Doradziła im, którędy najlepiej wymknąć się z miasta, nie ściągając na siebie uwagi, i zapytała:

— Dokąd chcecie się dostać?

— Najpierw do Manchesteru — odparł Peter przez dygocące zęby.

— A ty powinieneś leżeć w łóżku — zauważyła pani Taylor — ale nie mogę ciebie tu zatrzymać. Spróbujcie dojść do Helsby i tam wsiąść do pociągu. To blisko dziesięć kilometrów, ale wasza jedyna szansa.

Gdy chłopcy zbierali się do odejścia, oberżystka odsunęła podawane jej pieniądze.

— Nie trzeba. Życzę powodzenia. Współczuję wam z całego serca i myślę, że wasza sprawa jest słuszna, chociaż chyba złą drogę wybraliście i w ten sposób niczego nie osiągniecie.

Gorąca herbata i odrobina jedzenia, jaką w siebie wmusił, dobrze zrobiły Peterowi. Przez jakiś kilometr czy dwa maszerował raźno.

— Porządni z was koledzy — mówi. — Gdyby nie wy, zostałaby ze mnie tylko mokra plama na drodze.

— No cóż, ty zaryzykowałeś głowę, by się nasze przedsięwzięcie udało — odrzekł Gregory. — Zrobiliśmy klapę nie z twojej winy. Ktoś musiał pomyśleć o tobie. Ten przeklęty kapitan ani mruknął, taki był zajęty ratowaniem własnej skóry!

— Jakiś bękart przebrany za fenianina musiał donieść Anglikom o naszym planie — powiedział Peter. — Gdybym go tak dostał w swoje ręce! Ojciec podejrzewał, że w naszych szeregach kręcą się szpicle. Miał rację, jak się zdaje. Ilu jeszcze takich mamy? I ile jeszcze szkód narobią? Ilu przez nich pójdzie do więzienia, na zsyłkę?

Wkrótce Peter znowu dostał dreszczy, a twarz pokryły mu plamy wypieków. Jego dwaj towarzysze musieli go wziąć pod ramiona i minął cały dzień, zanim wreszcie dowlekli się do Helsby. A w pociągu Peter stracił przytomność.

III

Dom Winterów zmienił się nie do poznania. Michał był w Dublinie, Peter w Anglii, Kevin odszedł na zawsze, a Denis, oczekując z dnia na dzień powołania pod broń, rzadko pokazywał się w domu. Róża i Józef byli zacni i kochani, ale właściwie obcy, jeszcze nie zespoleni ani z rodziną, ani z Kenmare. Józef prowadził sklep, jak umiał najlepiej, ale nie szło mu, nie mógł znaleźć potrzebnego towaru na życzenie klienta, peszył się i denerwował.

Pat trapiła się o nieobecnych, męża i syna. Wyrzucała sobie, że tak chłodno pożegnała się z Michałem na odjezdnym. Pociechą w tym stanie rzeczy była dla niej powszechna sympatia, jaką okazywali jej mieszkańcy Kenmare z powodu afery z zagarnięciem folwarku Iveragh, a także coraz większa nienawiść, z jaką odnoszono się do Slattery'ego.

William, chociaż ledwie trzynastoletni, bardzo poważnie traktował odpowiedzialność ciążącą na nim jako na jedynym męskim przedstawicielu rodziny Winterów, który pozostał w domu. Świetnie dawał sobie radę w sklepie. Klienci lubili jego pogodną uprzejmość, gotowość wyciągnięcia całego towaru z półek, by tylko znaleźć, co potrzebne, jego żywy, trochę może rabelaisowski humor, wyrażany z równą łatwością po angielsku, jak i po celtycku. Kiedyś, gdy mieszczka o obszernej kubaturze zażądała nocnika, William wyciągnął metr i zaproponował:

— Może lepiej zmierzyć?

Nie każdemu jednak przypadał do smaku humor młodziutkiego sprzedawcy. Kilku byłych żołnierzy amerykańskich — wyróżniających się szerokoskrzydłymi kapeluszami i butami odmiennego fasonu — którzy przyjechali do Irlandii w nadziei przyłączenia się do następnej walki o wolność, wysłano do Kenmare. Mieli trochę przećwiczyć grupę Megawa, złożoną z pełnych zapału, ale niewprawnych rekrutów. Amerykanie tłumaczyli swoją obecność poszukiwaniem rodzin, niegdyś zamieszkujących w okolicy. Jeden z nich wszedł raz do sklepu Winterów, gdy William obsługiwał klientów.

— Powiedziano mi, że tutaj dostanę materiały piśmienne — rzekł. — Czy mógłbym kupić buteleczkę atramentu?

W pokoju za sklepem Pat, usłyszawszy obcy akcent, przerwała robotę, by posłuchać, jak William będzie załatwiał klienta, który zapewne miał sporo pieniędzy do wydania. Bawiła się dobrze w ciągu kilku następnych minut. William również się zorientował, że tego klienta można by naciągnąć na więcej niż buteleczkę atramentu. Zapożyczył więc tradycyjnie irlandzką kwiecistość wymowy od Luke'a O'Flaherty'ego czy też McCaila.

— Och, to z pewnością straszne, okrutne po prostu, że chce pan pisać do rodziny i opowiadać o wspaniałych widokach, które pan podziwiał, i o tym, jak cudownie pan spędza czas w zielonej starej Irlandii o najzdrowszym w świecie powietrzu, a tu nawet zeschłych resztek atramentu na dnie buteleczki nie ma pod ręką!

Amerykanina zaskoczył trochę ten potok wymowy w odpowiedzi na proste życzenie.

— Rzeczywiście, tak, mój chłopcze, chciałem napisać do matki, do Kalifornii.

Williama ogarnęło natchnienie:

— Ale i pióro będzie panu potrzebne do tego doskonałego atramentu, jaki panu sprzedam, niebieskiego niby morze latem; pióro, by z niego spływały wzniosłe słowa poezji, pióro tańczące po gładkim białym papierze, który pan kupi do niego. I nie może pan splamić kleksem takiego wzruszającego listu, więc tutaj jest tuzin arkuszy bibuły. A te karty, które pan zapełni swoim natchnionym pismem, muszą się trzymać razem, więc tu pudełeczko spinaczy...

Zalany wymową Amerykanin — przywykły do pisania: „Mam się dobrze, nie martw się o mnie, niedługo wrócę" — w oszołomieniu płacił za atrament, trzy pióra, dwadzieścia kart papieru listowego, bibułkę, spinacze, wycieraczki do piór i scyzoryk do ostrzenia piór, a młody sprzedawca, licząc pieniądze, mówił:

— Pięknie, że pan to kupił, proszę pana. Bo jakiż użytek z atramentu, gdyby pan nie miał tych niezbędnych przedmiotów?

Chyba pierwszy i jedyny raz od wyjazdu Michała Pat się serdecznie uśmiała. Opowiedziała o tym Róży i Józefowi, a później Denisowi, gdy wpadł na chwilę do domu. Historyjka niebawem rozeszła się po całym Kenmare. Dwaj inni Amerykanie, posiadając może więcej poczucia humoru od swego rodaka, przychodzili później do sklepu kupować rzeczy, których nie potrzebowali, byle tylko posłuchać kwiecistej wymowy chłopca.

— William powinien by pójść do wielkiego miasta i handlować — zauważył McCail. — Fortunę by zbił.

IV

Gordon Massey w wojsku brytyjskim służył w stopniu kaprala, później emigrował do Ameryki, a powróciwszy do kraju, wstąpił do Bractwa Feniańskiego, zaprzyjaźnił się z Kellym i Cluseretem i niewiadomym sposobem dostał rangę generała. Jego też wysłano na inspekcję różnych ośrodków organizacji w Irlandii. Wróciwszy, zakomunikował wodzowi Bractwa i komendantowi sił zbrojnych, że jego zdaniem insurekcja nie ma szansy zwycięstwa. Stacjonujące w Irlandii regimenty, w których fenianie mieli swoich dywersantów, przeniesione zostały do Indii, a na ich miejsce przysłano nowe oddziały złożone wyłącznie z Anglików. Ochotnicy byli pełni zapału, mówił Massey, „szlachetni, wspaniali chłopcy" — ale niewyćwiczeni, a oprócz tego wszędzie brakowało broni. Porażka w Chester, gdzie planowano zaradzić temu brakowi, przekonała nieomal przywódców w Londynie, że powstanie należałoby znowu odłożyć. Ale delegacja z Irlandii nie chciała o tym słyszeć.

— Nie mamy wcale złudzeń co do wyników — powiedzieli Cluseretowi. — Ale słowo Irlandczyka to rzecz święta. James Stephens zobowiązał nas do tego przedsięwzięcia nie konsultując się z nami, ale my dotrzymamy danego słowa. Niechaj naród wie, że są tacy, którzy potrafią ginąć za sprawę.

Jeśli teraz nie rozpoczną walki, rozpadnie się cała organizacja feniańska. Lepsza klęska od bezczynności. Kelly był tego samego zdania i ostatecznie Cluseret ustąpił — wbrew własnemu przekonaniu, jak mówił później. Do Irlandii wysłano proklamację od dawna przygotowaną:

Cierpimy od wieków w jarzmie niewoli i skrajnej nędzy. Nasze prawa i swobody podeptała obca arystokracja, która traktując nas jak wrogów, zagarnęła nasze ziemie i wywoziła z naszej nieszczęśliwej ojczyzny dobra materialne wszelkiego rodzaju... Prawowitych właścicieli ziemi usuwano, by mieć miejsce dla bydła, i wypędzano za morza... Ale my nigdy nie straciliśmy nadziei na narodowe wyzwolenie... Dziś, pozbawieni honorowej alternatywy, uciekamy się znowu do walki orężnej jako ostatecznego sposobu... po męsku wybierając raczej śmierć niż egzystencję w podłym niewolnictwie... Wszyscy ludzie rodzą się równi... Dążymy do stworzenia republiki opartej na powszechnym prawie wyborczym, które zabezpieczy każdemu podstawową wartość jego pracy. Opowiadamy się również za absolutną wolnością religii...

Republikanie całego świata, nasza sprawa jest waszą sprawą. Połączcie się sercem z nami. A od was, robotnicy Anglii, oczekujemy nie tylko serca, ale i broni. Wspomnijcie na głód i poniewierkę, którą na wasze domostwa i rodziny sprowadził wyzysk pracy. Wspomnijcie na przeszłość i pomścijcie się zdobywając wolność dla waszych dzieci w nadchodzącej walce o ludzkie prawa. Niniejszym proklamujemy Republikę Irlandzką.

V

— Ten sławetny jegomość przekona się, że od tej chwili będzie miał z zupełnie innym przeciwnikiem do czynienia!

Tak rozmyślał Winter po drodze do Dublina. Sekwestracja folwarku przez Slattery'ego z pomocą wojska kazała mu wiele rzeczy zobaczyć z nowym świetle. Sprawa Iveragh wydała mu się symbolem okupacji Irlandii. Zrozumiał teraz ciężar tyranii doprowadzający ludzi do desperacji i gwałtów. Winter, jak przeobrażająca się poczwarka, wszedł w następną fazę swego politycznego rozwoju.

Rankiem dnia piątego marca wyglądał z okna hotelowego pokoju. Był to obskurny hotelik w ubogiej dzielnicy. Winter nie miał pieniędzy do wyrzucania na luksusowe apartamenty. Ulice dublińskie pokrywał śnieg. Lecące wciąż z nieba płatki porywał wicher i niósł je prawie poziomo. Nad całymi Wyspami Brytyjskimi rozszalała się śnieżna zawierucha.

Po śniadaniu Winter zapiął szczelnie płaszcz i mimo zawiei wybrał się do biura mecenasa Flanagana. Temperatura wzrosła powyżej zera, śnieg topniał pod nogami. Na ulicach prawie nie widać było ludzi, ale Winter przypisał to pogodzie.

— Michał! Jak się masz! — witał go Flanagan. — Dobrze, że przyszedłeś. Zanudziłbym się dzisiaj na śmierć. Żaden klient na pewno się nie zjawi.

Irlandzki adwokat był niskim, dość tęgim mężczyzną o mięsistej dużej twarzy i wydatnym brzuszku. Gestami grubych, jakby nabrzmiałych rąk wciąż podkreślał słowa — przyzwyczajenie, którego nabrał w ciągu długiej i z powodzeniem prowadzonej praktyki sądowej.

— Dlaczego? Jakieś święto czy po prostu podła pogoda?

— Czyżbyś naprawdę o niczym nie słyszał?! — wykrzyknął Flanagan. — W hotelu ci nie powiedzieli?

— Kelner przy śniadaniu obsługiwał mnie z posępną gębą — rzekł Winter. — Pewno rzadko widuje Anglików w tym hotelu i bynajmniej ich nie kocha.

— Jeśli jest dobrym Irlandczykiem, był posępny dlatego, że tej nocy wybuchło powstanie — i skończyło się fiaskiem — oznajmił adwokat.

Myśli Michała uleciały do Kenmare. Pat, Denis — czy byli wmieszani? O ile ich znał, z pewnością tak.

— Gdzie? Co się stało? — pytał.

— Chyba oczekiwałeś tego jak większość z nas. A także władze, jak się okazuje. Kilkuset ludzi zdobyło koszary na południu miasta. Przyłączyły się do nich inne oddziały feniańskie. Ale nie dosyć. Przypuszczam, że pogoda zatrzymała wielu naszych w domach. My, Irlandczycy, przywykliśmy do walk, ale nie do śnieżycy. A kto nie poszedł w pierwszej chwili, dowiedział się, że aresztowano niejakiego generała Masseya, ponoć najważniejszego dotąd feniańskiego oficera w Irlandii. Generał wyjeżdżał z Dublina do Limerick razem z niejakim Corydonem i tajniak stuknął go w ramię w pociągu...

Z chwilą aresztowania Masseya rozpadło się właściwie dowództwo insurekcji. Cluseret zamierzał wyjechać do Irlandii, ale gdy posłyszał tę wieść, pospieszył zamiast tego do Francji. Kelly wytrwał na posterunku, ale niewiele mógł zdziałać bez swego wojskowego komendanta. Zryw dublińczyków spełzł na niczym wobec braku poparcia. Ci, którzy wymaszerowali, zaczęli się wymykać, by wrócić do domów. Niektórym się to udało, ale szalejąca zawierucha utrudniała poruszanie się; wielu schwytano, więzienia się zapełniły.

— Nie ma wiadomości... z dalszych części kraju? — pytał Winter.

— Jeszcze nie. Ale nie ma się czego spodziewać. Rozesłano we wszystkie strony specjalne oddziały wojska. Parę utarczek, paru więcej irlandzkich bohaterów... Śnieżyca szaleje nad całym krajem, o ile wiem.

— Wracam do Kenmare — zdecydował Winter. — W takiej chwili musimy być razem. Zajmiesz się sprawą folwarku mojej żony?

— Zapomnij o tym, Michale — odparł Flanagan. — Co ci powiedziałem wczoraj, że ten twój Slattery nie jest tu zbyt dobrze widziany i jest szansa dania mu nauczki, teraz się nie liczy. W ślad za insurekcją, chociażby okazała się fiaskiem, idzie zawsze fala prześladowań. Władze nie będą popierać Irlandczyka przeciwko ziemianinowi i urzędnikowi, a tym

185

bardziej nie zechcą popierać ciebie, mówiąc otwarcie. — Grubym palcem wskazał na pierś Wintera.

— Więc nic nie można zrobić? Temu draniowi wszystko ma uchodzić bezkarnie?

— Mówię ci szczerze, Michale, gdybym w obecnej chwili wepchnął się z tą sprawą, oskarżono by mnie o konszachty z fenianami. — Flanagan zabębnił palcami po biurku. — A niczego dobrego nie zrobię ani tobie, ani sobie, ani innym jeszcze, siedząc w celi więzienia Kilmainham.

— Ale przecież ja nie jestem fenianinem — rzekł Winter.

— Ani nikt z twojej rodziny?

Milczenie.

— A widzisz! I co myślisz, że to sekret? Że adwokat Slattery'ego nie rzuci ci tego w twarz? Że sędzia nie weźmie tego pod uwagę jako okoliczności obciążającej ciebie? Posłuchaj mojej rady, Michale. Wyjeżdżaj z tego miasta, póki jeszcze możesz. Nie zdziwiłbym się, gdyby władze wiedziały, że tu jesteś. A jeśli ciebie tu zaaresztują, możesz się zaklinać na wszystkich świętych, że nie jesteś fenianinem, i nawet tyle ci to nie pomoże! — Pstryknął palcami przed nosem Wintera. — Nikt cię wtedy nie ocali od ukartowanego oskarżenia, ani ja, ani archanioł Gabriel!

Winter westchnął i wstał.

— Masz oczywiście słuszność — powiedział. — Chociaż miałem nadzieję, że ty...

Flanagan wstał także, wsunął ręce w kieszenie, pobrzękiwał jakimiś kluczykami i monetami.

— Słuchaj, Michale. Dopomógłbym ci, gdybym to mógł zrobić bez krzywdy dla mojej rodziny, moich kancelistów i innych, których zatrudniam. Wczoraj mogłem to zrobić. Dziś, w atmosferze, jaka się wytworzyła po nieudanym powstaniu tej nocy, wiem, że nie mogę. Być może, nie jestem i nigdy nie byłem bohaterem. Ale kiedyś myślałem, że walka to rzecz słuszna, że powstańców otacza mistyczna aureola. Otóż już tak nie myślę. Może się zestarzałem i zmęczyłem tą wieczną szarpaniną. A oprócz tego, jak ci powiedziałem, muszę myśleć o innych. — Wyjął ręce z kieszeni, przejechał palcami po rzadkich włosach źle skrywających łysinę. — Tak, jestem zmęczony, nie mam siły płynąć pod prąd. I już nie uważam, aby opór wobec władz angielskich miał choćby odrobinę sensu. Nasi przywódcy obiecują złote góry, a produkują kretowiska. I nie potrafię się zdobywać na patetyczne gesty, jakimi byłoby przyłączenie się do insurekcji albo kompletnie bezowocne występowanie przeciw łajdackiemu sędziemu ziemskiemu, którego popiera, przynajmniej w danej chwili, cała siła policji i wojska.

Flanagan powtarzał mniej więcej to samo, co niegdyś mówił Winter do Sullivana, Wolfe'a i Megawa. Ale od czasu gdy Slattery zagarnął przemocą Iveragh, Michał zmienił się. Poczuł zwrócony przeciw sobie samemu ciężar despotycznej władzy. Rok czterdziesty ósmy był dla niego osobiście przygodą. Przemytem zajmował się ze sportową przyjemnością. Dopiero najazd Slattery'ego obudził w nim święte oburzenie na sędziego i wszystko, co ten sędzia reprezentował. Teraz był gotów przyłączyć się do każdej akcji przeciwko swym rodakom w Irlandii. Z powodu dwóch przedstawicieli prawa — jednego łajdaka, drugiego tchórza — Winter zrozumiał naturę tyranii, pojął uczucia, jakie stulecia ucisku zrodziły w piersiach irlandzkich patriotów.

— Do niedawna myślałem podobnie jak ty — przyznał. — I nie mogę zrzucać winy na starość czy zmęczenie. Myliłem się. I ty się mylisz. To co mówisz, co ja sam kiedyś mówiłem, hańbi groby moich dwóch szwagrów i dwóch przyjaciół zamordowanych podczas tamtego powstania. Tamto powstanie też skończyło się fiaskiem. Klęska, nawet kompletne fiasko, nie są istotne. Rozumiem teraz, co mówił przed kilku tygodniami mój przyjaciel, Roger Megaw: „Musimy walczyć, byśmy nie zapomnieli, że jesteśmy Irlandczykami". A ty o tym zapomniałeś, Flanagan, i dlatego jesteś słaby i znużony. Co do mnie, dopóki Irlandia nie zazna wolności, zapomnę, że jestem Anglikiem, a dzięki temu zapomnieniu będę silny.

Flanagan wzruszył ramionami.

— Kłopot polega na tym, że inni nie zapomną, iż jesteś Anglikiem — zauważył.

— W takim razie poniosę konsekwencje — odparł Winter. — A chociażby moi bliscy głodowali z tego powodu, to przynajmniej będą wiedzieli, że głowa rodziny zasługuje na ich pełny szacunek.

Tego wieczoru wsiadł w powrotny pociąg do Killarney. Obudził się z letargu, wypełzł z kokona poczwarki, gotów był rozwinąć skrzydła.

VI

Równocześnie z żałosną porażką, jaką fenianie ponieśli z rąk Anglików w Dublinie, wybuchły utarczki w całym kraju, najpoważniejsze w miastach, gdzie fenianizm silniej się rozwijał. Planowano je tylko jako akcje wspierające, dywersyjne; w obliczu klęski w Dublinie zawisły w powietrzu jak konary bez pnia.

Około tysiąca powstańców zebrało się wokół Droghedy, przy wybrzeżu na północ od Dublina. Rozproszono ich ogniem karabinowym. Nie powiodły się próby zdobycia koszar policji w Kilmarnock i w Ardagh w hrabstwie Limerick. Oddziały wojsk wyparły również fenian, którzy okopali się w starych glinnankach koło Tipperary. Grupa powstańców z Cork, pod dowództwem Amerykanów, obrała taktykę wojny podjazdowej: niszczyli szyny kolejowe, słupy telegraficzne, przecinali druty. Wykoleili także pociąg pospieszny do Dublina, ale bez szkody dla pasażerów.

Gdyby tego rodzaju taktykę zastosowano powszechnie, insurekcja na prowincji mogłaby przyczynić władzom więcej kłopotów. Ataki na obronne budynki z góry skazane były na klęskę, a do niepowodzenia walnie przyczyniła się zawieja śnieżna utrudniająca akcję źle wyćwiczonym, niezdyscyplinowanym powstańcom, podczas gdy policja i żołnierze siedzieli pod dachem i z okien kierowali do napastników morderczy ogień karabinowy. Ale rozkazy naczelnych dowódców feniańskich — którzy nie potrafili przewidywać pogody — kładły nacisk na zajmowanie koszar, zdobywanie broni i amunicji z arsenałów.

Megaw otrzymał z Cork rozkaz zajęcia w Kenmare budynku sądu, posterunku policji i poczty.

— A co z tego? — protestował Gerald Wolfe. — Przecież zaraz tu przyjdą żołnierze z Clogbur i znowu nas wypędzą!

— Rozkaz to rozkaz — odparł Megaw. — Podkreślono również, by nie czynić szkód i nie niszczyć posiadłości ziemian...

— Posiadłości ziemian! — szydził Wolfe. — A dlaczego właściwie nie mamy niszczyć posiadłości ziemian? Policja i wojsko są tutaj, by chronić posiadłości tych przeklętych angielskich dziedziców siedzących na swoich spasionych tyłkach w fotelach w Londynie. Gdyby własność ziemska należała do nas, nic by tu nie przyciągało angielskiego rządu, władz i angielskich żołnierzy.

Megaw powiedział z uśmiechem:

— Chyba się z tobą zgadzam. Ale... — I rozłożył szeroko ręce.

W chwili gdy fenianie gromadzili się w Kenmare, skrzydło zamieci uderzyło o hrabstwo Kerry. Ale nie był to już taki potworny huragan jak gdzie indziej: jego furia wyczerpała się, przechodząc nad północą i wschodem Irlandii.

Denis otrzymał wezwanie i wybiegł. Wielokrotnie Megaw przeprowadzał próby mobilizacji, więc Pat nie zwróciła na wezwanie szczególnej uwagi. Ale około południa rozległy się strzały i to ją zaniepokoiło. Pierwszą jej myślą była troska o Michała. Jeśli wybuchło powstanie, to on tam, w Dublinie, może narazić się na kłopoty.

...Nie mogę stąd mu w niczym dopomóc, chociaż gotowa bym dla niego krwi serdecznej utoczyć. Ale jeśli nie mogę pełnić roli żony, to jeszcze mogę wypełnić obowiązek patriotki. To lepiej niż siedzieć bezczynnie i zamartwiać się.

Włożyła spodnie, chwyciła strzelbę Petera, przykazała Róży i Józefowi, by pilnowali Williama, i wybiegła w oślepiającą zawieję, kierując się w stronę, skąd dochodziły odgłosy strzelaniny.

Na posterunku było dwóch policjantów. Każdy oddał po jednym strzale — zapewne po to, by móc później powiedzieć, że stawiali opór — a ludzie Megawa odpowiedzieli dość regularną salwą. Na to policjanci wyszli z podniesionymi rękoma.

Do Megawa podszedł wielebny David Roberts.

— Sędziego ziemskiego tu nie widać — powiedział — więc na mnie spada obowiązek nakazać wam, byście tych dwóch ludzi puścili wolno, a sami rozeszli się do domów. Pismo Święte powiada, że kto mieczem wojuje, ten od miecza ginie...

— Rzeczą Irlandczyka jest zginąć z towarzyszami, wielebny ojcze — odparł Megaw. Mówił spokojnie, bez urazy. Lubił tego anglikańskiego pastora, z którym współpracował w klubie młodzieżowym; zgadywał też, że jego interwencji nie dyktowało mu serce, ale tak pojmował swój obowiązek.

— Mam osobiście sporo sympatii dla waszej sprawy — ciągnął pastor. — A głęboką sympatię żywię dla wielu z was indywidualnie. Jednakże łamiecie prawo obecnie na tej ziemi obowiązujące, a także ignorujecie wolę Pana naszego Jezusa Chrystusa, który nakazywał oddać cesarzowi, co cesarskie...

— Irlandia nie należy prawowicie do Anglików — rzekł Megaw. — I nie uznajemy obowiązku oddawania im niczego. To oni nas ograbili, a my chcemy odebrać naszą własność. Może dzisiaj, może w odległej przyszłości, ale kiedyś odbierzemy.

Pastor potrząsnął głową.

— Żal mi was — powiedział. — Chyba mi nic nie pozostaje, jak modlić się za was... a na tym świecie to się nie na wiele przyda...

190

I odszedł, ciężko wzdychając.

Tymczasem ojciec Sigerson, katolicki proboszcz, zabarykadował się razem z klerykami na plebanii. Zrozumiałe, że bał się śmiertelnie tych, których niedawno wyklinał z ambony jako hołotę i szumowiny.

Powstańcy zajęli budynek sądu i biura administracji. W tym momencie Megaw zobaczył Pat. Powiedział ostro:

— Co ty tutaj robisz?

— To samo, co ty, Rogerze — odparła wesoło. — Każdą robotę, jaka mi się napatoczy!

— Powiedziałem ci, że nie chcę żadnych spódnic, Pat!

— Kto mówi o spódnicach? — Uchyliła poły długiego płaszcza i trzepnęła się po udzie przyodzianym w nogawicę spodni.

— Jesteś niemożliwa! Jak mogę utrzymać dyscyplinę, jeśli weterani jak ty dają przykład nieposłuszeństwa?

— Potrzeba ci takich weteranów jak ja.

Pat udawała energię i wesołość, której naprawdę nie czuła. Niepokój o Michała gnębił ją, szukała zapomnienia.

— Słuchaj, Rogerze, ta zabawka... — wskazała ręką zbyt łatwo zdobyte budynki — to za mało... Musisz obudzić zapał ludzi, wciągnąć ich do czegoś ważniejszego. Inaczej za chwilę zjawi się tutaj potina. Idź, zaatakuj wojsko...

Na dziedzińcu zastukały kopyta wierzchowca. Pat i Megaw wybiegli. George Keefe, cały zaśnieżony, zeskoczył z konia.

— Chyba się trochę spóźniłem, Rogerze — zaczął. — Spotkałem Luke'a i on mi dopiero powiedział, że coś się kroi. On zawsze wie...

— Jak cię żołnierze puścili? — pytała Pat.

— A, powiedziałem im, że owce zaczynają się kocić, więc muszę jechać po weterynarza, bo inaczej wszystkie maciorki Slattery'ego padną.

— I oni w to uwierzyli?

— Boże ci błogosław, Pat! Toż to takie głąby, że gdybym powiedział, że świnia cielę urodzi, też by uwierzyli... Jeszcze mi konia dali, bym szybciej dojechał. — Parsknął krótkim śmiechem.

Megaw obejrzał go badawczo.

— Masz tylko jedną ostrogę! — rzekł.

— A po co mi więcej? Jeśli jeden koński bok pogalopuje, to drugi nie zostanie w tyle!

Keefe poszedł zaprowadzić konia pod dach. Pat wróciła do przerwanej rozmowy:

— Maszeruj do Clogbur i pokaż tym przeklętym czerwonym mundurom, że się ich nie boisz!

— Ale twoja gospodarka...

— Na wielkiego Finna MacCumhaila, co z ciebie za rebeliant, Rogerze! Najpierw rozbij żołnierzy, potem możesz mi powiedzieć, jak ci przykro, że mój dom ucierpiał w bitwie!

Wracając, Keefe usłyszał jej słowa:

— Budują palisadę dookoła folwarku — przestrzegł. — Nie dadzą się łatwo wykurzyć.

— Nikt nie myśli, że będzie łatwo! — odparła Pat. — To nie majówka. To ma być powstanie! To znaczy walka, rany... może śmierć.

VII

Fenianie przyjęli rozkaz z zapałem. Narzekało tylko tych kilkunastu, których zostawiono, by pilnowali sądu i posterunku policji. Roger wybrał do garnizonu najstarszych ze swoich ludzi, a na dowódcę wyznaczył Joego McCaila.

— Twój odcisk nie pozwoli ci maszerować tak daleko — tłumaczył.

— Mogę pojechać — protestował McCail.

— Jechać do bitwy rzeźnickim wozem? Nie, to by źle wyglądało — orzekła Pat.

Fenianie maszerowali czwórkami dość składnie, ale robili wrażenie zbieraniny urwipołciów. W rozmaitych płaszczach, albo i bez płaszczy, przewiązani rzemieniami, wielu w narzuconych na ramiona workach. Nie więcej niż połowa miała broń palną; reszta uzbroiła się w dzidy. Ich amerykańskich instruktorów odwołano już poprzednio do Cork.

Megaw i Pat prowadzili kolumnę, Sullivan i Wolfe zamykali pochód. Pat zastanawiała się, co by Michał powiedział, gdyby ją teraz zobaczył. Mawiał, jeszcze zanim stracił ramię, że jeśli nadejdzie czas rozprawy z bronią w ręku, weźmie w niej udział. Teraz nie mógł. Ona musi go zastąpić.

— Stado zapędzono do owczarni — mruknęła Pat, gdy późnym popołudniem fenianie dostrzegli wreszcie zabudowania folwarczne i namioty rozbite za nimi na wzgórzu. — Szkoda. Owce spłoszą się, jeśli coś gorszego im się nie przytrafi.

Śnieg przestał padać, ale widoczność nadal była słaba pod niskimi, ciemnymi chmurami. Żołnierze pośpieszyli na stanowiska za dość niską palisadą, jeszcze nie dokończoną z jednej strony, niektórzy dźwigali skrzynki z amunicją. Gdy fenianie podeszli bliżej, rozległ się okrzyk rozkazu, potem salwa. Miała charakter raczej ostrzegawczy, bo powstańcy byli jeszcze poza zasięgiem strzałów.

Do atakujących przyłączyło się kilkunastu młodych wieśniaków z Clogbur, każdy zbrojny w jakieś gospodarcze narzędzie: widły, siekiery. Za nimi ojciec Liam O'Connor, Luke O'Flaherty — niosący zaimprowizowane nosze jak te, na których dźwigał rannego Michała — i Molly Keefe. Jej mąż zawołał:

— Co tu u licha robisz, Molly? Trzymaj się z dala! Za łatwo trafić w ciebie! A co ja będę jadł na obiad, jeśli mi ciebie postrzelą?

Na rozkaz Megawa powstańcy padli na ziemię, by czołgać się po topniejącym śniegu i błocie. Gdy kule zaczęły orać ziemię na parę kroków przed nimi, Megaw nakazał zatrzymać się i odpowiadać ogniem. Żołnierze strzelali regularnymi salwami. Ochotnicy nie byli tak dobrze wyćwiczeni. Każdy w pojedynkę strzelał, ładował i znowu strzelał. Ludzie zbrojni w dzidy i siekiery mogli tylko czekać i patrzeć.

Dwóch fenian dosięgły kule: jeden chwycił się za ramię, drugi po krótkich drgawkach legł bez ruchu. Ksiądz razem z włóczęgą przyczołgali się do rannego i zabitego, odciągnęli obu za linię ognia. Molly zabandażowała ramię, Luke podał rannemu flaszkę, mówiąc:

— To tylko woda, ale nie zaszkodzi, jeśli zażywać w ściśle ograniczonych ilościach.

Ksiądz udzielił nieboszczykowi spóźnionych sakramentów, ukląkł i ze schyloną głową powiedział:

— W domu twego Ojca spotkasz setki tysięcy rodaków, którzy ponieśli śmierć z angielskiej ręki...

Pat bacznie obserwowała grupkę ludzi stojących przed budynkiem mieszkalnym Iveragh: paru oficerów i majora.

...To on powiedział do Michała: „Nie witam się z renegatami"... Wyzywa nas, rzuca rekawicę, stojąc tak... Poczekaj chwilę, ty... Ojciec O'Leary dosięgnął tego majora w Kilegad, może mnie się uda... Tylko bym chciała, żeby Slattery był obok niego!

Spojrzała przez wizjer strzelby Petera, spokojnie pociągnęła za cyngiel. Major zesztywniał z otwartymi ustami, przewrócił się na ziemię.

— Na Boga! Trafiłaś go! — wykrzyknął Megaw.

Pat oparła strzelbę o ziemię, zatarła ręce i odrzekła:

— Jeszcze nie ze wszystkim zardzewiałam, jak się okazuje. Tamtych też dostanę, byle tylko postali tam chwilę.

Tego trudno się było spodziewać. Oficerowie wciągnęli umierającego dowódcę do wnętrza i znikli razem z nim.

Wolfe podczołgał się do Megawa.

— Brawo dla pani Winterowej! — powiedział. — Ale słuchaj, my w ten sposób niczego nie wskóramy. Musimy przypuścić szturm.

— Jak tylko wstaniemy, będziemy trupami — odparł Megaw.

— Lepiej tu zginąć niż ze sznurem na szyi, a to nas nie minie, jeśli oni zwyciężą — rzekł Wolfe.

— Może jeszcze czegoś dokonamy, zanim zginiemy — powiedział spokojnie Megaw.

— Leżeć tu i strzelać, aż nam się skończy amunicja! — burknął Keefe.

Jeszcze dwóch fenian raniono. Jeszcze jeden zabity. Anglicy za palisadą jak dotychczas ponieśli tylko jedną stratę: majora. Atakujący, prócz Pat, strzelali na oślep, mierząc w pojawiające się na moment nad palisadą głowy, a trafiając w okna domu, ściany lub strzechę.

Denis podpełzł po błocie z drugiej strony Wolfe'a i ponad nim powiedział do Megawa:

— Podpalić budę, Rogerze. Wykurzymy ich stamtąd.

— Dobra myśl! — pochwalił Wolfe. — Ja to zrobię.

— Nie. Mój pomysł, mnie się należy pierwszeństwo wykonania! — zaoponował Denis.

Megaw się zawahał.

— Spalić Iveragh, Denisie? Gospodarstwo twojej matki? — Odwrócił się w stronę Pat.

— Już ci raz powiedziałam: kiepski z ciebie rebeliant — rzekła Pat. — Tak, spalcie Iveragh. To może i najlepsze... Tylko ten, kto to będzie robił, niech przedtem wypuści owce, jeśli to możliwe. My cierpimy, ale to nie powód, żeby i zwierzęta miały cierpieć. — Umilkła, potem szepnęła jakby do siebie: — Niech zła pamięć pójdzie z dymem... mój syn... mój wuj... ziemia zostanie dla Irlandii... Irlandii wolnej.

Trzeba było tylko rozstrzygnąć, kto pójdzie: Wolfe czy Denis.

— Znam każdy kąt — nalegał chłopiec. — Nigdy mnie nie wypatrzą. Mamo, powiedz mu...

— Za młody jest — spierał się Wolfe.

Ale głos Pat zabrzmiał stanowczo:

— Jeśli Iveragh ma być spalone, niech to zrobi ktoś z rodziny. — Jak rzymska matrona. — Tylko nie chcę patrzeć, jak będzie szedł — dodała.

Poczołgała się na tyły, gdzie ksiądz, włóczęga i matka sześciorga dzieci krzątali się wokół rannych. Zaczęła im pomagać. Zadała cios na rzecz powstańców, zabijając majora. Poświęciła syna. Teraz chciała tylko zajęcia, by nie siedzieć bezczynnie podczas czekania...

— Co się dzieje? — spytała Molly.
— Denis idzie podpalić Iveragh.

Molly wciągnęła oddech, jakby jej powietrza zabrakło. Luke przeżegnał się i wymamrotał:

— Matko Boska, czuwaj nad nim...

Ojciec O'Connor pochylił się do Pat i powiedział:

— Oby ta sama moc, która uratowała Izaaka, syna Abrahama, ocaliła również twojego syna.

Uśmiechnęła się do niego i rzekła:

— Amen, zgadzam się z tym, ojcze.

Zapadł wczesny mrok. Megaw kazał mieć się na baczności na wypadek, gdyby żołnierze spróbowali wyjść zza palisady i okrążyć atakujących.

— Pewien jesteś, że temu podołasz, Denisie? — zapytał, gdy chłopiec oddawał strzelbę towarzyszowi zbrojnemu tylko w widły.

— Kiedyśmy byli szczeniakami, bawiliśmy się w przemytników i celników — odrzekł. — Dom był urzędem, mieliśmy go podpalić, dokładnie jak teraz. Dlatego właśnie mi ten pomysł wpadł do głowy. To będzie tylko powtórzeniem dawnej zabawy. Życz mi szczęścia.

— Boże cię prowadź — szepnął Megaw.

Denis poczołgał się w prawo i szybko zniknął w mroku. Powstańcy zamarli w pełnym napięcia oczekiwaniu.

Chłopiec zatoczył szeroki łuk i podpełzł do folwarku od tyłu, słusznie przypuszczając, że z tamtej strony spotka najwyżej jednego lub dwóch wartowników. Bez trudu wyminął ich i zręcznie przelazł przez palisadę. Ostrożniej już prze-

196

mknął się przez podwórze do drzwi owczarni, chociaż i one wychodziły na stronę pastwisk, nie na drogę. Owce zbiły się w ciasną gromadę, przestraszone strzelaniną. Kilka zabeczało na jego widok, ale Denis szybko wspiął się po drabinie na strych.

Siano było suche, ale strzecha nad nim stara, omszała i wilgotna, jeszcze pokryta warstwą śniegu. Może potrwać, zanim się zajmie ogniem. Chłopiec patrzył na rozszerzające się po strychu płomienie, aż dym zaczął go dusić. Z powrotem po drabinie w dół. Zabawa szczenięcych lat stała się rzeczywistością. Ale od tej chwili każdy krok narażał go na śmiertelne niebezpieczeństwo. Co prawda Denis się nad tym nie zastanawiał.

Teraz już nie mógł się ukrywać. Otworzył na oścież drzwi owczarni i popędził przez podwórze do prymitywnej bramy w palisadzie. Wartownik zobaczył go, wystrzelił, chybił. Dym już spłoszył owce, wypadły. Nie przywykły do nowej bramy, zaczęły się rzucać jak oszalałe po podwórzu. Żołnierze podbiegli, zobaczyli dym dobywający się z poszycia dachu. Krzyżowały się wołania, rozkazy, ale nikt ich nie słuchał.

Denis leżał plackiem na ziemi tuż za bramą i trochę na stronie, by nie przeszkadzać owcom. Nie wiedział, czy wypełnił należycie zadanie. Liczył na to, że płomienie z dachu owczarni przeskoczą niewielką odległość dzielącą je od strzechy na domu. Ale musiał się upewnić.

Megaw i jego ludzie wytężyli wzrok, by dostrzec sceny rozgrywające się za palisadą. Pat nie wytrzymała i podczołgała się z powrotem do pierwszej linii. Wspominała szczęśliwe lata przeżyte w Iveragh... Tu spędziła miodowy miesiąc... tu się urodziły wszystkie jej dzieci... przeszłość... W Kenmare też byli szczęśliwi... czy to jeszcze wróci? Michał... Peter, Denis... przy każdym z tych najdroższych jej imion — znak zapytania.

Jasne płomienie buchnęły przez strzechę owczarni, oświetlając scenę chaosu... Żołnierze usiłowali dostać się do środka, owce szalonym pędem gnały tam i z powrotem... ktoś pompuje wodę ze studni... wiadra... drabina wsparta o dach, żołnierze włażą na górę... zalewają płonącą dziurę strzechy... płomienie przygasają.

— Teraz ich zaatakować! — nalegał Wolfe. — Nie mamy bagnetów, ale dzid i wideł pod dostatkiem. A oni w zamieszaniu...

Ojciec O'Connor też się znalazł w pierwszej linii.

— Zaklinam cię, Megaw, nie! — zawołał. — Niczego nie osiągniesz...

— Przynajmniej paru drani zabijemy — wtrącił się Keefe.

— Tylko zabijanie bez żadnego celu — perswadował ksiądz. — I waszych padnie co najmniej tylu, ilu wy zabijecie.

— A ksiądz po czyjej jest stronie? — zapytał agresywnie Wolfe.

— Chciałbym ci odpowiedzieć, że po stronie Boga — odrzekł ojciec O'Connor i dodał z uśmiechem: — Ale wydaje mi się, chociaż to bluźnierstwo, że On w Irlandii zwykle nie tym pomaga, którym by powinien.

— Więc jak długo mamy tkwić w tym błocie? — pytał Wolfe Megawa.

— Niech najpierw ogień dokona dzieła — odrzekł Megaw.

Pat rozdzierały sprzeczne uczucia: duma i strach, patriotyzm i żal.

...Nie powinnam była go posyłać... aleby mnie znienawidził... i sama siebie bym znienawidziła... O Michale, dlaczego ciebie tu nie ma? I Peter, gdzie ty jesteś? Może jednak należałoby zazdrościć starym pannom... one umierają tylko raz własną śmiercią...

Zaglądając spod bramy, Denis przestraszył się, że żołnierzom uda się zalać płomienie. Wartownicy od strony pastwisk przyłączyli się do zbiegowiska na podwórzu. Grupka owiec wypadła wreszcie za bramę i pognała pod górę, między namioty. Inne za nimi. Denis prześliznął się między dwoma

198

stadami spłoszonych zwierząt z powrotem wewnątrz palisady... do pralni... do środka domu... Nikogo tu nie było, tylko na podłodze leżała nieruchoma postać przykryta prześcieradłem. Ofiara zemsty Pat. Na stole butelki i kieliszki, lornetka polowa, mapnik i notes do raportów.

Denis chwycił notes, wyrwał mapy z pokrowca, zamachem ramienia strącił na podłogę butelki i kieliszki, znalazł jeszcze na skrzyni stos miękkich bibułek. Krzesło na stół... zasuwka od klapy na strych... Denis wciągnął się na ramionach... na strychu wepchnął wszystkie papiery w kąt, gdzie strzecha, niedawno naprawiona, sucha od wewnątrz, sięgała belek pułapu. Gdy papiery zapłonęły, skoczył z powrotem do klapy... Kroki na dole... okrzyk:

— Ktoś tu był!

Hałas włażących na stół butów.

W pułapce! Cofnął się. Małe okienko strychu wychodziło na stronę przeciwną owczarni, małe, ale o tyle duże, by można się przez nie przecisnąć... Chłopiec wylazł na zewnątrz i uchwycił się rękoma drewnianej framugi okienka, nie dbając już o to, że ktoś go może z podwórza zobaczyć i strzelić do niego... Stęknięcie i kroki na strychu... Denis zawisł całym ciężarem ciała na framudze, nogi w powietrzu, przy drewnianej ścianie... Kolba karabinu trzasnęła o jego palce.

Spadł ciężko. Do bólu zgruchotanych palców dołączył się przeszywający ból w nodze. Od góry głos:

— Zastrzelcie go tam który!

Na strychu głuchy huk i metaliczny trzask. Klapa, otwierana tylko z dołu, zatrzasnęła się... strzał... but uderzył Denisa w twarz... ciało spadło na niego martwym ciężarem. Żołnierz wymierzył dobrze, ale do niewłaściwego celu. Nie widział leżącego na ziemi chłopca, tylko drugą postać, przełażącą przez okienko.

Całą scenę oświetlały teraz jasne płomienie. Wzrok matki wypatrzył pierwszą postać, jak przełaziła przez okienko, spadła i później leżała nieruchomo.

— On jest ranny, Rogerze! — Pat wskazała ręką na ścianę domu.

— Ja się tym zajmę — powiedział za nią jakiś głos.

Pat spojrzała przez ramię i dostrzegła Johna Sullivana, który zgiął się wpół i popędził na prawo, mniej więcej śladami chłopca.

Wieczorem owego dnia, gdy Winter położył go jednym ciosem pięści na bruk ulicy Kenmare, Sullivan, wściekły i upokorzony, zemścił się w podły sposób. A dokonawszy tego, ochłonął i znienawidził samego siebie. Teraz miał sposobność zadośćuczynienia. A kuli się nie bał, może wreszcie uciszy jego własne sumienie.

Przypatrujący się powstańcy pojęli, że żołnierze przegrywają walkę z ogniem o uratowanie owczarni. Nie mieli dosyć wiader. Cały budynek płonął. A właśnie gdy płomienie zaczęły lizać dach domu, po jego drugiej stronie wzniósł się słup ognia.

W tym słupie George Keefe zobaczył oczyma wyobraźni po raz drugi ów widok: Kevina z głową rozłupaną na pół... starego przemytnika ze strzelbą opartą o kolano i dziurą w piersi...

Żołnierze rzucili się do środka domu, wywlekali bagaże oficerskie, walizy, płaszcze, ekwipunek, skrzynki z koniakiem. Jaskrawy blask rozjaśnił noc.

Młodzi oficerowie uznali, że trafia się im sposobność odwetu. Wraz z sierżantem zegnali żołnierzy — o poczerniałych twarzach, wielu w zwęglonych mundurach, z poparzonymi rękoma — z powrotem pod palisadę, by otworzyć ogień do fenian.

Nakazał strzelać i Megaw. Nie wyrządzono wielkich szkód po żadnej stronie. Palisada dobrze chroniła żołnierzy, ale ich próby ugaszenia pożaru osłabiły celność strzałów. Tylko przypadkowe kule raniły jeszcze paru fenian.

— Sześciu ludzie zostaje ze mną — wydał rozkaz Megaw. — Reszta wycofuje się poza zasięg ognia. Przyłączymy się do nich, jak tylko Sullivan...

Do dwóch postaci, leżących pod okienkiem na strych, pod-czołgał się żołnierz. Inny mężczyzna wynurzył się zza węgła domu, celnym ciosem powalił żołnierza i uniósł Denisa na plecy.

— O Boże! Byle się tylko trzymał tej strony! — wy-krzyknęła Pat.

Gerald Wolfe zerwał się na nogi, popędził do Sullivana, który już wyczołgał się ze swym ciężarem za palisadę, w tym miejscu niedokończoną. Kule zaświstały koło Geralda. Biegł. Ale Sullivan upadł. Chłopiec, którego niósł, ześlizgnął się na ziemię, uniósł głowę Sullivana, złożył ją łagodnie z powro-tem. A potem i Denis drgnął, rzucił się konwulsyjnie i znieru-chomiał.

Fenianie nie usłuchali jeszcze rozkazu przywódcy. Wzrok mieli utkwiony w dwa nieruchome ciała.

Gerald dopadł ich. Wydawało się, że musi go dosięgnąć jedna z kul lecących wokół niego jak grad. Padł plackiem na ziemię. Odwrócił Sullivana twarzą do góry, uczynił gest bezradności. Denis poruszył się, podniósł głowę. Wolfe już się zerwał, uniósł chłopca na rękach jak piórko i popędził. Nagle jakby się potknął, ale biegł dalej, tylko wolniej. Poza zasięgiem ognia żołnierzy zawrócił i skierował się w stronę towarzyszy.

Keefe i Megaw wybiegli mu naprzeciw, za nimi Luke z noszami. I Pat. Ledwie dotarli do Geralda, ten osunął się na kolana. Denisa wciągnięto na nosze, Pat podłożyła rękę pod jego głowę, szeptała słowa otuchy, których nie słyszał. Wolfe, objąwszy ramieniem szyję Rogera, na wpół szedł, na wpół pozwalał się nieść. Trzymali się wszyscy poza zasięgiem strza-łów, a pozostali fenianie zaczęli się nareszcie wycofywać, niosąc pięciu zabitych i kilku ciężej rannych, podpierając lżej rannych.

Ojciec O'Connor podszedł do Wolfe'a i przytknął mu flasz-kę z koniakiem do ust. Wolfe wypił i otrząsnął się jak wielki pies. Miał ranę w udzie.

— Sullivan dostał w głowę — zamruczał.

— *Requiescat in pace* — ksiądz uczynił znak krzyża.

— Wczesna śmierć jest karą, jaką nam Anglicy wymierzają za zbrodnię, żeśmy się urodzili Irlandczykami — powiedział Megaw. — Ale nie możemy Sullivana zostawić. Ojcze, czy dasz radę pomóc Geraldowi? Nie zatrzymujcie się, idźcie dalej. Ja muszę...

Ściągnął kurtkę, później białą koszulę, uwiązał ją do lufy karabinu.

— Pat, weź ode mnie nosze z tej strony — powiedział Keefe. — Ktoś musi pójść z Rogerem.

Pat zgodziła się chętnie.

Niosąc białą flagę, Megaw szedł z Keefem w stronę płonącego folwarku. Strzelanina ustała. O kilkanaście metrów przed palisadą Megaw stanął.

— Czy pozwolicie nam zabrać zabitego? — krzyknął.

Chwila ciszy. Potem młody oficer zawołał:

— Dobrze. Bierzcie go. Nie jesteśmy barbarzyńcami. Chociaż za to, coście tu zrobili, powinno by się was wszystkich wystrzelać.

— A za to, co Anglicy zrobili w Irlandii, co powinno ich spotkać? — spytał Keefe.

VIII

Kiedy powstańcy, Pat i O'Flaherty z noszami, ojciec O'Connor podpierający Wolfe'a i Keefe z ciałem Sullivana — zgromadzili się w lesie o jakieś dwa kilometry od Iveragh, pożar rozświetlał jeszcze niebo, chociaż zaczynał przygasać.

Denis stracił przytomność z bólu i upływu krwi. Skręcił sobie nogę w kostce, spadając z okna, miał porozbijane palce i dwie rany od kul w pośladkach.

— Dzięki Bogu! — powiedział ojciec O'Connor, prostując plecy. — Kości całe, żadna kula nie utkwiła w ciele. Trzeba zatamować upływ krwi, to wszystko. Będzie zdrów. Jest młody i silny.

Z pomocą Molly Pat obandażowała swego chłopca, najlepiej jak mogła. Łzy płynęły po jej policzkach, powtarzała wciąż nieświadoma, że mówi na głos:

— Michale! Michale! Co ja zrobiłam z naszym chłopcem!

Wszyscy byli wyczerpani walką, napięciem, dźwiganiem bezwładnych ciał, podpieraniem rannych. Zatrzymali się w lesie na chwilę odpoczynku. Anglicy na razie ich nie ścigali: również pomęczeni, zabrali się znowu, ospale i beznadziejnie, do gaszenia ognia.

Czuwając bez ustanku nad Denisem, Pat spostrzegła, jak otworzył oczy. Schyliła się nad nim nisko. Jej łzy kapały mu na twarz.

— Mamusiu, nie płacz — wyszeptał. — Będę zdrów. Ty... majora. Ja... ogień. Winterowie dobrze się spisali, co? Ale się paliło...

— Cicho, *acushla*. Nie rozmawiaj. Tak, jesteś wspaniałym chłopcem. Dumna jestem z ciebie. I ojciec też będzie dumny. Teraz oszczędzaj siły...

Ojciec O'Connor podszedł z flaszką, ale chłopiec odsunął ją.

— W takim razie zabieram się z powrotem na plebanię — zdecydował ksiądz. — Niedługo pora na pierwszą mszę.

Pat oprzytomniała.

— Nie darzyliśmy siebie nawzajem szczególną sympatią — powiedziała do niego. — Ale ojciec zachował się wspaniale! Nie spodziewałam się...

— Byli tu niektórzy z moich parafian — wyjaśnił cicho ksiądz. — Wszystko działo się w mojej parafii. Musiałem tu być, to było moim obowiązkiem. A oprócz tego moja duchowna suknia jest powszechna w chrześcijańskim świecie, ale moje serce jest irlandzkie. — Ujął ją za ramiona. — A ty, moja córko, jesteś po trochu poganką, nieprawdaż? Ale chciałbym, aby w mojej owczarni było więcej takich kobiet jak ty.

203

Pochylił się i dotknął ustami jej policzka. I spiesznymi krokami odszedł w noc. Pat patrzyła za nim, podniosła rękę do policzka. Nie wiedziała, że ojciec O'Connor był powodem rozłąki Petera i Dafne. Cicho rzekła do Molly:

— Lepiej by było i z boską sprawą, i ze sprawą Irlandii, gdyby więcej takich jak on nosiło sutanny.

Początkowo fenianie prawie się nie odzywali. Byli w obliczu umarłych. Tylko ranni pojękiwali. Po jakimś czasie zaczęły się szepty.

— Czy nazwałbyś to zwycięstwem?

— Nie wypędziliśmy ich...

— Ale tym oficerom, co zostali żywi, zimno będzie bez dachu nad głową.

— A co to pomoże, jeśli chodzi o powstanie w ogóle...

— Każdy sukces pomaga.

Jeszcze nie doszła ich wiadomość o powszechnej klęsce.

Denisowi znowu wróciła przytomność. Krzywił się z bólu. Luke O'Flaherty przysunął jego nosze bliżej innych i chcąc rannych rozerwać, by zapomnieli o swoich cierpieniach, zaczął opowiadać przyciszonym głosem:

— A czy wiecie, jakim sposobem rzeka Shannon zyskała swoje imię? Więc wam opowiem. Dawno, bardzo dawno temu była studnia w pewnej wsi, zwanej Ossory, a nad studnią rosła jarzębina. Gdy jagody dojrzewały, spadały do wody i zjadały je łososie żyjące w wodach strumienia zasilającego studnię. A czy wy słuchacie uważnie? Bo to piękna historia! I na łusce ryb zaczęły występować czerwone cętki. Zdarzało się, że ktoś złowił takiego cętkowanego łososia, a jeśli go zjadł, od razu wiedział wszystko, co wiadome było uczonym i tym, co długo studiowali i pilnie czytali. Ale mawiano, że gdyby jakaś kobieta zjadła taką rybę, umarłaby...

Luke oblizał spierzchnięte wargi i przerwał sobie:

— Że też święty Patryk nie natchnął ojca O'Connora myślą, by zostawił tę flaszkę...

Westchnął i mówił dalej:

— Pewna piękna pani, imieniem Shannon, powiadała, że to tylko męska zazdrość, bo mężczyźni zawsze chcą być mądrzejsi od kobiet. Rozpaliła więc ognisko przy studni i łososia z czerwonymi cętkami, którego sama złowiła, usmażyła na rozżarzonych węglach. Kiedy spróbowała smaku wybornej soczystej ryby, jakby wybuch światła rozjaśni jej umysł. Ale w następnej chwili gwałtowna fala rozgniewanych wód wystąpiła ze studni, porwała ją i uniosła na zachód do wielkiej rzeki. Nigdy więcej nie usłyszano o niej, a od tej pory rzeka nosi imię — Shannon.

Denis uśmiechnął się i spytał słabym głosem:

— Skąd ty bierzesz te wszystkie opowieści, Luke?

— Ze źródeł mądrości, które orzeźwiały nas, Irlandczyków, od czasów odwiecznych — odparł włóczęga. — Zapytaj Rogera Megawa, bo on jest prawdziwym szkolarzem, a stary Luke tylko słuchał, jak w oberżach, na jarmarkach opowiadano stare historie, i zapamiętał je, a zapamiętał dobrze, bo nic innego w głowie nie miał, co by tę pamięć wypędziło.

Megaw oznajmił, że czas ruszać do Kenmare. Zabitych ułożono z respektem w lesie, skąd miano ich zabrać później wozami na chrześcijański pogrzeb. Keefe wziął Molly pod rękę.

— Będziemy szli do domu — powiedział. — O świcie muszę odszukać i zegnać wszystkie owce, jakie tylko odnajdę. W ich własnym interesie, nie w interesie Slattery'ego.

— Ale George, okpiłeś oficerów, zabrałeś im konia — zaprotestował Megaw. — Odpłacą ci się!

George mrugnął na niego.

— Potrzebują mnie żywego i wolnego — odrzekł. — Beze mnie nie potrafią nawet zabitej owcy do garnka oporządzić. Zabijać umieją, a jakże, ale gdy przyjdzie do zdjęcia skóry... Nic mi nie zrobią, Rogerze.

Powolny był to marsz. Z pierwszym brzaskiem zbliżyli się do folwarku na przedmieściu Kenmare. Powitała ich salwa karabinowa. Z Killarney nadeszły do miasta nowe oddziały wojsk. Upadło kilku fenian, w tym Megaw. Pat i Luke złożyli nosze i rzucili się płasko na ziemię.

— Otworzyć ogień! — zawołał ochrypniętym, niewyraźnym głosem ranny dowódca.

Druga salwa dosięgła ich od tyłu. Z Clogbur też wysłano w pościg za nimi żołnierzy. Ta salwa mniej przyczyniła strat, fenianie leżeli plackiem w błocie. Wielu nie miało już nigdy wstać. Na lewo od nich wznosił się stary, na wpół zrujnowany mur, którego żołnierze nie obsadzili. Pat i Luke podnieśli się i zabrawszy nosze, pobiegli pod osłonę muru, cudem jakimś uniknąwszy kul. Z folwarku wyszli żołnierze, by przychwycić uciekających, ale zmiotły ich strzały fenian, a także nieostrożne kule ich własnych rodaków, żołnierzy z Clogbur.

Pat i Luke uciekli. Za murem przystanęli, ledwie żywi ze zmęczenia, ale O'Flaherty rzekł:

— Musimy chłopca donieść do mego szałasu. Ponad milę. Dasz radę?

Pat nic nie odpowiedziała, tylko podźwignęła nosze. Poszli.

W szałasie podarła bluzkę na nowe bandaże. Luke wydobył zioła tamujące krew i dezynfekujące. Potem rozpalił ognisko i zagotował wodę.

— Chłopiec będzie bezpieczny ze mną — mówił. — Musi tu zostać, aż mu się wygoją rany i wyzdrowieje noga.

— Doktor w Kenmare jest Anglikiem, a przy tym kuma się ze Slatterym — powiedziała Pat. — Boję się zwrócić do niego.

— Ponoć żadna kula mu w tyłku nie utkwiła — pocieszał się Luke. — Zagoi się bez doktorów. Ja rany utrzymam w czystości, nie pozwolę im się gnoić.

— Jeśli mnie nie złapią, będę tu przychodzić co dzień — rzekła Pat.

— Pośpieszaj teraz — ponaglał włóczęga. — Dostań się do domu i wleź do łóżka, zanim zaczną przeszukiwać domy.

Denis wydał się orzeźwiony gorącym napitkiem, który mu Luke podał. Pat ucałowała go i odeszła tak szybko, jak tylko mogły ją unieść znużone, obolałe nogi.

W pierwszej chwili żołnierze w Kenmare zajęli się okrążeniem oddziału Megawa i nie mieli czasu rozpocząć przeszukiwania domów. Róża i Józef położyli zupełnie wyczerpaną Pat do łóżka i w razie potrzeby mogli przysiąc, że jest chora i leży od dawna.

Pozostawioną w budynku sądu załogę żołnierze obezwładnili i wzięli do niewoli, zanim jeszcze wyszli na spotkanie oddziału feniańskiego, wracającego z wyprawy do Clogbur. Szczęśliwym trafem Joe McCail z jeszcze jednym powstańcem poszli w tym czasie po żywność do rzeźni. Ci ocaleli. Z ludzi Megawa jakiś tuzin zdołał się wymknąć, dotrzeć do domów, zdjąć i spalić zabłoconą odzież. Resztę raniono, zabito, zabrano do więzień.

Gerald Wolfe, którego rana była bolesna, ale wydawała się niegroźna, i Roger Megaw z nogą roztrzaskaną tak, że mu ją później amputowano, leżeli na sąsiednich łóżkach w szpitalu w Killarney obok innych towarzyszy. Koło drzwi siedział na straży angielski żołnierz i pilnował rannych jeńców. Wolfe powiedział posępnie po irlandzku:

— Więc powstanie zgnieciono.

— Niczego innego nie oczekiwałem — odrzekł Megaw. — Ale my, z ośrodka Kenmare, mamy powody do zadowolenia. Przyczyniliśmy tym draniom niemało kłopotów, pokazaliśmy, cośmy warci. Nie mogliśmy więcej osiągnąć, a o ile wiem, lepiej się spisaliśmy od innych ośrodków.

IX

Pociąg z Dublina, którym jechał Winter, zatrzymano, gdyż angielskie wojska oczyszczały z oddziałów powstańczych okolice wzdłuż torów kolei żelaznej. Wczesnym rankiem drugiego dnia po spaleniu folwarku Iveragh Winter dotarł w końcu do Killarney i wynajął powóz do Kenmare.

W domu nie zastał Pat: poszła do szałasu Luke'a O'Flaherty'ego odwiedzić Denisa.

— Ale się ucieszy, kiedy ciebie zobaczy! — powtarzał Józef. — Zamartwiała się o ciebie.

— Wracam z niczym — opowiadał Winter. — Jak się okazało, Pat miała słuszność mówiąc, że tracę czas i pieniądze na wyjazd do Dublina. Chociaż gdyby nie wybuch powstania, może dałoby się coś zrobić, by odebrać folwark Slattery'emu.

— Ano, coś zrobiono — wtrąciła Róża. — Powstańcy Megawa za zgodą Pat spalili budynki. Tylko kupa zgliszczy została. Denis to zrobił, chociaż oczywiście tego się głośno nie mówi.

Powtórzyli Michałowi tyle, ile sami wiedzieli o stoczonej przez oddział Megawa utarczce, o ich końcowej porażce i o bohaterstwie Denisa.

— Podpalenie było pięknym gestem — przyznał Winter. — Chociaż nie dotknie to właściwie Slattery'ego...

W tym momencie do sklepu, w którym znajdował się tylko William, weszło z hałasem i tupotem kilku ludzi: policjant, sierżant armii angielskiej i czterech szeregowych. Winter uniósł w górę brwi i wyszedł do nich.

— Mam rozkaz aresztowania pana, panie Winter — oznajmił policjant.

— Aresztowania! Za co? Na jakiej podstawie? — wykrzyknął ze szczerym zdumieniem Winter.

Józef wszedł za nim do sklepu, przypuszczając, że nakaz aresztowania wiąże się z udziałem w powstaniu.

— Co znowu! — powiedział. — On w tej chwili powrócił z...

— Sędzia poinformuje pana o podstawie oskarżenia — przerwał policjant. — Nic innego mnie nie obchodzi. Może pan przeczytać rozkaz aresztowania, panie Winter, jeśli pan sobie życzy. Ale proszę się pospieszyć, sędzia czeka.

Z okien i drzwi domów całe Kenmare śledziło wzrokiem Michała Wintera, przykutego kajdankami do policjanta, który go prowadził do budynku sądu.

Do chwili najazdu na folwark Iveragh dwaj ludzie wiedzieli, jakie oskarżenie będzie wniesione przeciw Winterowi. Teraz był tylko jeden. Podczas zamieszek powstańczych Artur Slattery przezornie trzymał się na uboczu. Uśmierzanie zamieszek należy do zadań policji i wojska, mówił sobie sędzia — i posłał konnego gońca do Killarney po dodatkowe posiłki wojska. Obowiązki sędziego zaczną się potem, gdy mniej będzie sposobności trafienia kulą w nielubianego w całej okolicy osobnika. Slattery nie przejął się spaleniem budynków na folwarku. Nie były mu potrzebne. Nie żałował też majora, który ostatnio zaczął się rozpytywać o legalność okupowania folwarku. Slattery dostał w swe ręce to, czego chciał: ziemie należące do Iveragh. Całość roli i pastwisk w Clogbur.

Utrzymanie tych ziem w przyszłości stało się pewniejsze z chwilą, gdy znalazł pretekst do aresztowania Wintera. W kieszeni sędziego leżała kartka papieru, znaleziona przed paru dniami na podłodze przy drzwiach w Kenmare Lodge. Był to list z informacją, że Michał Winter należy do Bractwa Feniańskiego.

Osobiście Slattery był przekonany, że donos jest kłamstwem, ale nie o to chodziło. Miał w ręku dowód na piśmie. A człowiek, który list podpisał, nie załamie się w krzyżowym ogniu pytań jakiegoś wytrawnego adwokata. Ten człowiek już nie żył. Kula uspokoiła wreszcie jego sumienie w chwili, gdy ratował rannego chłopca.

ROZDZIAŁ SZÓSTY

I

W oczach doktora Davida Moriarty'ego, biskupa Kerry, zdarzenia w Clogbur i — mniej efektowne — w innych okolicach jego diecezji stanowiły ostatni krąg nieprawości. W niedzielę po insurekcji grzmiał z ambony katedry w Killarney:

— Pouczałem was o nieskończoności mąk piekielnych... Gdy patrząc w dół, usiłujemy dostrzec bezdenną głębię hańby przywódców konspiracji feniańskiej, musimy uznać, że cała wieczność to za krótko, a piekło nie dość płonące, by pokarać takich zbrodniarzy...

Każdemu się wydaje, że cudza robota jest łatwa. Zacny biskup podejmował się zadań i Boga, i szatana.

Kardynał Cullen, prymas Irlandii — i bynajmniej nie zwolennik insurekcji — określił to kazanie jako „przesadzone i nieroztropne". Jak ojciec Liam O'Connor, kardynał również dostrzegł niebezpieczeństwo rozłamu między duchowieństwem a parafianami z powodu ruchu feniańskiego, teraz skrwawionego, ale nie pokonanego. Natomiast ojca Sigersona z Kenmare, który odzyskał odwagę dzięki obecności protestanckich bagnetów w miasteczku, nie cechowała taka dalekowzroczność. On również skazał powstańców na wieczne potępienie. Młody William Winter, którego coraz serdeczniejsze przywiązanie do ciotki Róży i wuja Józefa skłoniło do towarzyszenia im na mszę tego ranka, nie mógł ścierpieć tyra-

210

dy księdza. Wyszedł podczas kazania z kościoła, a później powiedział do matki:

— Słuchając go rozprawiającego o piekle można by pomyśleć, że się tam urodził!

— Bądź co bądź z pewnością skończy w niebie — odrzekła Pat. — Według wszelkich oznak do nieba się idzie dzięki protekcji. Gdyby było nagrodą za zasługi, mało ludzi by się tam dostało, na pewno więcej psów.

W angielskim parlamencie Lord John Russell, były premier, wyraził uznanie biskupowi Moriarty'emu. Natomiast wybitny reformator i słynny mówca John Bright stwierdził, że nie jest w ludzkiej mocy żyć w zadowoleniu i spokoju pod taką władzą, jaka istnieje w Irlandii. A William Ewart Gladstone, jeden z największych mężów stanu XIX wieku, wyznał, że fenianizm narodził się z powodu zadawnionego lekceważenia przez Anglię cierpień narodu irlandzkiego.

Fenianizm przetrwał porażkę militarną. Klęska insurekcji nie naruszyła większości jego ośrodków organizacyjnych działających zarówno w Irlandii, jak i w Anglii. Jeszcze przez wiele lat każdy ruch mający na celu niepodległość Irlandii — włącznie z tym, który ze wszystkich w XIX wieku był najbliższy sukcesu: walką parlamentarną Karola Stewarta Parnella o autonomię — musiał najpierw uzyskiwać poparcie organizacji feniańskiej, zwanej odtąd Irlandzkim Bractwem Republikańskim.

II

Dla większego bezpieczeństwa przeniesiono Denisa Wintera do chaty zaprzyjaźnionego rybaka, na północnym brzegu ujścia rzeki Kenmare, naprzeciw Clogbur.

— Dopóki żołnierze nie pójdą sobie z okolicy — objaśniła Pat.

Musiała teraz dalej chodzić na codzienny spacer. Luke O'Flaherty obżałowywał utratę pacjenta, ale przyznał, że żołnierze będą prawdopodobnie przetrząsać „jego las" w poszukiwaniu ukrywających się powstańców.

Wieści o utarczce koło folwarku Iveragh rozeszły się wzdłuż i wszerz całego hrabstwa Kerry. Z jarmarku na jarmark, ze wsi do wsi, z karczmy do karczmy podawano sobie nazwiska bohaterów z Kenmare: Rogera Megawa, Geralda Wolfe'a, Johna Sullivana, a nade wszystko — Pat Winterowej i jej syna Denisa.

Slattery nie spodziewał się, że Michał Winter tak prędko wróci do Kenmare. Planował dostać w swe ręce Pat i Denisa. Nie miał jednakże konkretnych dowodów przeciw nim, bo od kiedy zagarnął Iveragh, nikt się słowem do niego nie odzywał. Doszły go tylko pogłoski. Ostatecznie uznał, że musi dopilnować skazania swej ofiary i ciężkiego wyroku, postanowił więc wybrać się do Dublina tym samym pociągiem, którym jechał Winter pod strażą. Z Cork przysłano tymczasowego zastępcę sędziego. Ten młody prawnik, nie znający miasteczka ani okolicy, potraktował swój wyjazd jako wypoczynek we dworze Kenmare Lodge i wcale się nie kwapił, by przysparzać sobie kłopotów z wrogo usposobionymi mieszkańcami.

Pat niewiele w tym znajdowała pociechy. Od Petera nie było żadnych wiadomości. Do Kenmare doszły pogłoski o zajściach w Chester i Pat domyślała się, że jej syn musiał w nich brać udział. Wiadomo było, że dokonano wielu aresztowań. Niepokój doprowadzał matkę prawie do choroby. A Michała wywieziono do Dublina, w przeciwieństwie do innych jeńców feniańskich, pozwanych przed sąd w Killarney. I nic więcej o nim nie wiedziano prócz tego, że równocześnie wyjechał i sędzia Slattery.

Żona i matka, która nieomal radośnie przyłączyła się do walk powstańczych i wyszła z bitwy bohaterką, teraz uginała się pod ciężarem trosk. Strapienia przyćmiły jej urodę, a lekkie, zgrabne ruchy zmieniły się w ociężałe powłóczenie nogami.

— Kiedy ostatni raz widziałam Michała — mówiła do brata — zachowałam się podle. Zabrał na swoją golgotę wspomnienie żony swarliwej, która go nawet nie pożegnała pogodnym słowem i serdecznym uściskiem. A teraz tu siedzę bezradna. Na nic bym się nie przydała, gdybym pojechała do Dublina. Nikogo tam nie znam, nigdy nie byłam. Zgubiłabym się w wielkim mieście jak ostatnia idiotka. Prócz tego muszę pielęgnować Denisa. Czy mogę go teraz opuścić i jechać w tę drogę bez sensu i pożytku? Nawet Michał, chociaż tak anielsko cierpliwy, nawymyślałby mi za taki pomysł...

— Słusznie robisz — pocieszał ją brat. — Tak trzeba.

Słaba to była pociecha. Józef słowami pocieszać nie umiał, ale za to oboje z Różą nie szczędzili wysiłku i starań, by odciążyć siostrę od zajęć i odpowiedzialności za sklep i dom. Pat dobrze to rozumiała:

— Moi kochani, nie po to przyjechaliście tutaj, by mnie zastępować. Ale gdybyście nie przyjechali, to doprawdy nie wiem, co bym poczęła. Powinniście pomyśleć o swoich sprawach, o swojej przyszłości.

— Nie kłopocz się o to — uspokajał Józef. — Kiedy życie znowu wróci do normy, czas będzie rozejrzeć się i osiąść gdzieś na stałe.

— Musicie żałować, żeście przyjechali — westchnęła Pat, patrząc na Różę, która pogodnie i stanowczo zaprzeczyła:

— Jesteśmy wśród swoich, bo rodzina Józefa jest moją rodziną. Nie chcielibyśmy żyć nigdzie indziej. A jeśli możemy się na coś przydać, to tym lepiej.

Denisowi szybko wracały siły. Pat zabrała ze sobą Williama, by go odwiedził. Gdy mówiła do dwóch najmłodszych synów o ich ojcu, inaczej to zabrzmiało niż wtedy, gdy skarżyła się przed Józefem. Wysłała żonę rybaka z jakimś poleceniem i zostawszy sama z chłopcami, zaczęła odzyskując nieco dawnego zapału:

— Anglicy i ich najmici zabili mego ojca. Zabili dwóch moich braci i dwóch najbliższych przyjaciół. Poranili ciebie, Denisie. Uczynili inwalidą waszego ojca, a teraz go zaaresztowali. Niech żaden z was nigdy tego nie zapomni. Wszyscy przeciwstawialiśmy się w ten czy inny sposób angielskim najeźdźcom na irlandzkiej ziemi, bo sama obecność obcych władz tutaj jest zbrodnią wobec naszej ojczyzny. Dopóki Irlandia nie będzie wolna, dopóki prawo tej ziemi nie będzie naszym prawem, nie ich, albo dopóki nie pomrzemy, musimy walczyć. Każdą metodą. Oni będą nadal, jak to robili z naszymi dziadami i pradziadami, i przodkami wszystkich szczerych Irlandczyków, przeklinali nas, kopali, zabijali, strzelali do was, zabierali wam pieniądze i zbiory, wysiedlali was z każdego skrawka irlandzkiej ziemi. Oni są silni. Ale nigdy nie możemy się poddawać ani pozwalać, by oni sądzili, że nas złamali. A w końcu wy, a jeśli nie wy, to następne pokolenia Irlandii — zwyciężą.

— Możesz liczyć na mnie, mamo — powiedział Denis.

— I na mnie — zawtórował William.

— Wiem — rzekła Pat. — Jesteście wspaniali chłopcy i Peter też. Ale to, co wam teraz mówię, nie jest pustą deklamacją. Nasi wrogowie to nie tylko dalekie i trudne do zrozumienia sprawy władz w Dublinie odległym o wiele mil. My — cała okolica, a nasza rodzina w szczególności — stoimy wobec człowieka, który się szczególnie na nas zawziął: Artura Slattery'ego, tej ropuchy podlizującej się Anglikom. Nienawidził wuja Jamesa, ponieważ nie chciał mu sprzedać folwarku. Zagarnął Iveragh — spaliliśmy budynki, ale ziemię ten łajdak trzyma — częściowo z nienawiści do człowieka już nieżyjącego. To on ponosi odpowiedzialność za okaleczenie waszego ojca i za jego uwięzienie. Był diabelsko cierpliwy. Ale wreszcie dopiął swego, ma prawie wszystko, czego chciał — o ile sąd rozprawi się z ojcem tak, jak Slattery się spodziewa, bo po cóż by go posyłał do Dublina? Prawie wszystko. Nie wszystko. Ojciec o tym nie wie, ale Slattery przed laty chciał mieć mnie i kłamał przede mną, i próbował szantażem zmusić mnie do uległości. Ja, idiotka, upokorzyłam go i dlatego Slattery dwakroć już wywierał zemstę na waszym ojcu, by w ten sposób zemścić się na mnie.

— Łajdak! — rzekł Denis. — Ale już my się z nim rozprawimy. On często sam jeździ konno i sam przesiaduje w domu. Strzał zza żywopłotu albo w okno...

— Nie. Nie będzie zakażał naszej pięknej czystej ziemi, skorumpowany za życia, gnijący po śmierci — odparła matka. — Śmierć nie jest upokorzeniem, tylko spokojem, a to za dobre dla niego. Slattery musi zaznać upokorzenia, musi stracić wszystko, co mu jest drogie: ziemię i tę odrobinę władzy.

— Ale jak? — zaczął William.

— Mam pewien plan — rzekła Pat. — Ale życie musi wrócić do normy, bym go mogła przeprowadzić, a nawet mówić o nim. Chcę tylko, żebyście zrozumieli już teraz, na czym polega wasz najważniejszy obowiązek.

Denis ujął mocnym uściskiem rękę Williama.

— Rozumiemy! — powiedział.

Młodszy brat skinął energicznie głową. Paradoksalne, insurekcja i Artur Slattery przyczynili się do scementowania na nowo skłóconej poprzednio rodziny Winterów.

W parę dni po rozmowie z synami Pat dostała dwa listy. Jeden z nich, dość gruby, był zaadresowany ręką Petera.

— Nareszcie! — wykrzyknęła radośnie, przyciskając list do piersi. — Żyje mój syneczek. A nie było wiadomości o żadnych więcej zamieszkach w Anglii od czasu, kiedy to pisał!

Nawet nie spojrzała na drugi list. Rozerwała kopertę od Petera. Wraz z kartką papieru rozpoczynającą się od słów: „Najdroższa mamo!" wysunęła się druga koperta, zaadresowana: „Panna Dafne O'Neill". Józef, Róża i William stali wokoło, czekając w podnieceniu.

— Peter zawsze taki sam! — śmiała się uszczęśliwiona matka. — Rzeczowy. Ponoć ma się dobrze i dostał pracę magazyniera w składzie tekstylnym. Tom Keefe jest razem z nim. Ich bezpośredni szef jest Irlandczykiem. Pisze, że wróci do domu, gdy tylko nazbiera dość tego, po co się wyprawił do Anglii. Sprytny szyfr! Jeżeliby jakiś urzędnik wetknął swój za długi nos do tego listu, byłby pewien, że chodzi o pieniądze. My wiemy, że o co innego... I Peter pisze jeszcze: „Uzbierałem sobie już trochę, ale za mało dla moich celów". A więc brał udział w jakichś akcjach, pewno w Chester, i wywiązał się zaszczytnie...

W duchu Pat mówiła:

...Wracaj do domu, mój pierworodny, najmilszy! Twoja rodzina zyskała teraz u własnych rodaków dość sławy, by starczyło dla nas wszystkich...

Głośno powiedziała do Williama:

— Będziesz musiał jak najprędzej wybrać się do Clogbur, opowiedzieć Molly i George'owi o tym, co pisze Peter. Pióro i papier nie cieszą się przyjaźnią Toma.

List kończył się prośbą:

Załączam list do Dafne i bardzo proszę postarać się jakoś go jej doręczyć. Ojciec będzie pamiętał, kto się tym zajmował dawniej.

— Oczywiście nic nie wie o okropnym położeniu ojca — westchnęła Pat.

Odczytała list po raz drugi, znowu westchnęła i zaczęła go składać. Będzie jej skarbem. Pat nigdy jeszcze nie dostała listu od żadnego ze swoich synów.

William podniósł drugi list, który matka w podnieceniu upuściła na podłogę.

— Zapomniałaś o tym, mamo.

List pisany był wykształconą kobiecą ręką, bez podpisu.

Mąż pani czeka w więzieniu Kilmainham na rozprawę. Pisząca te słowa dysponuje sposobami uzyskania wiadomości o nim. Jest zdrów i zdumiewa wszystkich pogodą ducha. Nawet strażnicy mówią z respektem o jego spokoju i stanowczości. Obecnie nie można uzyskać widzenia z nim, ale po procesie, mam nadzieję, że mi się to uda. Oczywiście nie może zostać uniewinniony. Byłoby tylko okrucieństwem łudzić panią. Pro-

216

szę mi wierzyć, że oboje macie szczerą przyjaciółkę w piszącej te słowa. A ja z kolei mam też przyjaciół. Wszystko będzie zrobione, co tylko można, dla ulżenia pani mężowi w jego nieszczęsnej sytuacji. Gdy będę miała dalsze wiadomości, natychmiast je pani przekażę. Tymczasem proszę dorównać odwagą i spokojem mężowi. Rozpaczać nie należy. W naszych czasach w każdym więzieniu można znaleźć furtkę.

Nie zwracając uwagi na troje niecierpliwie czekających, Pat zerwała się z krzesła i pobiegłszy do swego pokoju, rzuciła się z płaczem na łóżko. Nie dowiedziała się niczego, czego by nie przewidywała. Ale wbrew apelom o spokój i napawającej otuchą wzmiance na końcu, list potwierdził jej obawy.

— Michale! Michale! To wszystko przeze mnie. Dlatego że kiedyś pozwoliłam ci uciec ze mną. Dlatego żeśmy się pobrali. I dlatego... dlatego że zdarzyła się ta awantura w jaskini, o czym w ogóle nie wiesz...

Płakała i rozpaczała nie nad sobą, nad swoim osamotnieniem. Nie zastanawiała się wcale, kim była ta kobieta, która nazwała się „przyjaciółką". Pat rozpaczała, bo jej Michał, choć na pozór spokojny, musiał znosić cierpienia moralne i fizyczne. Na pół godziny Pat oddała się bezgranicznej rozpaczy, lekceważąc przestrogę nieznanej korespondentki.

III

Od chwili otrzymania od Petera wiadomości o jego wyjeździe do Anglii Dafne O'Neill stała się przykrym gościem w domu krewnych w Cork. Dziewczyna pojmowała, że misja ukochanego była niebezpieczna, ale gdyby się powiodła, dawała mu szansę zdobycia sławy wśród rodaków i przyśpieszenia ich małżeństwa dzięki złagodzeniu nieprzejednanego do tej pory stanowiska jej rodziców. Niepokoiła się więc o niego, a zarazem, niezbyt logicznie, życzyła sobie, by miał sposobność wykazania się odwagą. Stała się roztargniona i kłótliwa. Krewni narzekali, że Dafne nie chce brać udziału w rozrywkach otaczającej ją młodzieży. Znając powód wysłania siostrzenicy z domu, pozbawiona zrozumienia dla udręki serca jak często ci, dla których minął już wiek miłości, ciotka Dafne usilnie starała się wyswatać dziewczynę młodemu człowiekowi z zamożnej rodziny, przystojnemu bawidamkowi nazwiskiem Stanley Graham.

Tak więc Dafne spotykała Grahama na lekcjach tańca, na balach i zabawach, na przyjęciach w domu krewnych. Młodzieniec asystował, próbował wciągać ją do odosobnionych zakątków ogrodów i oranżerii. Dafne wysilała całą pomysłowość, by znaleźć powód, który by mógł nakłonić rodziców do zabrania jej z powrotem do domu. Niespodziewanie powód nastręczył się sam. Insurekcja. Paruset młodych mężczyzn z Cork chwyciło za broń; ale jej kuzyni i Stanley Graham tylko wykpiwali „daremny gest". Skoro O'Neillowie dowiedzieli się, że ich córka przebywa w towarzystwie przeciwników powstania, stary Peadar wyprawił się po nią do Cork. W powrotnej drodze opowiedział córce o zdarzeniach w Kenmare i Clogbur.

— Szkoda, że Peter wyjechał — odważyła się zauważyć Dafne. — Założę się, że pokazałby, co jest wart!

Jej ojciec ze spokojem przyjął wzmiankę o człowieku niegdyś wyklętym.

— Niech mu na razie wystarczy — odrzekł — że dzięki wspaniałemu zachowaniu jego matki i brata nazwisko, które nosi, pozostanie na zawsze w pamięci ludzi z hrabstwa Kerry.

Serce w niej rosło. Wiedząc dobrze, że w domu rządy sprawowała matka, Dafne zapytała niewinnie:

— A co mama sądzi o tym wszystkim?

— Wiesz równie dobrze jak ja — odrzekł Peadar — że matka z zasady wyraża poglądy przeciwne moim. A ponieważ ostatnio jest bardzo milcząca, więc mogę tylko przypuścić, że to dlatego iż zgadza się ze mną.

W parę dni później Dafne, wracając od przyjaciół, napotkała na zakręcie odludnej ścieżki ciągnącego za sobą nogi włóczęgę. Z szacunkiem dotknął obdartej czapki.

— Ach, czyż to nie duch dobroci błyszczy z tych oto prawdziwie irlandzkich oczu młodej panienki? Czyż to nie cherubiny z nieba ukształtowały śliczności tej urody? Czyż to nie święci pańscy, którzy nocami czuwają nad nią...

Dafne się przestraszyła. Chciała wyminąć włóczęgę.

— Ach, droga panienko, przecież nie przejdzie panienka mimo biednego starego człowieka, prawdziwego Irlandczyka i szczerego patrioty, przysięgam na Najświętszą Pannę Marię, który nic nie jadł od dwudziestu czterech godzin... Nie odmówi śliczna panienka sześciopensówki...

Wbrew przestrogom rodzicielskim Dafne, jednocześnie wystraszona i poruszona litością, sięgnęła po portmonetkę. Włóczęga nachylił się ku niej i wrzucił do jej otwartego woreczka list. Zanim Dafne zdążyła wyjąć monetę, a nawet wykrzyknąć ze zdziwienia, włóczęga znikł za zakrętem ścieżki. Dziewczyna poznała pismo Petera — i natychmiast zapomniała o całym świecie, nawet o tym, żeby pobiec za przedziwnym listonoszem, podziękować mu i wynagrodzić za fatygę.

Kiedy z bijącym sercem przeczytała list — podobny w treści do listu do Pat, z dodatkiem zapewnień miłości i tęsknoty — Dafne, wciąż stojąc na tym samym miejscu, gdzie ją zatrzymał O'Flaherty, ucałowała kartkę papieru, przycisnęła ją do serca i wsunęła za stanik.

IV

Peter w swoich listach przemilczał nie tylko sprawę nieudanego napadu na zamek Chester. Nie napisał też nic o przeziębieniu, jakiego się nabawił czuwając na wieży, a później w lodowatej wodzie rzeki Dee. Ledwie uniknął zapalenia płuc dzięki silnemu z natury organizmowi.

Tom Keefe i Gregory Nolan zdołali dodźwigać przyjaciela do Klubu Robotniczego, skąd w swoim czasie wyruszyli na wyprawę do Chester. Przybył również do Manchesteru naczelny dowódca, pułkownik Kelly, oraz niejaki kapitan Timothy Deasy, któremu udało się uciec z Cork, gdzie miał dowodzić powstańcami. Zwierzchnicy doradzali rozbitkom z nieudanej wyprawy na zamek w Chester, by nie próbowali wracać do Irlandii, dopóki zainteresowanie władz powstaniem nie przygaśnie.

— Ale z czego będziemy tu żyć? — protestował Gregory.

— Tym się zajmiemy — zapewnił go kapitan Deasy. — Znajdzie się dla was praca. Za parę tygodni mogą się tu nadarzyć inne sposobności służenia sprawie Irlandii. A jeśli nawet nie, to po pewnym czasie będziecie mogli wrócić do domów bez obawy aresztowania.

Nolan skorzystał z okazji, by opowiedzieć kapitanowi szczegóły wyprawy Wintera na wieżę Cezara, wspinaczki i zejścia. Obaj przywódcy, Kelly i Deasy, odwiedzili wciąż jeszcze chorego młodzika w Ashton, o parę mil od Manchesteru, gdzie wynaleziono kwatery dla niego i jego dwóch towarzyszy w domu wdowy po irlandzkim marynarzu. Kelly był barczystym, ciężkim mężczyzną średniego wzrostu, ze szramą po dawnej ranie przez czoło, tuż nad prawym okiem. Deasy — wyższy, o pociągłej twarzy — mówił z amerykańskim akcentem.

— Nieszczęścia i klęski Irlandii wychowały rasę bohaterów — powiedział Kelly wysłuchawszy opowiadania. — Nazwisko Petera Wintera będzie na zawsze zapisane wśród najdzielniejszych. Wyzdrowiej szybko, chłopcze, i zdobywaj dalsze laury, uczestnicząc tym razem w zwycięstwach!

— Ja nic nie zrobiłem, tylko siedziałem na wieży i marzłem — mówił zażenowany Peter. — To przecież Tom zadusił wartownika i uratował mnie z narażeniem życia.

Kelly zwrócił się do Toma i uścisnął mu rękę.

— I o tobie nie zapomnimy!

Naczelnik usiadł za kuchennym stołem i wypisał własnoręcznie certyfikaty dla Petera i Toma, a także dla Nolana, stwierdzające, że wymienieni dobrze zasłużyli się ojczyźnie i wyróżnili dzielnością w szeregach fenian.

— Schowajcie to starannie — upominał kapitan Deasy. — Żeby tego policja nie znalazła.

Wdowa pielęgnowała Petera z poświęceniem i pomogła odzyskać siły. Znaleziono mu pracę magazyniera w firmie handlowej w Ashton, importującej bawełnę z Ameryki. Tom dostał w tym samym przedsiębiorstwie pracę wartownika. Gregory Nolan zaryzykował powrót do Irlandii, gdzie jego staruszek ojciec nie mógł sobie na dłużej sam poradzić z gospodarowaniem. Przyjaciele nie wiedzieli, że Nolana aresztowano w chwili wylądowania, a gdy znaleziono przy nim certyfikat Kelly'ego, skazano go na dwa lata ciężkiego więzienia. Magazynami zarządzał Irlandczyk, Patrick O'Hegarty, były ksiądz, który wpadłszy w pasję z powodu dwuznacznego stosunku kleru do sprawy niepodległości Irlandii, odrzucił sutannę, opuścił ojczysty kraj i przyłączył się do fenian w Anglii. Miał drewnianą nogę zamiast prawdziwej, z krwi i kości, którą utracił, zatrzymując spłoszonego konia galopującego nieprzytomnie z małym chłopcem na grzbiecie.

Peter pracował pod bezpośrednim zwierzchnictwem O'Hegarty'ego, który bardzo szybko nauczył się cenić sprawność i sumienność swego młodego pomocnika. Były ksiądz słyszał o przeszłości ojca Petera i głęboko szanował jego odwagę i decyzję połączenia swych losów z Irlandią. Parokrotnie zabrał młodego pomocnika do domu i w ciągu długich szczerych rozmów dowiedział się o ambicjach Petera studiowania języka celtyckiego. Wprowadził go więc do biblioteki miejskiej w Manchesterze, gdzie później Peter spędzał wiele użytecznych godzin.

Ale nawet certyfikat pułkownika Kelly'ego nie mógł rozpędzić w zupełności smutku Petera, przygnębionego niepowodzeniem wyprawy na zamek w Chester, a jeszcze bardziej fiaskiem powstania w Irlandii. Martwił się o losy rodziny. Nie wiedział nic o lokalnej sławie, jaką zdobyli jego matka i brat, ani o aresztowaniu ojca, które miało w oczach O'Neillów przekształcić zwykłego sklepikarza w męczennika za sprawę najbliższą ich sercom.

Niebawem nowa akcja, chociaż tragiczna dla kilku jej uczestników, miała odpędzić wszelkie strapienia i dać Peterowi drugą sposobność wyróżnienia się odwagą i zimną krwią.

V

— Przyjmuję mój los i ufam, że Bóg, który przez siedem wieków zachował Irlandię wbrew ciemiężącej ją tyranii jako odrębny naród, dopomoże jej również w odzyskaniu upadłej fortuny i wywyższy ją w końcu w całym jej mistycznym pięknie.

Tymi słowy przemawiał Thomas Burke, przywódca feniański z Tipperary, przed sądem, gdzie odbywał się jego proces. Ale nie było „mistycznego piękna" w wyrokach, na które skazywano dowódców insurekcji. Rząd angielski wydał instrukcje sędziom w Irlandii, aby ferowali wyroki surowe i odstraszające. Wielu powstańców skazano na śmierć, a samego Thomasa Burke na wieszanie, ćwiartowanie i ścięcie.

Nie wszyscy zachowywali się z taką wyzywającą odwagą, jak Thomas Burke. Generał Gordon Massey uratował własną skórę, wydając towarzyszy broni. A człowiek stojący obok niego w chwili aresztowania, ten sam który polecił Peterowi wspiąć się na wieżę Cezara — stawał niejeden raz i przed niejednym sądem, by świadczyć przeciwko fenianom. John Joseph Corydon zdradził plan napadu na zamek w Chester, wydał plany insurekcji. Ten godzien pogardy sprzedawczyk podjął się informować władze angielskie o wszelkich poruszeniach i planach fenian za cenę wypuszczenia na wolność, gdy rok wcześniej aresztowano go pod zarzutem deprawowania chłopców. Nie przyjmując propozycji zostania jego „adiutantem", Peter szczęśliwie uniknął nie tylko ewentualnych podejrzeń o wspólnictwo ze zdradami Corydona, ale także osobistych nieprzyjemności związanych z obietnicą wygodnej kwatery w jego pokojach.

W Waterford Corydona obrzucono kamieniami, zaatakowano jego eskortę, zraniono przy tym 38 policjantów. Również w innych miastach procesom towarzyszyły wrogie demonstracje i okrzyki na cześć fenian. Irlandczyków niełatwo zastraszyć.

Tragedii rozgrywającej się w jednym mieście towarzyszyła czasem gdzie indziej — groteska. W Killarney zwykła sesja sądu objazdowego odbyła się parę tygodni wcześniej, nim Roger Megaw — o kuli, z jedną nogawką spodni zwisającą od uda — mógł stanąć przed sądem. Rana Geralda Wolfe'a, początkowo zlekceważona w szpitalu i zaniedbana, długo się później goiła. Jego więc również, jeszcze bardzo osłabionego — strażnik więzienny musiał go podpierać — przyprowadzono i postawiono obok dowódcy.

Dwaj powstańcy z Kenmare ujrzeli na sali sądowej grupkę lojalnych towarzyszy, którzy rozmaitymi sposobami dostali się do Killarney, by swą obecnością dodać otuchy uwięzionym. Był więc Joe McCail, trzej robotnicy z huty, wielebny David Roberts i włóczęga w łachmanach, świecący golizną: O'Flaherty. Luke był otrzaskany z sądami. Opowiadano o nim, że gdy pewnego razu stał przed sądem, oskarżony o kradzież płaszcza, zarzucił świadkowi kłamstwo:

— Nie mógł tego widzieć, bo był pijany jak sędzia.

Sędzia zmarszczył się z dezaprobatą i poprawił:

— Chcecie powiedzieć: pijany jak lord.

— Tak, milordzie.

Okręgowy sędzia, regularnie przyjeżdżający do Killarney, wyjechał już, by pełnić swoje obowiązki gdzie indziej. Do prowadzenia spóźnionego procesu dwóch powstańców z Kenmare powołano emerytowanego sędziego, Anglika mieszkającego w Kerry. Ten ponadsiedemdziesięcioletni starzec był prawie zupełnie głuchy. Gdy ktoś mu krzyknął do ucha „powstanie", odrzekł:

— Powstanie? Niewiele pamiętam. Byłem dzieckiem w dziewięćdziesiątym ósmym.

Jednakże jego przeszłość, lata spędzone w todze sędziowskiej, usprawiedliwiały obecny wybór i oczekiwanie władz, iż rozprawi się odpowiednio z więźniami. Zapewniono emeryta, z irytacją protestującego przeciw odrywaniu go od opasłych tomów greckiej mitologii, że ten proces jest tylko formalnością. Wieczorem w przeddzień rozprawy stary sędzia wspominał i pił dobry portwajn. Do sądu przybył z zaczerwienionymi oczyma i ciężkimi powiekami, w nadjedzonej przez mole peruce i wyrudziałej todze. Prawnicy — byli tylko adwokaci oskarżenia, bo Megaw postanowił sam prowadzić swoją obronę — wymieniali kpiące, porozumiewawcze uśmieszki.

Wielebny David Roberts szepnął:

— Ten człowiek, jak widać jasno, nie nadaje się już do prowadzenia tak poważnej rozprawy. Niech Bóg wspomaga tych dwóch biedaków. To będzie parodia wymiaru sprawiedliwości.

Ale parodia to ryzykowna rzecz i czasem płata nieoczekiwane figle.

Zaprzysiężono sędziów przysięgłych, starannie wybranych ze szlachty i zamożnych emerytowanych wojskowych i urzędników. Prokurator rozpoczął mowę:

— W rozprawie tej, panowie sędziowie przysięgli, nie występuje obrońca, bo tu nie może być żadnej obrony. Stan więźniów świadczy o ich winie. Ich inwalidztwo nie uprawnia do żadnej sympatii, ponieważ rany odnieśli — nie mogą temu zaprzeczyć — buntując się przeciwko prawu i majestatowi królowej Wiktorii. Jesteście lojalnymi rojalistami i wypełnicie wasz obowiązek, nie dając się zwieść fałszywym sentymentom. Zwięźle i krótko przedstawię haniebne okoliczności, śmiertelne zmagania i świadomy akt podpalenia, które doprowadziły tych przestępców przed sąd...

Roger i Gerald wymienili uśmiechnięte spojrzenia, wspominając noc spędzoną przed folwarkiem Iveragh.

Stary sędzia odczytywał akt oskarżenia, który położono przed nim. Widział dramatyczne, wypraktykowane gesty prokuratora, widział poruszenia jego warg. Ale chociaż osłaniał ucho dłonią i nachylał się nad stołem, słyszał tylko pojedyncze wyrazy. Zaprzestał więc, odchylił się w fotelu, przymknął oczy. Wiek i nadmierna ilość wypitego poprzedniej nocy trunku dokonały reszty. Broda opadła mu na piersi.

Megaw, obserwując go, powtórzył cicho za Hamletem:

— ...spać, może śnić...

Puszczając w niepamięć gestykulującego przed nim prokuratora, stary sędzia przeżywał znowu procesy z dni, kiedy był młody i pełen zapału. Chciał wtedy jak najszybciej zrewanżować się za protekcję przyjaciołom, którzy mu się wystarali o nominację, władzom, które mu płaciły hojną pensję — a jego słuch był wtedy bardzo, bardzo dobry. Toteż zdarzył się bezprecedensowy proces — cywilny, nie karny — kiedy to pewien nieustraszony zamożny wieśniak zażądał od angielskiego właściciela ziemskiego kompensacji za eksmisję, zerwanie umowy dzierżawnej. Adwokat wieśniaka przemawiał z elokwencją, ale bez nadziei... przemawiał dramatycznie, gestykulował... „może śnić"...

Prokurator z Killarney, który przemawiał już przez półtorej godziny — co według niego było „zwięźle i krótko" — uderzył pięścią w rozłożone przed sobą akta i zmierzył ławę przysięgłych długim spojrzeniem:

— Pozostawiam tę sprawę w waszych niezawodnych rękach, ufając, iż dopilnujecie, aby sprawiedliwość została dopełniona do ostatniej litery prawa; ufając, że wasz werdykt będzie taki, iżby ci obłąkani rebelianci otrzymali karę, jaką od zarania wieków cywilizowany człowiek wymierzał wilkom o paszczy ociekającej krwią.

Sędzia otrząsnął się, aż peruka zsunęła mu się na bakier, pochylił się do przodu i nie otwierając oczu, oznajmił zachrypniętym, starczym, ale kategorycznym głosem:

— Nie ma potrzeby wysłuchiwać tego dłużej. Mam do powiedzenia tylko tyle, że według mojej przemyślanej opinii sprawa ma taki charakter, iż nie powinna była nigdy zostać wniesiona pod rozwagę sądu, by marnować nasz cenny czas. Ogłaszam, że obrona nie ma żadnego oskarżenia do odparcia.

Otworzył oczy, zamrugał, wstał i zbierał się do wyjścia. Prokurator porwał się na nogi. Sędziowie przysięgli, świadkowie oskarżenia gapili się ze zdumieniem. Roger, odgadując, że sędzia przemówił słowami swej przeszłości, o której śnił, uśmiechał się szeroko.

Sędzia nie słyszał protestów prokuratora, ale zrozumiał znaczenie gestów jego gwałtownie wymachujących rąk. Zatrzymał się i powiedział surowo:

— Nie przystoi nikomu kwestionować werdyktu przedstawiciela jurysdykcji jej królewskiej mości. Szanowny pan prokurator zechce zachować spokój albo zostanie skazany na miesiąc więzienia za nieposzanowanie sądu.

Gdy drzwi się za nim zamknęły, McCail powiedział:

— Dobry Pan Bóg odwraca twarz od Irlandczyków, ale nie zawsze i nie od wszystkich.

VI

Dwóch fenian z Kenmare trzeba było wypuścić z więzienia. Urzędniczki na poczcie w Killarney przetelegrafowały nowinę do ich rodzinnego miasta. Wojsko opuściło już okolicę i tłumy mieszkańców wyległy na powitanie wracających bohaterów. Pat i Denis — prawie zupełnie wyleczony i nie ukrywający się dłużej, bo policja bez poparcia żołnierskich bagnetów nie ośmieliłaby się aresztować świeżo upieczonego bohatera — wiwatowali wraz z innymi. Ale w duchu zapytywali siebie:

— A co z moim Michałem?

— A co z ojcem?

Winter początkowo nieomal był rad, że go aresztowano. Gdyby nie to, nie miałby po upadku powstania żadnej bezpośredniej sposobności zademonstrowania niedawno powziętej decyzji. Żałował tylko, że nie zobaczył się z Pat, że nie zdążył jej powiedzieć, jak głęboko ją podziwia za udział w utarczce pod Iveragh, że nie zdołał załagodzić sprzeczki, która zawisła nad ich rozstaniem.

W więzieniu zachowywał pozory spokoju, starał się dodawać odwagi dwom współtowarzyszom w celi. Więźniów politycznych traktowano na równi ze zwykłymi kryminalistami, więc jeden z jego towarzyszy okazał się oskarżonym o włamanie, drugi o defraudację. Wintera zadziwił niezrozumiały fakt, że strażnik trzy razy dziennie przynosił mu obfite, doskonałe posiłki na półmiskach z monogramem wykwintnego dublińskiego hotelu. Przed rozprawą pozwalano przysyłać posiłki więźniom, którzy mogli za nie płacić. Michał dzielił się jedzeniem ze współwięźniami w celi. Ale kto płacił? Strażnik, znacząco pocierając palce uniesionej dłoni, tylko ściągał wargi, potrząsał głową i odpowiadał:

— Może mi szanowny pan wierzyć, że ta... hm... osoba jest bardzo hojna.

Hojność tłumaczyła zapewne również respekt, z jakim strażnik odnosił się do Wintera.

Wyroki śmierci i ciężkich robót były na porządku dziennym. Ze wszystkich feniańskich procesów w Dublinie rozprawa przeciw Winterowi znalazła się na wokandzie ostatnia. Nie można mu było zarzucić czynnego uczestnictwa w insurekcji. Oskarżono go więc o złożenie przysięgi Irlandzkiego Bractwa Republikańskiego, organizacji nielegalnej, a także — za namową Artura Slattery'ego — o zaplanowanie i przygotowanie ataku na wojska angielskie stacjonujące w Clogbur w hrabstwie Kerry. W popowstaniowej atmosferze prześladowań skazanie Wintera było nieuniknione.

Dublin to nie Killarney. Rozpraw nie prowadzi sędzia stary, głuchy i zaspany po pijaństwie poprzedniej nocy. Na dublińskim zamku, siedzibie i symbolu władzy angielskiej, urzędowali ludzie, którzy rozwiązanie problemu irlandzkiego widzieli tylko w regimentach żołnierzy, celach więziennych i szubienicach.

Na parę dni przed terminem rozpoczęcia procesu Wintera wezwano do kancelarii. W gabinecie powitał go serdecznym uściskiem dłoni dobrze zbudowany, przystojny mężczyzna o pogodnej okrągłej twarzy.

— Nazywam się Ball, Jacob Ball. Może pan słyszał o mnie. Jestem rad, jestem dumny, że mogę pana poznać, panie Winter.

— Oczywiście, że o panu słyszałem — odrzekł Michał. — Nawet w odległym zakątku Irlandii, gdzie mieszkam, nazwisko pana otacza powszechny respekt.

Istotnie prasa irlandzka często pisywała o Jakubie Ballu, wybitnym prawniku, obrońcy w wielu feniańskich procesach, liderze grupy posłów irlandzkich w parlamencie angielskim.

— Zaangażowano mnie — ciągnął Ball — bym wystąpił w tym procesie jako pański obrońca. Ale usiądźmy, proszę, może cygaro? Chociaż sędzia z Kenmare jest w Dublinie i bardzo agituje przeciw panu, to według mego dotychczasowego rozeznania nie ma właściwie żadnych podstaw do wytoczenia tej sprawy.

— Obawiam się, panie mecenasie, że tu zaszło jakieś nieporozumienie — przerwał mu Winter. — Uważałbym sobie za zaszczyt, gdyby pan wystąpił w mojej obronie, chociaż byłbym trudnym klientem; ale moje warunki finansowe nie pozwalają mi...

— Niechże pan się o to nie kłopocze. Podjąłbym się tej sprawy gratis, panie Winter, w obronie człowieka prześladowanego za to, że myśli inaczej od swoich rodaków. Ale

228

w istocie rzeczy moje honorarium jest tym razem zagwarantowane...

— Ale jak? Przez kogo? Mecenasa Flanagana?

— Na ostatnie pytanie mogę odpowiedzieć, i to negatywnie. Z żalem muszę stwierdzić, że Flanagan... jak by to określić... zmienił się ostatnio. Co do innych pana pytań, wolno mi tylko powiedzieć, że chodzi tu o kogoś, kto życzy panu dobrze, kto czuje, że... to znaczy ta osoba ma powody uważać, że... to się panu należy. Bardzo czarująca osoba, panie Winter.

Oczy Balla mrugały wesoło. Sam był słynnym kobieciarzem.

Michał wzruszył ramionami.

— Wydaje mi się, że ten ktoś marnuje pieniądze, a pan, panie mecenasie, marnuje swój cenny czas. Władze dorwały się w końcu do mnie i teraz mnie łatwo nie wypuszczą ze swoich rąk.

— Ma pan przyjaciół w Kenmare. Proszę mi podać nazwiska paru, których mógłbym sprowadzić do Dublina, by poparli pana zeznania, że nie był pan członkiem Bractwa Feniańskiego.

— Tego nie mogę zrobić. Każdy, kto by to zaświadczył, musiałby sam być fenianinem, a składając takie zeznanie, o jakim pan mecenas mówi, wydałby wyrok na samego siebie.

Ball westchnął.

— Nie ułatwia mi pan zadania, panie Winter. Ale zrobimy, co w naszej mocy.

— Z pewnością. Ale to, co w mojej mocy, nie na wiele się przyda. Nie jestem winien tego, o co mnie oskarżają. Przed laty trudniłem się po trochu przemytem. Prócz tego nie popełniłem żadnych przestępstw godnych uwagi sądu. Tym niemniej zamierzam...

I żadne perswazje Balla nie zdołały go odwieść od tych zamierzeń. Na rozprawę, jak Winter dobrze wiedział, przyjdą do sądu reporterzy gazet londyńskich i tych irlandzkich, których do tej pory nie zawieszono. Proces oskarżonego o fenianizm Anglika, który opowiadał się po stronie Irlandczyków, będzie *cause célebre*. Słowa Michała Wintera wypowiedziane przed sądem przeczyta tysiące ludzi na całych Wyspach Brytyjskich. Postanowił sobie, że te słowa wyrażą jego prawdziwe przekonania.

— Ma pan żonę i rodzinę, jak wiem — powiedział w końcu Ball. — Upierając się przy takich zeznaniach, może pan sprowadzić na ich głowy wielkie kłopoty.

— Wiem o tym i boleję nad tym. Ale oni raczej zniosą wszelkie kłopoty niż świadomość, że się wyprę przekonań, które są również ich najgłębszą wiarą.

— Nie potrzebuje się pan wypierać. Po prostu nie deklarować.

— Muszę zadeklarować, stwierdzić głośno i jawnie. Tego wymaga moje sumienie.

Miejsca dla publiczności w wielkiej sali sądu dublińskiego zapełniły się strojnym tłumem Anglików; tu i ówdzie paru zamożniejszych Irlandczyków. Loża prasowa nie mogła pomieścić dziennikarzy, trzeba było wnosić dla nich dodatkowe stoły. W ostatniej chwili weszły dwie panie, obie w gęstych woalkach, skrywających ich rysy. Jedna z nich, sądząc po figurze i ruchach — rozmyślał Michał — musi mieć już ponad sześćdziesiątkę, druga z pewnością młodsza. Obudziły na chwilę jego ciekawość, ale zaraz potem uwagę jego zwróciło wejście sędziów przysięgłych, tych „dwunastu mężów prawych i rzetelnych". W tym wypadku „prawych i rzetelnych" oznaczało, że wysługiwali się obcej władzy, ciemiężącej przemocą ich rodaków.

— Czy oskarżony przyznaje się do winy?

— Nie przyznaję się — rzekł stanowczym dźwięcznym głosem.

Ale Winter miał oczywiście słuszność przewidując, że wyrok był z góry przesądzony.

— Panowie sędziowie przysięgli — rozpoczął prokurator. — Nie jest to przeciętna, tuzinkowa sprawa. W ciągu ostatnich tygodni przewinęło się przed tym sądem wielu ludzi głupich, nie uświadomionych, a także wielu pospolitych zbrod-niarzy. Ale każdy z nich mógł się usprawiedliwiać, jakkol-wiek niesłusznie, że to co czynił, czynił dla dobra — jego zdaniem — irlandzkiego narodu i że w jego żyłach płynie irlandzka krew. Oskarżony, który staje dziś przed nami, nie może pretendować do takich usprawiedliwień. To co czynił, co czynił od wielu lat, nie czynił dla dobra swego narodu, gdyż w jego żyłach płynie krew — wstyd się przyznać — taka sama jak w moich. Jest Anglikiem; co więcej, pochodzi z angielskiej rodziny szlacheckiej...

Uderzono od pierwszej chwili we właściwą nutę i stało się zrozumiałe, dlaczego wniesione przez Artura Slattery'ego oskarżenie przeciw Michałowi Winterowi spotkało się od razu z takim entuzjazmem strażników prawa i sprawiedliwości: „jest Anglikiem... z angielskiej rodziny szlacheckiej..."

Prokurator rozwodził się dość długo nad życiorysem Win-tera — wszelkich informacji dotyczących lat od czasu wspól-nej z Pat ucieczki w 1848 dostarczył Slattery, przedstawiając je w najczarniejszych barwach.

Slattery przyszedł osobiście, gotów radować się swym z dawna odkładanym, cierpliwie przygotowywanym i jak przypuszczał, ostatecznym triumfem nad przeklętymi Winte-rami. Jako świadek przedstawił nagryzmoloną przez Sulliva-na notatkę: „Michał Winter jest aktywnym członkiem Bractwa Feniańskiego, mózgiem organizacji w Kenmare". Z mściwą zaciętością sędzia ziemski mówił:

— Oskarżony występował przeciw prawu zawsze, od kie-dy go znałem. Był przemytnikiem, dopóki przemyt nie stał się dla niego zbyt niebezpieczny. Jest człowiekiem wykształco-nym, gładkim i chytrym. Umie tuszować swoje występki prze-ciw prawu. Gdyby nie ten dowód — potrząsnął zgniecioną kartką Sullivana — mógłby nawet teraz uniknąć kary, chociaż był przyczyną śmierci lub uwięzienia tuzinów otumanionych przez niego głupków.

Jeden z wziętych do niewoli ludzi Megawa otrzymał par-don i pracę w Dublinie na pewnych ściśle określonych warunkach. Ze schyloną głową i wzrokiem wbitym w podłogę zeznawał szeptem, ledwie dosłyszalnie:

— Tak, oskarżony był jednym z nas, fenian... Przysięgam... Ponieważ miał tylko jedną rękę, więc nie przychodził na musztrę i ćwiczenia wojskowe... Ale on był prawdziwym przywódcą w Kenmare.

Jakub Ball argumentował, że notatka Sullivana nie ma żadnej wartości jako dowód, ponieważ jej autor nie żyje i nie może potwierdzić jej autentyczności. Mowa obrończa nie należała do najlepszych osiągnięć sławnego adwokata. Trudno się dziwić: Ball znał intencje oskarżonego.

Prokurator prowadził spokojnie przesłuchiwanie oskarżonego — nie potrzebował uciekać się do agresywności, skoro oskarżony sam szedł mu na rękę — ale z sarkastyczną grzecznością zapytał:

— Czy pan przyznaje, szanowny panie, że należąc do Irlandzkiego Bractwa Republikańskiego, organizacji, której celem był bunt, stał się pan zdrajcą?

Winter odpowiadał stanowczo, śmiało, chociaż bez arogancji:

— Nigdy nie byłem członkiem Bractwa ani żadnej innej wywrotowej organizacji.

— Czy szanowny pan życzy sobie widzieć Anglików wyrzucanych z Irlandii?

— Nie, ale chętnie bym widział koniec angielskich rządów w Irlandii.

— Więc pragnie pan, szanowny panie, ujrzeć Irlandię jako wolną republikę?

— Tak, z całego serca.

— Czyż więc nie jest pan, szanowny panie, zdrajcą wobec majestatu jej królewskiej mości?

— Wielu Irlandczyków pragnących wolności dla swego kraju woła „Boże, chroń królową!", ale potępia jej rząd. Zgadzam się z nimi.

— I szanowny pan nie uważa, iż w ten sposób zdradza brytyjską wspólnotę narodów?

— Nie uważam. W ostatecznym rozrachunku nie wyjdzie na korzyść brytyjskiej wspólnocie narodów, jeśli przemocą będzie trzymać w poddaństwie narody wbrew ich wielokrotnie wyrażanej woli. Ci, którzy sądzą inaczej, są wrogami brytyjskiej wspólnoty narodów, a nie ja.

Jakub Ball siedział z łokciami wspartymi na stole, a głową wspartą na zaciśniętych pięściach. Ten jego klient był, jak tylu Irlandczyków przed nim, albo bohaterem, albo głupcem: zaryglowywał przed sobą drzwi, które go mogły wyprowadzić na wolność. Oskarżony o niepopełnione przestępstwo, zostanie skazany za niepotrzebnie deklarowane poglądy. Reporterzy notowali gorączkowo, nie opuszczając ani jednego słowa. Starsza z zawoalowanych kobiet zwróciła głowę w stronę Wintera. Druga siedziała przygarbiona.

Prokurator pochylił się i wystrzelił ostatnie pytanie, jak kulę z pistoletu:

— Czy więc oskarżony uważa, że jego opinie usprawiedliwiają fakt przeciwstawiania się obowiązującemu w tym kraju prawu?

— Prawa człowieka — odparł Winter — stoją moralnie wyżej od narzuconych przemocą praw najeźdźców.

Prokurator uśmiechnął się i rzekł:

— Myślę, że to wystarczy, wysoki sądzie.

Na ławie przysięgłych wymieniano spojrzenia, kiwano głowami. Sędzia powiedział do Wintera:

— Wszystko, co nam oskarżony do tej pory powiedział, było samooskarżeniem. Czy oskarżony nie ma nic do powiedzenia na swoją obronę?

— Mogę tylko przysiąc, że nie jestem winien, wysoki sądzie. Moje słowo stanowi jedyną obronę przed zarzutami przytoczonymi przeciw mnie. Prawdą jest, jak to sugerował szanowny prokurator, że wolałem żyć z moją irlandzką żoną w kompanii irlandzkich farmerów, rybaków, sklepikarzy i robotników aniżeli z angielską szlachtą. I to jest prawdziwym zarzutem przeciwko mnie. Istotnie przekroczyłem niepisane prawo kasty. I nie żałuję tego. Jeśli kiedykolwiek odzyskam wolność, powrócę do tego życia. I zawsze będę się opowiadał po stronie moich przyjaciół, zwłaszcza przyjaciół w nieszczęściu, przyjaciół prześladowanych. A jeśli to prowadzi mnie do konfliktu z rządem, którego władzę charakteryzuje przemoc i ucisk słabych, to muszę ponieść konsekwencje.

Biedny Jakub Ball potrząsnął głową, wzruszył beznadziejnie ramionami i przedarł na pół swoje notatki. Reporterzy podawali zapisane kartki papieru gońcom, wyprawiali ich, by pilnie przekazywali wiadomości do Londynu, Glasgow, Belfastu i Cork.

Na twarzy prokuratora widniał uśmieszek zadowolonego myśliwego fotografującego się przed klatką z ofiarą, która weszła sama w pułapkę. Jeśliby pozostał — co było nieprawdopodobne — choćby cień wątpliwości w umysłach sędziów przysięgłych, prokurator rozwiał te wątpliwości w swej ostatniej mowie, w której głównie używał i nadużywał słów „zdrajca" i „renegat". Zakończył:

— Spójrzcie tylko, panowie sędziowie przysięgli, na oskarżonego! Mógł żyć i umrzeć jako angielski szlachcic, ale jak sam się przyznaje, wolał nikczemną kompanię! A teraz wysoko podnosi głowę i z bezczelną impertynencją wyzywa wasz wyrok. Będziecie wiedzieli, panowie sędziowie przysięgli, jak odpowiedzieć na takie wyzwanie.

I owszem, wiedzieli. Wydali werdykt nawet nie opuszczając ławy przysięgłych na naradę. A sędzia ogłosił wyrok skazujący oskarżonego na dziesięć lat ciężkich robót. Dziennikarze wybiegli z sali. Michał Winter śledził ich wzrokiem z zadowoleniem. Sąd, prokurator, Slattery — odnieśli zwycięstwo. Ale nagłówki w gazetach: „Skazany za fenianizm Anglik — nieugięty!" przyniosą zwycięstwo jemu.

Gdy później Jakub Ball odwiedził swego klienta w więzieniu Kilmainham, Michał powiedział:

— Uniemożliwiłem panu uczynienie czegokolwiek dla mnie, ale zaklinam pana, panie mecenasie, byś uczynił wszystko możliwe dla mojej żony i dzieci w Kenmare.

— Proszę być absolutnie o to spokojnym, mój biedny, szlachetny przyjacielu — odpowiedział Ball. — Jestem pewien, że ta wielkoduszna osoba, która zaangażowała mnie do obrony, nie zapomni, że ma pan bliskich i kochanych, uzależnionych od pańskiego losu.

— Nie tyle pieniędzy im będzie potrzeba — dorzucił Michał — ile współczucia.

— Tym obdarzy ich cała Irlandia, a i wielu w Anglii — zapewnił go Ball.

Michał uśmiechnął się i spytał:

— Współczuciem dlatego, że utracili na pewien czas męża i ojca, czy też dlatego, że zły los takiego męża i ojca im przeznaczył?

Ball uścisnął mu rękę, mówiąc:

— Dzielni ludzie stawiają czoło nieszczęściu z żartem na ustach.

VII

Na przedmieściach Manchesteru ceglany wiadukt, wzmocniony stalą, prowadził ulicę Hyde pod mostem na drugą stronę torów kolejowych. Na prawo od ulicy, przy murze, znajdował się pusty plac przyległy do magazynów dworcowych. Dalej otwierały się już pola. Pod wiaduktem, zbudowanym na trzech łukach, wiodły trzy przejścia: jedno szerokie dla ruchu kołowego i dwa węższe po obu stronach — dla pieszych.

Pewnego wrześniowego ranka jakichś piętnastu mężczyzn wałęsało się pozornie bez celu przed obu węższymi przejściami pod wiaduktem. Wśród nich był Peter Winter, zmieniony nie do poznania z powodu sztucznych wąsów i brody, oraz Tom Keefe. Peter niecierpliwymi palcami dotykał co chwilę grubego pilnika w jednej kieszeni luźnej, obszernej kurtki, młotka w drugiej. Wiedział, jak cała Anglia wiedziała, o skazaniu ojca na ciężkie więzienie. Chciał wywiązać się z nałożonego zadania, by jak najprędzej wrócić do Irlandii, pocieszyć rozpaczającą matkę i szukać pomsty na człowieku, za którego sprawą, jak Peter bez trudu odgadł, jego ojciec znalazł się w więzieniu.

Kilku Anglików stało na drodze blisko mostu, co zaniepokoiło towarzyszy Petera, nasuwając przypuszczenie, że ich plany zostały zdradzone. Trzej młodzi ludzie spod wiaduktu wdali się więc w rozmowę z Anglikami i zaprosili ich do pobliskiej piwiarni. Ledwie znikli, gdy Edward Condon, były oficer amerykański, przywódca i organizator akcji, dał sygnał:

— Jedzie karetka!

Młodzi ludzie zajęli wyznaczone stanowiska, spoglądając wzdłuż ulicy pod wiaduktem w kierunku komisariatu policji.

Parę dni wcześniej policja w Manchesterze aresztowała dwóch mężczyzn, którzy się podejrzanie zachowywali. Aresztowani podali nazwiska Wright i Williams; oskarżono ich o włóczęgostwo z zamiarem popełnienia przestępstwa. Poważniejszy był to połów, niż się spodziewano. Wezwano Johna Josepha Corydona, który przesiadywał w mieście, by dopomagać policji w wyszukiwaniu uciekinierów z Irlandii, wymykających się władzom po upadku powstania, i kazano mu przyjrzeć się więźniom podczas spaceru. Corydon zidentyfikował „Wrighta" i „Williamsa" jako pułkownika Thomasa Kelly'ego i kapitana Timothy'ego Deasy'ego.

Tego dnia gdy ludzie Condona stanęli na stanowiskach przy wiadukcie, w sądzie magistrackim odbyła się druga rozprawa, podczas której oskarżono obu więźniów o kierownictwo i organizowanie niedawnej insurekcji. Sąd magistracki przekazał sprawę wyższej instancji, a więźniów, z kajdankami na rękach, umieszczono w dwóch oddzielnych pomieszczeniach karetki więziennej, by ich odwieźć do pobliskiego więzienia Belle Vue.

Gdy karetka zbliżała się do mostu, Peter dostrzegł na ławeczce na dachu dwóch policjantów z pałkami. Karetka nad-

236

jeżdżała, woźnica nieświadom niebezpieczeństwa. Wyjechała spod łuku wiaduktu. Fenianie skoczyli na karetkę, strącili woźnicę z kozła. Inni strzelali do koni: oba padły. Kilka strzałów poszło bokiem: jeden trafił w Anglika wybiegającego z piwiarni, drugi — Peter spostrzegł z przerażeniem — w Toma Keefe'a, który chwycił się oburącz za brzuch i potoczył po bruku.

Peterowi wyznaczono ważne indywidualne zadanie: nie mógł pośpieszyć z pomocą przyjacielowi. I na nic by się to nie przydało. W chwilę później biedny Tom znieruchomiał, już na zawsze.

Policjanci siedzący na dachu karetki zeskoczyli. Zarówno ich, jak policjantów jadących dla ochrony w następnej karetce natychmiast otoczyli fenianie. Wywiązała się utarczka. Któryś z ludzi Condona wskoczył na dach i próbował łomem przebić dziurę.

Przechodnie uciekali, ale i nadbiegali. Anglicy z piwiarni zaczęli rzucać kamieniami w atakujących. Jeden z fenian przyłożył pistolet do zamka w drzwiach z tyłu karetki — i pociągnął za cyngiel. Peter czekał baczny i czujny. Prawie natychmiast drzwi się otworzyły, wyskoczyło kilku więźniów, w tym dwie kobiety. Ostatni ukazali się Kelly i Deasy, których ruchy krępowały skute ręce. Peter podbiegł, dostrzegł jeszcze policjanta leżącego na podłodze karetki. Condon krzyknął:

— Zabieraj ich, Peter!

Ani Kelly, ani Deasy nie byli uprzedzeni o próbie odbicia. Zadanie Petera polegało na odprowadzeniu ich w bezpieczne miejsce.

— Za mną! — zawołał i pobiegł przodem, przez pole na dziedziniec magazynów kolejowych.

Condon i jego ludzie zaangażowali w utarczce przechodniów i policjantów, strzelając w powietrze, waląc pięściami.

Kelly i Deasy, nadal w kajdankach, wbiegli w ślad za Peterem na dziedziniec, przedostali się przez ogrodzenie i na drugą stronę torów. Nadjechał pociąg towarowy, na kilka minut wykluczając możliwość pogoni.

Fenianie przy wiadukcie na dany znak rozproszyli się, ale trzech — O'Briena, Larkina i Allena — zagarnęły oddziały policji, które na odgłos strzelaniny nadbiegły z pobliskiego więzienia.

Peter poprzednio parokrotnie zbadał drogę ucieczki. Prowadził odbitych więźniów biegiem, jak najśpieszniej, do stodółki ukrytej w zaroślach. Obok stała furmanka załadowana workami. W stodółce Peter z pomocą woźnicy furmanki przepiłował i zdjął kajdanki. Upewniwszy się, że nikt ich nie ściga, ukrył Kelly'ego i Deasy'ego pod workami i sam się pod nie wsunął. Woźnica zaciął konie.

Ich najbliższym celem był dom O'Hegarty'ego. Uwolnieni zatrzymali się tam tylko po to, by się przebrać w przygotowaną odzież i ucharakteryzować dla niepoznaki. Gotów już do drogi, Kelly powiedział do Petera:

— Po raz drugi, Winter, mam powód ci pogratulować i podziękować. Panie O'Hegarty, cokolwiek się stanie ze mną i kapitanem Deasym, proszę dopilnować, aby wiedziano w Irlandii o szlachetności, odwadze i poświęceniu tego młodego człowieka.

Ucieczka była dobrze zorganizowana i przygotowana. Na ulicy stał wielki wóz piwowarski. Między beczkami ukryli się feniańscy przywódcy, dwa lśniące perszerony ruszyły z kopyta gościńcem do Liverpoolu.

W parę dni później tragarz ze statku w porcie liverpoolskim pośpieszył w dół po schodni, by dopomóc księdzu, który miał trudności ze swoim bagażem na nabrzeżu. Gdy obaj podeszli do schodni, ksiądz dał tragarzowi szylinga napiwku. Ten zaprotestował, że za mało. Wynikła sprzeczka. Policjant wysłany, by szukać dwóch uciekinierów z więzienia manchesterskiego, podszedł bliżej, skarcił tragarza za bezczelność i kazał mu zanieść bagaż księdza na statek. W piętnaście minut później ksiądz *alias* kapitan Deasy oraz tragarz — pułkownik Kelly — byli już na morzu, a statek wiózł ich do Stanów Zjednoczonych.

*

Gdy uciekinierzy opuścili dom O'Hegarty'ego, Peter, głęboko strapiony z powodu śmierci przyjaciela, powędrował do kuchni, by zmyć spirytusem wąsy i brodę, przyklejone na twarzy. O'Hegarty poszedł za nim, przynaglając:

— Pośpiesz się, chłopcze. Ciebie również musimy stąd wydostać. Zaraz się zacznie polowanie i żaden Irlandczyk w Manchesterze nie będzie bezpieczny.

— A co z panem? — zapytał Peter.

— Ja mam alibi — odparł były ksiądz, poklepując swoją drewnianą nogę.

Wręczył Peterowi bilet kolejowy do Carlisle, daleko na północy, koło szkockiej granicy. Następnie napisał list do przyjaciela w tym mieście, prosząc go, by wsadził Petera na pierwszy statek do Irlandii, którego kapitanowi będzie mógł zaufać. Pociąg odchodził za dwie godziny. Żegnając się ze swoim młodym pomocnikiem, O'Hegarty powiedział:

— Żałuję, że nie możesz zostać ze mną na stałe. Jesteś nie tylko dzielnym Irlandczykiem, byłeś również nieocenionym magazynierem. Ale oprócz twojego bezpieczeństwa trzeba też pomyśleć o tej młodej dziewczynie...

Peter zaczerwienił się i uśmiechnął.

— Liczę, że teraz jej rodzice innym okiem na mnie popatrzą — rzekł. — To pan polecił mnie na przewodnika w ucieczce pułkownika i kapitana. Nie wiem, jak podziękować...

— Nie ma potrzeby — przerwał mu O'Hegarty. — Wiedziałem, komu można zaufać, i dumny jestem, że ciebie poznałem. No, bezpiecznej podróży i tysiąc życzeń szczęścia!

Następnego ranka w Carlisle przyjaciel O'Hegarty'ego nazwiskiem Horace Milman pokazał Peterowi gazetę z opisem odbicia więźniów. Policjant wewnątrz karetki został zabity kulą wystrzeloną w zamek. Tego samego wieczoru w Manchesterze wybuchły zamieszki pod hasłem: „Precz z Irlandczykami!" i „Precz z papistami!". Policja przeszukiwała mieszkania emigrantów, aresztowano setki podejrzanych — aresztowano właściwie każdego, kto nosił irlandzkie nazwisko albo mówił z irlandzkim akcentem.

— Moi towarzysze cierpią, gdy ja umknąłem zdrowo i cało — mówił Peter. — Powinienem wrócić...

— A nie bądźżeż skończonym głupcem! — wykrzyknął Milman. — Dasz w prezencie policji jeszcze jedną ofiarę, złamiesz serce swojej matce, a nikomu z towarzyszy ani odrobinę nie pomożesz. Z tego co mi powiedziałeś, wnoszę, że zrobiłeś już niemało dla Irlandii. Nie psuj tego bezpłodnym poświęceniem.

Peter pojmował, że tak przemawia zdrowy rozsądek. Odgadywał również, że jego ojciec poświęcił siebie, by dowieść swego oddania ojczyźnie ukochanej żony. Peter dowiódł już swojej odwagi i dzielności. A Dafne — wzywała.

Po przesianiu przez sito przesłuchań i zeznań z setek aresztowanych w Manchesterze zatrzymano ostatecznie dwudziestu sześciu. Z tych oskarżono dwudziestu jeden o udział w zamieszkach, a pięciu, włącznie z Edwardem Condonem i trzema fenianami — o morderstwo.

Irlandia miała czcić wszystkich, którzy wzięli udział w odbiciu z więzienia pułkownika Kelly'ego i kapitana Deasy'ego. Ale trzech z pięciu skazanych — nie dlatego iżby byli wmieszani w zabójstwo policjanta w karetce, bo żaden z nich nie oddał fatalnego strzału, ale dlatego że byli Irlandczykami — zdobyło miano „męczenników z Manchesteru". Ich uczczono pośmiertnie. O'Hegarty, bezzwłocznie wyprawiając Petera w drogę do Carlisle, ocalił go zapewne od szubienicy. Dzięki temu młody człowiek miał wrócić jako bohater do ojczystego kraju, gdzie już płonęły ogniska na cześć akcji, w której odegrał główną rolę.

ROZDZIAŁ SIÓDMY

I

Irlandia, do której Peter wrócił po paru tygodniach czekania na odpowiedni statek, zbierała gorzkie żniwa klęski. Ziemianie, czując się jeszcze pewniej w siodle, eksmitowali dzierżawców pod byle pretekstem. Sędzia Slattery, rad z siebie, powrócił do Dublina, ale w Kenmare z braku dowodów nie mógł wszcząć akcji przeciw rodzinie Winterów. Naraził się jeszcze dodatkowo mieszkańcom okolicy, ponieważ zabrał się do likwidowania nielegalnych destylarni ulubionej potiny. Pewnego razu policjant, spotkawszy George'a Keefe'a trudniącego się teraz do spółki z sąsiadem rybołówstwem, a także różnymi dorywczymi zajęciami, powiedział do niego:

— Wiem, że wczoraj naprawiałeś u kogoś kocioł do destylowania alkoholu. Gdzie to było? Odpowiedzieć natychmiast!

— Tak jest, oczywiście, panie władzo — odrzekł George, udając przestrach.

— Więc gdzie?!

— Żeby tak powiedzieć najszczerszą prawdę, a nie skłamać, to naprawiałem kocioł dokładnie tam, gdzie była dziura! — odrzekł Keefe i nurknął za żywopłot.

Idąc za przykładem ziemian angielskich z innych prowincji Irlandii, Slattery postanowił usunąć swoich drobniejszych dzierżawców, a ziemie ich obrócić na pastwiska do wypasu wielkich stad owiec. Podwyższał więc czynsze tak dalece, że nikt nie mógł ich płacić, po czym eksmitował gospodarzy z całą bezwzględnością. Jeśli nie chcieli się wyprowadzać, kazał podpalać zabudowania mieszkalne i gospodarcze. Świeżo wynajętych owczarzy i pasterzy sprowadzał z dalszych okolic.

— Nie rozumiem tych ludzi — mówiła Pat Winterowa o świeżo wynajętych pracownikach we dworze. — Jak oni mają czoło tu przyjeżdżać? Czyż nie rozumieją, że idą na rękę wrogom własnej ojczyzny, że im pomagają wyrzucać prawowitych właścicieli tej ziemi?

Wiadomość o wyroku wydanym na Michała Pat przyjęła z suchymi oczyma, lecz płonącym sercem. Łzy mu nie pomogą. Nie wiedziała, co by mu mogło pomóc. Ale zamierzała sprawić, by Slattery gorzko żałował, że kiedykolwiek skrzyżował broń z Winterami.

— Daj krowie pod dostatkiem siana, a odda ci mlekiem — odpowiedział Roger na oburzenie Pat. — Tak samo z tymi nowymi parobkami. Obchodzą ich cotygodniowe zarobki, nic więcej.

— No to się będą musieli nauczyć patrzeć dalej niż końca swego nosa! — wybuchnęła Pat. — A jego wielmożność pan sędzia ziemski dostanie nauczkę! — I powtórzyła, co kiedyś rzekła Denisowi i Williamowi: — Mam pewien plan. Wykombinował go mój brat Sean, ten, którego powieszono w czterdziestym ósmym... nie zdążył już zastosować swego pomysłu w praktyce...

W wielu okręgach wieśniacy odpowiadali na masowe eksmisje napaściami i gwałtami. Nie mogąc dosięgnąć ziemian, ochranianych przez policję i żołnierzy, mścili się na farmerach, którzy brali w dzierżawę gospodarki po eksmisji. Niszczyli ich dobytek, kaleczyli bydło, nawet napadali na nich samych, w niejednym wypadku z tragicznym rezultatem.

Pat miała plan innego rodzaju. Żadnych gwałtów ani napaści. Michał w swoim najbardziej legalistycznym okresie nie znalazłby tu nic do zarzucenia. Zwracano się tylko przeciw jednemu człowiekowi. W parę lat później plan ten, wskrzeszony i zalecany przez wielkiego przywódcę narodu irlandzkiego Karola Parnella Stewarta, zawsze niechętnego wszelkim formom przemocy, miał być zastosowany przeciwko administratorowi majątku ziemskiego, niejakiemu kapitanowi Boycottowi. Nazwisko jego weszło do słowników całego prawie świata. Bojkot miał się rozszerzyć na całą Irlandię i wyrwać ówczesnemu ministrowi rządu brytyjskiego rozpaczliwy okrzyk:

— Tą bronią nas pokonają, jeśli nie zdołamy im jej odebrać!

I tą bronią Pat Winterowa zamierzała pokonać Artura Slattery'ego.

Z Peterem albo Denisem czy też McCailem, kto się nawinął pod rękę, Pat objeżdżała okolicę starą bryczką z Iveragh. Rozprawiali na targach, w karczmach, a nawet, jeśli trafili na przychylne usposobienie proboszcza, w przedsionkach kościołów. Luke O'Flaherty wałęsał się po wsiach, w potoku gadaniny kryjąc brzemiennne znaczeniem słowa. Pat zdobyła się na odwagę i odwiedziła O'Neillów w Lanragh. Powitano ją — ku jej zdumieniu — z wielką sympatią, jako bohaterkę i żonę uwięzionego przez Brytyjczyków działacza. Uzyskała bez trudu ich zgodę na współdziałanie z jej planem w Lanragh i najbliższym sąsiedztwie.

— Jeśli Katarzyna O'Neill powie, że coś będzie załatwione, to można spać spokojnie — opowiadała później Pat. — Ona sprawuje w Lanragh rządy bardziej despotyczne od sędziów czy ziemian. Jej słowo decyduje o wszystkim.

W powrotnej drodze do Kenmare Pat wstąpiła do ojca Liama O'Connora, który niechętnym okiem patrzył na sędziego Slattery'ego, współczuł niedoli swoich parafian, a do bezbożnej rodziny Winterów odnosił się od niedawna z szacunkiem. Przyrzekł więc współdziałanie. Ale biednego proboszcza gnębiło sumienie. Winterowie szanowali go za jego zachowanie podczas utarczki powstańców z żołnierzami pod Iveragh. Ale gdyby wiedzieli, że to on zdradził młodą miłość Petera i Dafne? Spojrzawszy na szczerą, otwartą twarz Winterowej, pod wpływem nagłego impulsu postanowił zrzucić z siebie ciężar dolegającej mu tajemnicy. Odprowadzając Pat do furtki ogrodu, rzekł:

— Muszę pani coś wyznać...

Kiedy skończył, Winterowa zamiast wybuchnąć gniewem, tylko się roześmiała:

— Słuchać spowiedzi spowiednika to dla mnie nowość! — żartowała. — Wydaje mi się, że ojciec sam sobie pokutę wyznaczył, dręcząc się tym. Ja z chęcią udzielam rozgrzeszenia!

Położyła życzliwą dłoń na jego chudym ramieniu.

— Ale ten młodzieniec! — rzekł ksiądz. — Co on sobie pomyśli?

— Nic sobie nie pomyśli — odparła Pat. — Po co ma się o tym dowiedzieć? Nie ma żadnej potrzeby. Ja z pewnością nie powiem, a nie wyobrażam sobie, by mu O'Neillowie powiedzieli. Peterowi tylko to na dobre wyszło. Jak my wszyscy, ma dla ojca głęboki respekt. I niech tak będzie. Proszę odwrócić kartkę, zaśpiewamy następny hymn.

— Pani doprawdy sądzi... — ksiądz O'Connor odetchnął z wielką ulgą.

— Proszę o tym zapomnieć, ojcze kochany — rzekła Pat. — Mamy wszyscy znacznie ważniejsze sprawy na głowie.

Gdy wychodziła za furtkę, ksiądz uczynił nad nią znak krzyża.

Slattery może odgadywał, kto był sprawcą jego pognębienia, ale dowodu nigdy nie zdobył. Tlące wśród mieszkańców niezadowolenie wzrosło jeszcze po surowym wyroku wymierzonym Winterowi, którego zawsze lubiano nie tylko w Kenmare, ale i w całej okolicy. A teraz, po jego przemówieniu przed sądem, przedrukowanym w prasie i po wielekroć dyskutowanym, nawet Gerald Wolfe i jego towarzysze z huty zaniechali dawniejszej nieufności. Toteż ogromna większość mieszkańców wyraziła od razu gotowość przystąpienia do realizacji planu Pat Winterowej, a tych paru, którzy się ociągali, nie doniosło o nim nikomu z władz z obawy przed sąsiadami.

Gdy rządca dworski Ernest Greene udał się w swój następny regularny obchód wsi, by ściągać czynsze od jeszcze nie wyeksmitowanych dzierżawców, nikogo nie mógł zastać w domu. Wszędzie drzwi pozamykano na głucho i nikt mu nie otwierał, chociaż parokrotnie zdawało mu się, że go obserwowano spoza firanek. Przychodził po kilkakroć — bez skutku.

— Przeklęci buntownicy! — wykrzyknął Slattery, wysłuchawszy sprawozdania rządcy. — Pożałują tego. Wyeksmitujemy całą tę bandę co do jednego!

Jako sędzia ziemski mógł wydawać wyroki eksmisyjne. Ale do tej masowej operacji uznał za wskazane przywołać wyższy autorytet. Pewnego dnia woźny sądowy z Killarney maszerował do Clogbur z kieszeniami wypchanymi pozwami eksmisyjnymi, które miał doręczyć dzierżawcom. O kilometr od wsi napotkał liczną grupę wieśniaków zbrojnych w kije i widły. Prowadził ich ksiądz Liam O'Connor.

— Jestem tutaj, mój przyjacielu, aby dopilnować, żeby ci się nie stała krzywda — zaczął ksiądz. — Ale jeśli będziesz się upierał, by iść dalej, nie mogę zagwarantować powodzenia moich wysiłków.

Woźny wybrał rozwagę miast odwagi i wycofał się, nie doręczywszy pozwów. W ciągu następnych dni, szerokim łukiem okrążając Clogbur, poszedł do innych wsi należących do majątków dworskich, włącznie z Lanragh, ale wszędzie spotkał się z podobnym przyjęciem, chociaż nie zawsze pod auspicjami miejscowego proboszcza. Wobec czego Slattery zwrócił się do komendanta garnizonu w Killarney o pomoc. Odmówiono mu.

— Stacjonujący tu żołnierze będą wysłani gdzie indziej — powiedział pułkownik. — Nadejdą oddziały złożone ze świeżych rekrutów, jeszcze niewyćwiczonych. Trudno je wysyłać na jakąkolwiek operację, chyba że zachodzi konieczność stłumienia jawnej rebelii.

Tak więc Slattery musiał na razie obywać się bez wpływów z czynszów dzierżawnych i tym intensywniej zajął się hodowlą owiec. Pierwsza faza planu Pat Winterowej powiodła się doskonale.

Następnie któregoś ranka Luke O'Flaherty zajrzał do sklepu Winterów, by oznajmić ze zwykłym potokiem wymowy, że Slattery nie może znaleźć nowej gospodyni na miejsce tej, która bez żadnego widocznego — dla pracodawcy — powodu odeszła z Kenmare Lodge. Ponoć sędzia posłał do Dublina po żonę, by się zajęła domem. Pat uniosła wysoko brwi i rzekła ze śmiechem:

— Dobrze to zrobi wielmożnej pani. Chciałabym ją zobaczyć zmywającą statki i wynoszącą nocniki!

— Ach, droga pani Winterowa, ale ja się rumieńcem oblewam, słuchając takich rzeczy! — rzekł Luke. — Tylko że pewno wielmożna pani Slattery każe mężowi wynosić te hm, hm, naczynia! Może sędzia spadnie ze schodów i głowę sobie wbije w — to właśnie naczynie!

Pani Slattery rzeczywiście przyjechała do Kenmare Lodge, nie tyle powodowana przywiązaniem do męża ani nawet poczuciem obowiązku, ale dlatego, że mąż mógł przymusić ją do przyjazdu sądownie, a był w takim nastroju, że można się było tego po nim spodziewać. Po jej przyjeździe humor sędziego jeszcze się pogorszył, co było zrozumiałe, bo małżonka wymyślała mu bez przerwy. Winiła go za upokorzenia, nie mówiąc już o nadwerężaniu rączek i cery — jakie musiała znosić, osobiście stojąc nad kuchnią, by mu gotować posiłki. A posiłki te były raczej kiepskie w porównaniu z tym, do czego Slattery przywykł. Prócz gotowania pani Slattery nie podejmowała się żadnych innych obowiązków domowych. Wolała przesiadywać na kanapie, czytając francuskie romanse i popijając francuskie wina — jedyne, co aprobowała w domu swego męża — aż kręciło się jej w głowie i plątały nogi. We dworze było coraz brudniej, obrusy poplamione, w kuchni nieład. Slattery tęsknie wspominał dawne wygodne, uporządkowane życie.

Ale to były dopiero początki jego kłopotów. Pewnego ranka Ernest Greene wyszedł z domu i przewrócił się jak długi. W nocy przeciągnięto przez ścieżkę przed wyjściem drut w charakterze pułapki. Strach o całość własnych członków dodał mu odwagi do wyzwania gniewu pracodawcy, więc Greene w godzinę później powiedział:

— Odchodzę, proszę wielmożnego pana. Wracam do Anglii. Już ja wolę żyć z żoną, chociaż jędzą, niż tu zostać i dać się zamordować tym przeklętym wieśniakom, którzy na mnie zwalają cudze winy.

Slattery podniósł szpicrutę, ale zanim zdążył zdzielić rządcę, znalazł się niespodziewanie w pozycji leżącej na klombie, zarastającym chwastami. Zdumiony patrzył za oddalającą się postacią człowieka, który do tej pory bał się nawet mruknąć. Greene rozzuchwalony świadomością, że cios wymierzony przez niego pracodawcy przeobrazi niebezpieczniejszych wrogów — tych, którzy zakładali druciane pułapki na niego — w przyjaciół, odwrócił się jeszcze i krzyknął:

— A jeśli spotka mnie oskarżenie o napaść, może się wielmożny pan spodziewać gorszych przypadków!

Dziedzic na Kenmare Lodge zrozumiał. Dał spokój Greene'owi i mianował tymczasem rządcą najstarszego pastucha. Był to pijaczyna boży, nie chciał mieć nic do czynienia z dzierżawcami i zawsze brał stronę podległych mu parobków, gdy zgłaszali pretensje do pracodawcy albo dali mu powód do nagany.

Któregoś dnia elegancki powóz zatrzymał się przed sklepem Winterów. Józef skoczył po siostrę:

— Bardzo strojna pani — zawołał. — Chodź do sklepu, Pat! Może nie będę wiedział, jak z nią gadać!

— Jestem dziedziczką z Kenmare Lodge — oznajmiła chłodno dama. Była jeszcze piękną kobietą, ale wzgardliwy wyraz twarzy zrażał do niej ludzi. — Mój mąż wplątał się w jakieś kłopoty, niezrozumiałe zresztą dla mnie, i w rezultacie muszę osobiście załatwiać nawet najzwyklejsze sprawunki. Niewygodne i nie przywykłam do tego. Potrzeba mi sześciu rondli rozmaitych wymiarów. Szczerze powiedziawszy, w starych poprzepalałam dna. Nigdy dotąd nie zajmowałam się...

— Żałuję, ale nie mamy rondli na sprzedaż — przerwała jej Winterowa.

— Ależ widzę tam na półce...

— Te się nie nadają dla pani. To są rondle dla zwykłych wiejskich gospodyń, które wiedzą, jak się z nimi obchodzić, i dna nie przepalają.

— Co za impertynencja! — Pani Slattery tak gniewnie potrząsnęła głową, że twarzowy kapelusz przekrzywił się niezgrabnie. — Proszę mi sprzedać, czego zażądałam. Nie mam zamiaru znosić takich impertynencji. Będę kupowała, gdzie zechcę!

— A ja będę sprzedawała, komu zechcę! — odparła Pat.

— Rzeczywiście! Żona więziennego ptaszka! Proszę nie zapominać, że mój mąż jest sędzią ziemskim i może... — Głos pani Slattery zdradzał irytację.

Gniew wzbierał w Pat, ale się pohamowała i odrzekła dość spokojnie:

— Nie ma takiego prawa, proszę pani, które by mnie zmuszało do sprzedawania czegokolwiek. Mogę sprzedawać, komu zechcę, i odmówić, jeśli sprzedać nie chcę. Co do pani męża, to cała okolica dobrze wie, że jest sędzią ziemskim i jeszcze czymś prócz tego.

Pani Slattery, bliska histerii, wykrzyknęła:

— Nigdy w życiu z niczym podobnym się nie spotkałam! Jeszcze tego pożałujecie, wy wszyscy! — I wyszła.

Pat stanęła w drzwiach i obserwowała, jak pani Slattery wchodziła kolejno do czterech sklepów. Od rzeźnika McCaila i dwóch następnych wyszła szybko, z pustymi rękoma i najwidoczniej coraz bardziej zirytowana. W czwartym, u Meltona, który miał handel korzenny, została dłużej. Wyszła jak okręt w pełnej gali flagowej i poleciła stangretowi, by zabrał paczki. Pat pokiwała głową i powiedziała do Józefa, który podszedł i wyglądał jej przez ramię:

248

— Dobrze. Meltonowi się zdaje, że sobie sprytnie poradził. Zobaczymy.

Nieco później tego dnia żona kupca korzennego weszła do Winterów i poprosiła Józefa o sześć rondli różnych rozmiarów. Pat uprzedziła brata, że to się może zdarzyć.

— Żałuję bardzo — odrzekł Józef — ale nie będę pani niczego sprzedawał, dopóki pani czy też jej mąż będziecie prowadzili interesy z pewną damą, której nazwisko pani dobrze zna!

Meltonowa, zażywna niewiasta o rumianej twarzy i obfitym biuście, odparła:

— Nikomu nic do tego, co my robimy w naszym sklepie!

— W takim razie nikomu nic do tego, co my robimy w naszym! — zareplikował Józef.

— Moje pieniądze są tak samo dobre jak czyjekolwiek inne, może nie? — pytała pani Melton, gniewnie przechylając się nad ladą, gdzie jej biust rozłożył się na kształt wzdymającego się balonu.

— Bywają czyste pieniądze i bywają brudne — rzekł filozoficznie Józef. — My wolimy czyste.

W żadnym sklepie w Kenmare nie obsłużono Meltonów, którym najwyraźniej pani sędzina zleciła załatwienie dla niej zakupów. Ci, którzy może by i mieli na to ochotę, obawiali się, że ich samych z kolei spotka ostracyzm społeczny. Gdy następnym razem dostrzeżono powóz ze dworu wjeżdżający na ulicę, w sklepie korzennym zamknięto i zaryglowano drzwi. Pani Slattery nie przyjeżdżała więcej do Kenmare.

W sklepikach wiejskich w okolicy również odmawiano usług sędziemu i jego żonie. Było to dla drobnych sklepikarzy połączone z wyrzeczeniem, bo pani Slattery kupowałaby zapewne hojną ręką. Kowal miał taki nawał pracy, że nie mógł znaleźć czasu na podkucie koni dworskich. Kołodziej nie mógł naprawić powozu ani furmanek. Ze dworu trzeba było jeździć aż do Killarney, by kupić choćby kilo cukru. I sędzia musiał niebawem sam powozić, bo stangret, zatrzymany kiedyś przez Luke'a O'Flaherty'ego na dłuższą pogawędkę, uznał za dogodniejsze wymówić pracę i poszukać innej w dalszych stronach.

Ludzie, którzy dawniej zdejmowali czapki na widok pana sędziego, teraz odwracali się albo schodzili mu z drogi. Nie zakładano w jego ogrodzie podstępnych drutów, nikt nie napastował ani jego, ani jego małżonki. Dwór zetknął się z czymś skuteczniejszym od gwałtów. Na gwałt można gwałtem odpowiedzieć. Mieszkańcy Kenmare Lodge odczuli zimną, bezsilną samotność tych, którym dano do zrozumienia, że samo ich istnienie stanowi zniewagę. Prości ludzie zwyczajnie wykluczyli ich ze swojej społeczności.

II

Po powrocie do domu Peter wybrał się bez zwłoki do O'Neillów. Tym razem spodziewał się dobrego przyjęcia. Rodzice Dafne kordialnie podejmowali jego matkę, a ostatnio rozeszła się po okolicy wiadomość o ważnej roli, jaką Peter odegrał w uwolnieniu pułkownika Kelly'ego i kapitana Deasy'ego z więzienia w Manchesterze — wydarzeniu, które poruszyło całą Irlandię i już było tematem niejednej ballady śpiewanej w karczmach i na jarmarkach. A jednak zbliżając się do ich domu po raz drugi w życiu, chłopak zdawał sobie sprawę, że ogarnia go trema. Powodem była może pamięć dawnej dumy O'Neillów, decydujących o jego szczęściu, może zwykły przestrach na wspomnienie władczej postaci Katarzyny O'Neill, a może znana niejednemu kochankowi niepewność, czy przy spotkaniu z ukochaną po długiej rozłące nie przekona się, że dawne oczarowanie znikło, że stoi przed nim ktoś obcy.

Widok starego O'Neilla sparaliżował na chwilę Petera. Przystanął z ręką na klamce furtki do ogrodu. Padało do niedawna i Peadar zajęty był jesiennymi porządkami w ogrodzie:

wyrywaniem przekwitłych roślin jednorocznych, przycinaniem bylin, układaniem stosu do podpalenia. Stary spojrzał, wyprostował plecy z leciutkim grymasem zdradzającym reumatyzm, ale od razu przemienionym w szeroki uśmiech, i zawołał:

— Mój chłopcze, mój synu, jakżeż rad jestem, że ciebie widzę! Dafne... my wszyscy cieszymy się z twego powrotu! Ale, ale, nie powinienem ciebie dłużej zwać chłopcem: dowiodłeś, że jesteś mężczyzną i prawdziwym Irlandczykiem!

Szedł do furtki, gdy drzwi domu rozwarły się nagle i Dafne, nie bacząc na błoto chlupiące wokół jej lekkich pantofelków i falbanek spódnicy, przebiegła ścieżkę. Wszelkie obawy o trwałość dawnego oczarowania rozwiały się w mgnieniu oka. Dziewczyna rzuciła się w objęcia Petera, który ku swej radości musiał przytrzymać ją w ramionach, by nie upadła. Przywarli mocno do siebie, rozkoszując się bliskością, a stary Peadar zmienił kurs i wszedłszy do domu, przywołał żonę.

Rzadko kiedy rysy twarzy Katarzyny O'Neill przybierały miły wyraz. Teraz gdy starała się przywołać uśmiech, by powitać Petera — prowadzonego pod rękę przez Dafne — przypominało to niepewną próbę wzlotu długo zamkniętego w klatce ptaka, który zapomniał, jak się używa skrzydeł. Bądź co bądź można było rozpoznać, że to uśmiech. Znikł z jej twarzy bardzo szybko. Wyprostowana, uroczysta, jak monarcha pasujący na rycerza, Katarzyna O'Neill wygłosiła ceremonialnie:

— Witam pod mym dachem szlachetnego irlandzkiego patriotę. Do historycznej galerii wielkich O'Neillów i nie mniej wielkich MacMurroughów — z których krwi się wywodzą — z dumą przyjmę bohatera, którego dzielność dodała nowe chlubne karty do dziejów naszego uciemiężonego narodu. Nazwisko Winterów — szkoda tylko, że nie celtyckie — będzie na zawsze błyszczało złotymi literami na liście bohaterów i męczenników za wzniosłą sprawę Irlandii. A twój biedny, odważny ojciec!...

Peter nie wiedział, co z sobą począć. Tego rodzaju retorykę spotykał tylko w książkach. Poczuł, że Dafne u jego boku dygoce. Gdyby ośmielił się na nią spojrzeć, przekonałby się, że się trzęsie ze starannie ukrywanego śmiechu. Na szczęście jego wzrok, jak zahipnotyzowany, nie oderwał się od władczej postaci pani O'Neill — bo gdyby wybuchnął śmiechem, mógłby zepsuć nie tylko tę chwilę. Zamiast tego Peter wymamrotał:

— Pani jest zbyt dobra... Szanowna pani... ja myślę, że my, Winterowie, uczyniliśmy tylko to, co inni w danych okolicznościach...

— Jesteś nadto skromny, młodzieńcze — zaczęła matrona. Ale tu przerwał jej małżonek, dostrzegając zmieszanie młodego gościa:

— Chodźcie, musimy uczcić ten radosny dzień!

Pojawiły się trunki i ciasta. Pito za zdrowie Petera, zmuszano go do opowiadania o wszystkich przygodach w Anglii. Mówił prosto, nie koloryzując. Dafne siedziała przy nim, wpatrzona w niego błyszczącymi oczyma.

W końcu Peadar zapytał:

— A cóż teraz zamierzasz robić, Peterze mój drogi?

Młody Winter spojrzał na Dafne, która uścisnęła mu rękę i oparła głowę na jego ramieniu. Kiedy indziej taka nieprzystojna otwartość zachowania wywołałaby ostry protest z ust matki. Ale tego dnia, i z pomocą dobrego koniaku, nawet ceremonialny chłód Katarzyny uległ pewnemu odmrożeniu.

— Otóż, szanowny panie, wobec tego czym jest dla mnie i jak ufam, dla niej... — spojrzał znowu na Dafne — najważniejszą następną sprawą...

Peadar, który wychylał kieliszek co najmniej dwa razy częściej od innych — Dafne tylko usta maczała — był w jowialnym humorze.

— Ach, wiemy, wiemy to wszyscy! Młoda miłość, młoda miłość! Kręci całym światem! Dawno to było, ale my, starzy, też byliśmy młodzi...

I ku największemu zdumieniu swej małżonki wstał z krzesła, a obszedłszy stół, przechylił się ku niej i złożył ciepły, wilgotny pocałunek na jej wąskich ustach.

— Peadar! — wykrzyknęła. — Zapominasz się...

— Nie, moja droga, wcale się nie zapominam. Ja właśnie sobie przypominam...

I znowu ją pocałował. A coś takiego było w nastroju tej chwili, może szczęście promieniujące z oczu zakochanej pary, że nagle na twarz Katarzyny wypłynął prawdziwy, szczery uśmiech. Twarz ta przemieniła się tak bardzo, że Peter pomyślał:

...Przecież ona jest jeszcze piękną kobietą... I Dafne taka zawsze będzie... i zawsze się będzie tak uśmiechała... już ja tego dopilnuję, żeby się nie zapomniała uśmiechać!...

Wracając do swego krzesła, Peadar obciągnął żakiet, jakby chciał tym gestem przywrócić przystojność i powagę, i powiedział:

— Mówiliśmy o twojej przyszłości. Czy dobrze słyszałem, że przed wyjazdem do Anglii zacząłeś studia?

— Tak jest, szanowny panie. Ale nie będę mógł teraz kontynuować studiów. Będę miał... to jest, mam nadzieję, że będę miał... obowiązki... — Spojrzał znowu na Dafne, czerpiąc odwagę z wyrazu jej twarzy. — I te... obowiązki... nie dadzą się pogodzić z wykładami na uniwersytecie. Studia pozostawię memu bratu Denisowi...

— Również patriota, wspaniały młody Irlandczyk — wtrąciła cicho Katarzyna.

— Ha! To mi wygląda na oświadczyny czy coś w tym rodzaju — Peadar zerknął z humorem na młodą parę. — A skoro tak, to i ja mam coś do dołożenia. Pewną propozycję. Starzeję się już, Peterze mój drogi. A zarazem moja flota rybacka rozrasta się pięknie. Coraz więcej statków, coraz większych statków! Potrzebny mi wspólnik, ktoś zaufany, by mi dopomógł. Mógłbym dla takiego wspólnika również ładny mały domek wykombinować, gdyby się na przykład zamierzał żenić. Więc...

— Och, szanowny panie — przerwał mu Peter. — Za wiele dobroci, naprawdę! Ale ze mnie kiepski żeglarz. Szczerze mówiąc, w morzu lubię popływać, ale po morzu to nie!

— On woli się wspinać na zamkowe wieże — wtrąciła słówko Dafne, jakby się obawiała, że nawet teraz mógłby ktoś powątpiewać o odwadze jej ukochanego.

— Wcale nie będziesz potrzebował wyprawiać się na morze — odrzekł Peadar i ciągnął dalej: — Mam kapitana floty! Tuzin statków, mój chłopcze, mocnych i do żeglugi zdatnych! Na kapitanie ciąży odpowiedzialność za wszystko, co się dzieje na morzu. Mnie potrzebny zarządca na lądzie: by dozorował wyładowanych połowów, dopilnował, by ludzie wzięli tyle, ile zawarowane umową, nie mniej i nie więcej, by zorganizował transport, zajął się sprzedażą, no i rachunkowością!

— I szanowny pan myśli, że ja... zaczął Peter.

Ale O'Neill nie dał sobie przerwać.

— Ja myślę, że ty sobie dasz radę nie tylko ze wspinaniem się na wieżę i ratowaniem z więzienia naszych przywódców. Rozpytywałem się Rogera Megawa, tego co stracił nogę w powstaniu, biedaczysko, chociaż łaskawy Pan Bóg interweniował, gdy go sądzono. Rozmawiałem i z innymi. A wszyscy mi mówili, że poważny z ciebie chłopak. W sklepie, twoja matka...

Znowu przytłumiony głos Katarzyny:

— Heroiczna irlandzka patriotka!

— Twoja matka powiada, że można było na tobie polegać. Będę rad mieć ciebie za wspólnika. Odpowiednie dokumenty podpiszemy, popieczętujemy i złożymy u rejenta. No i co Daf... co twoja... muszę się przyzwyczaić... co twoja przyszła żona o tym sądzi?

— I będziesz miał także czas na malowanie i rysowanie, Peter... — powiedziała cicho i takiej właśnie aprobaty po niej się spodziewano.

Kiedy wreszcie Peter opuszczał dom O'Neillów, jego przyszłość była zabezpieczona pod każdym względem. I dopiero przy pożegnaniu Peadar, nawiązując do paru słów żony, wspomniał o ciężkim zmartwieniu wiszącym jak chmura nad rodziną Winterów.

— Ufam, że władze jeszcze zmienią decyzję w sprawie twojego ojca. Cała Irlandia wie, że popełniono gruby błąd sądowy. Ten łajdak Slattery!

Łzy napłynęły Peterowi do oczu, coś go ścisnęło za gardło. Nie mógł odpowiedzieć ani słowa, tylko uścisnął rękę przyszłego teścia i wspólnika. Dafne objęła go w pół ramieniem. I ostatecznie wizyta skończyła się scenką, która go rozbawiła, bo Katarzyna O'Neill, której chwila odmłodzenia minęła, pożegnała go słowami charakterystycznie egoistycznymi i mało akuratnymi:

— Wiedziałam, młody człowieku, od chwili kiedy tu wszedłeś po raz pierwszy, że będziesz moim synem. Mam udział w twoich zaszczytach, bo to ja wysłałam ciebie, jak wiele irlandzkich matek w przeszłości posyłało kandydatów do rąk swoich córek, byś zdobył ostrogi!

III

— Pewno wyście zaczęli tę dziecinadę — powiedział Slattery do Megawa, spotkawszy go energicznie maszerującego o kulach, bo nawet drewniana noga nie mogła go poskromić. — Raz miałeś szczęście, przeklęte szczęście! Ale za drugim razem nie wywiniesz się sprawiedliwości, gdy cię dostaniemy w ręce! Już ja tego dopilnuję.

— Po pierwsze — odparł Megaw — trzeba mieć choćby pretekst, by mnie jak to pan wyraził, dostać w ręce. Zapewniam pana, że teraz żadnego pretekstu się nie znajdzie. Nie zaczynałem tego, co pan nazywa dziecinadą. Ta sprawa nie ma początku ani końca.

Megaw dotknął bolesnego punktu. Najbardziej Slattery'ego zadziwiała i irytowała nieuchwytna bezpostaciowość kampanii przeciwko niemu. Nie umiał jej przeciwdziałać. Winterowa słusznie zauważyła, że nie było prawa zmuszającego sklepikarzy i kupców do sprzedawania czegokolwiek temu a nie innemu klientowi. Nie było też prawa zmuszającego gospodynię, rządcę albo stangreta, by sprzedawali swoje usługi temu a nie innemu pracodawcy. Nawet Irlandczyk miał na tyle swobody. Cała policja Irlandii nie mogła legalnie zmusić żadnego wieśniaka, by zdjął czapkę mijając dziedzica albo sędziego. Tego rodzaju pozdrowienia wszędzie na świecie były wyrazem dobrowolnej grzeczności, chociaż czasami — strachu. Ale mieszkańcy Kenmare i okolicy czerpali odwagę z solidarności, z jaką bojkotowali Slattery'ego i jego żonę. Ta metoda ujawniania nieprzyjaźni przypadła do gustu zarówno ludziom nawykłym do gwałtów, jak i ludziom przeciwnym gwałtom. I najwyraźniej skutkowała — w każdym razie jeśli chodzi o humor pana sędziego.

— Wyście sobie postanowili zajść aż na szubienicę — mówił z pasją. — Ledwieście się wygrzebali z jednego kłopotu, już chcecie sobie napytać nowej biedy. Nie rozumiem...

— To nie my sobie przysparzamy kłopotów — przerwał mu Megaw. — Kłopoty są nam narzucane stale i bez przerwy. A co do rozumienia nas, Irlandczyków, to chociaż jest pan naszym rodakiem, nie zrozumie nas pan żyjąc we dworze. Nas można zrozumieć żyjąc w chłopskich lepiankach, znosząc eksmisje, patrząc na dzieci chore z niedożywienia. Głód jest wielką potęgą, panie Slattery.

— Eksmituje się tylko ludzi, którzy nie płacą czynszów.

— Którzy nie mogą zapłacić, panie Slattery. I pan wie, że nie mogą zapłacić takich czynszów, jakich pan żąda. Pan chce, żeby nie mogli zapłacić, panu potrzebna ziemia, którą oni i ich przodkowie uprawiali od pokoleń.

— Niech się wynoszą gdzie indziej, niech emigrują, ale nie mogą... nie mogą traktować mnie jak pariasa! — Po raz pierwszy sformułował swoją skargę.

— Nie mają pieniędzy na emigrowanie. I nie chcą emigrować. Chcą żyć w Irlandii. Chociaż cierpią głód i niedostatek, chociaż znoszą ucisk obcego rządu. Tu jest ich ojczyzna. Może pan wie lepiej od nas, jak mamy żyć i gdzie. Ale czy nasz sposób jest gorszy czy lepszy, my będziemy żyć po naszemu. I im prędzej pan i rząd, któremu pan służy, pojmie tę prawdę, tym prędzej zapanuje spokój w Irlandii i współdziałanie między szlachtą a wieśniakami.

— Moją własnością mogę rozporządzać, jak zechcę — rzekł Slattery. — To moja zasada. A wy nie macie żadnych zasad.

— Może i nie mamy. Tylko syci i bezpieczni mogą sobie pozwolić na taki luksus jak zasady.

— Jesteście uparci, Megaw, i bezczelni. I jak wy wszyscy — głupi. Mam ziemię. Będę ją miał zawsze. Dostanę parobków i jeszcze was pokonam.

Sędzia wbił ostrogi w boki wierzchowca i pogalopował do Kenmare Lodge. Patrząc za nim, Megaw mruknął:

— Pokonać nas? Zobaczymy. — Puścił w ruch kule i kuśtykał, rozmyślając: ...Gdybyśmy mogli tę metodę rozprzestrzenić po całej Irlandii... gdyby pół miliona dzierżawców odmówiło utrzymywania wszelkich ekonomicznych i społecznych stosunków z dziesięcioma tysiącami ziemian... dostalibyśmy wszystko, czego byśmy zażądali... I żadne wojsko by nas nie mogło zmusić...

Nieformalna organizacja, która kazała Slattery'emu czuć się pariasem, dokręciła jeszcze jedną śrubę.

W tydzień później, gdy dziedzic wypłacał tygodniowe zarobki swoim pracownikom rolnym, starszy pasterz wystąpił i oznajmił:

— Wasza wielmożność, my odchodzimy. Wracamy do domów.

— Wszyscy? Jak to? Dlaczego? Co za bies was opętał?

— Bo nam się zdaje, że nas tu nie chcą.

— Co wy gadacie? Kto tak powiedział? Wypłacam wam, jak się umówiliśmy, czy nie? I macie gdzie mieszkać, czy nie?

— Właśnie że nie, wasza wielmożność. Wymówiono nam wszystkim mieszkania. A w sklepie nie chcą nam nic sprzedać. W karczmie drzwi przed nami zamykają. Nie chcą nas mieć tutaj, wracamy do siebie.

Najemnicy zastosowali się do rady, której Slattery udzielił eksmitowanym dzierżawcom: „Wynieść się gdzie indziej". I żadne jego argumenty, ani gniew, ani obietnica podwyżki wypłat — nie zdołały zachwiać ich decyzji. Słusznie powiedzieli, że nie mają wyboru. Dotknął ich ten sam ostracyzm, co i ich pracodawcę. Solidarność mieszkańców zadała dotkliwy cios.

— Zapowiedziałem im, że mnie nie pokonają — mówił Slattery do żony. — I nie pokonają. Sami będziemy gospodarować. Mam na razie niewiele ponad dwieście sztuk w stadzie. Ci przeklęci rebelianci jeszcze się przekonają, kto tu jest panem. Gdy przyjdzie czas strzyży, postrzygacze będą mieszkać we dworze. Chodź, pomożesz mi nakarmić i napoić owce.

— Karmić owce? Nosić wiadra? Tłoczyć się między owcami... żeby mnie tryki pobodły... Ja? Czyś ty zwariował, Arturze?

— Zwariowałbym, gdybym pozwolił głodować zwierzętom dającym dobry dochód. Ten stary diabeł Kernan dobrał bardzo piękne stado.

Dla Ireny Slattery była to ostatnia kropla, która przepełniła czarę. Czy nie dość, że gotowała, zmywała, narażała się na zniewagi sklepikarzy? A teraz miała być dziewką folwarczną o ogorzałej twarzy, stwardniałych rękach, niekształtną w grubym odzieniu, brudną od... od... owczego gnoju!

— Wracam do Dublina — oznajmiła. — Natychmiast. I radzę ci sprzedać wszystko i wynosić się stąd. Tu koniec z tobą.

Nawet jego własna żona chciała zdezerterować! O, nie! Twarz mu się zmieniła w gniewie i uporze.

— Zostaję — powiedział przez zaciśnięte zęby. — I ty też. Ktoś musi mi pomóc.

— Więc znajdź sobie kogoś, kogoś innego! — odparła z błyszczącymi gniewem oczyma. — Bo ja mam dość, więcej niż dość, niż kobieta mojego urodzenia może znieść! W twoim majątku powinnam prowadzić życie wielkiej pani, otoczona służbą, respektem! I tak by było, gdybyś był naprawdę mężczyzną! A zamiast tego robisz ze mnie kuchtę, a teraz jeszcze chcesz, bym zanurzała ręce w... Zaprzęgnij powóz i odwieź mnie do...

Tu jej brutalnie przerwano. Slattery otwartą dłonią uderzył ją w usta. Zachwiała się, cofnęła o krok, podniosła rękę do twarzy, wpatrzona w męża w kompletnym oszołomieniu, jakby nie mogła uwierzyć w prawdziwość tego, o czym jej dokładnie mówiła krwawiąca warga.

Ten człowiek wydawał się jej zawsze nędznym słabeuszem, nie mającym żadnej władzy nad nią, choć dawała mu dość powodów do tego, by ją ujął silną ręką. Używał swojej odrobiny sędziowskiej władzy tylko wtedy, gdy miał za plecami policję i żołnierzy. Irena pojęła, że nie może go dłużej lekceważyć. Artur był zdolny użyć siły! Gotów ją jeszcze zbić jak Cygan krnąbrną towarzyszkę...

Więc jednak jest mężczyzną! Tym jednym uderzeniem zdobył u niej autorytet. Irena lubiła mężczyzn władczych, pewnych siebie; żałowała, że nie poślubiła człowieka, który by używał i nadużywał swej fizycznej przewagi, tym sposobem nawet dowodził, że jej potrzebuje. Kierowała się instynktami. Paradoksalnie ten nierycerski brutalny cios przywrócił jej respekt dla męża. A może również...

— Przekrocz ten próg — mówił Artur, wskazując na drzwi dworu — bez mego pozwolenia, a zabiję cię, choćbym miał później za to zawisnąć na szubienicy!

...Miłość... i nawet w tych późnych latach, kiedy młodzieńcze zapały stygną...

Irena, zapominając o puchnącej wardze, o ustach we krwi, rzuciła się na piersi męża — i wybuchnęła płaczem.

Artur zawsze jej pożądał, ale powolnej mu i namiętnej. Jego zdrady były koniecznością mężczyzny zmrożonego pozornym chłodem żony. Ci przeklęci rebelianci pokazali mu, chociaż późno, jak ją zdobywać. Nie! Nie powinien był jej uderzyć. Ale powinien zawsze być panem w swoim domu. Odtąd...

Nikt nie byłby bardziej zdumiony od Pat Winterowej, gdyby mogła w owej chwili zajrzeć pod dach Kenmare Lodge i zobaczyć marginesowy — później fundamentalny — rezultat swego planu.

Slattery objął żonę mocnym uściskiem, a ona szlochała:

— Byłam głupią egoistką... podłą żoną... wcale nie żoną! Będę teraz inna... pomogę ci walczyć z tą hołotą, która ciebie prześladuje.

Podniosła głowę, spojrzała mu w twarz. Uśmiechał się. Uśmiechał się do niej! I... czy to być mogło?... uśmiechał się czule!

— Ta hołota może jeszcze nam się przysłużyć jak najlepszy przyjaciel — powiedział.

Tej nocy łącząc czułość, już pozbawioną obaw, z pasją bez brutalności, Artur przeobraził w końcu swoją chłodną dawniej żonę w namiętną kochankę.

IV

Jak Pat dobrze wiedziała, Michał musiał niemało wycierpieć. Starania Jacoba Balla i innych sympatyków fenianizmu o przyznanie więźniom politycznym odmiennego statusu i specjalnego traktowania — zawiodły. Rząd brytyjski uparł się, aby ich pomieszczono, żywiono, zabierano na roboty razem ze złodziejami, gwałcicielami i innymi kryminalistami. Dla człowieka wykształconego i wrażliwego takie otoczenie stanowiło dodatkową karę, nie mniej uciążliwą od rygorów zamknięcia i ciężkiej pracy. Odkąd Winter opuścił areszt prewencyjny, nie przysługiwały mu dłużej żadne udogodnienia, wysoko opłacane, a strażnicy traktowali go z od dawna wypraktykowaną surowością.

Z drugiej strony pierwszy zamach sędziego Slattery'ego na Wintera stał się teraz przyczyną złagodzenia rygorów wynikających z drugiego zamachu. Kalectwo uniemożliwiało mu wykonywanie ciężkich robót — rozbijania kamieni, kopania, prac drogowych, a także osławionego szycia worków pocztowych — na co go skazano. Skierowano go do zajęć w kuchni, noszenia wiader z wodą i kubłów z pomyjami, co mógł robić jedną ręką. Strażnik poganiał go, nie pozwalał na chwilę odpoczynku ani też na dodatkową porcję zupy, którą kucharze by go chętnie poczęstowali. Niebawem dla Michała, jak dla więźniów wszędzie i zawsze, ludzkość się podzieliła na dwa światy: „my", uwięzieni i maltretowani, oraz „oni" — pilnujący i dokuczający. Przestały istnieć więzy, które świadczyły, że „my" i „oni" tak samo urodzili się z kobiety. „Oni" traktowali „nas" jak niebezpieczne bestie w klatce; „my" „ich" jak sadystów.

Winter postanowił z godnością odcierpieć to, co swoim zachowaniem przed sądem, a także całym życiem, skoro wybrał na żonę irlandzką buntowniczkę, sam na siebie sprowadził. Nie wszyscy jego towarzysze niedoli podobnie się zachowywali. Niektórzy celowo i świadomie wywoływali zamieszki. Jeden na przykład, O'Donovan Rossa, powstaniec z Cork, w dyskusji z gubernatorem więzienia we własnej celi cisnął w twarz temu dygnitarzowi całą zawartość swego nocnika. Skazano go na trzydzieści pięć dni przykucia do ściany z rękoma z tyłu, prócz godzin posiłków, kiedy mu ręce skuwano z przodu. Protesty nic nie dały, bo gubernator oświadczył krótko, że więzień miał szczęście, iż nie skazano go na zachłostanie na śmierć. Gdy Winter prosił, by mu pozwolono pójść do celi Rossy i pomagać mu, usłyszał w odpowiedzi, że jeśli spróbuje złagodzić karę współwięźnia, będzie ją podzielał. Niczym nie złamany Rossa czytał przez ten czas wypożyczoną z więziennej biblioteki „Historię Reformacji", przewracając kartki zębami.

W miesiąc po rozprawie wezwano Michała Wintera do specjalnej rozmównicy obok biura gubernatora. Strażnik, chociaż trudno go było nazwać uprzejmym, nie zwracał się do niego tym razem jak do bezpańskiego i złośliwego psa. Więzień przypuszczał, że to Jacob Ball przyszedł go odwiedzić, i zastanawiał się, co też go sprowadza. Ku wielkiemu swemu zdziwieniu ujrzał w rozmównicy zawoalowaną damę — bez wątpienia starszą z dwóch pań, które były na sali sądowej w dniu jego rozprawy. Zatrzymał się przy drzwiach, strażnik został na korytarzu. Zawoalowana dama nie odzywała się. Więzień rzekł:

— Chyba zaszła jakaś pomyłka, szanowna pani.

Zza woalek doszedł go głos dziwnie znajomy, chociaż Winter nie mógł w pierwszej chwili go rozpoznać.

— To nie omyłka, Michale. Jesteśmy starymi przyjaciółmi, a przynajmniej znajomymi, a ja kiedyś chciałam, byśmy byli dla siebie czymś więcej.

Z wolna odsłoniła twarz. Winter aż się zachłysnął:

— Pani du Maurier! Jakim cudem...?

— Już nie pani du Maurier. Wyszłam za mąż za hrabiego d'Angoûleme i ponownie owdowiałam. Przed paru laty wróciłam do Irlandii, za którą tęskniłam i którą po swojemu kocham.

Za czasów wczesnej młodości Michała Elżbieta du Maurier była gospodynią we dworze jego rodziców, a zarazem kochanką jego ojca. Ona, która go znała jako panicza i dziedzica majątku Kilegad, przysłuchiwała się jego procesowi w sądzie, zapewne bardzo ubawiona! A teraz przyszła naigrawać się z jego więziennej odzieży! W Michale wezbrał porywczy gniew. Opuściło go zwykłe opanowanie i kurtuazja.

— Jeśli pani przyszła, żeby ze mnie szydzić — powiedział zjadliwie — to jest pani jeszcze bardziej podła, niż kiedyś myślałem!

Stała nieporuszona. Michał odwrócił się do drzwi, ale go zatrzymała.

— Zaczekaj. Nie przyszłam, by z ciebie szydzić. Wiem, że się kiedyś zachowałam podle wobec ciebie i chciałabym to wynagrodzić, choćby po części.

Zawahał się, z ręką na klamce, ale nie chciał patrzeć na nią. Nie zmienił szorstkiego tonu:

— Nie potrzebuję tego. To nie mnie pewnego wieczoru odtrącono!

Kiedy był jeszcze niewinnym chłopcem, kochanka jego ojca przyszła wieczorem do jego sypialni w przejrzystym negliżu i zaproponowała swe doświadczone usługi w sztuce miłości. Wypędzona z pokoju, przysięgła zemstę.

— Nie wracajmy do tego, Michale — powiedziała cicho.

— Nie mnie jedną życie nauczyło, że pożądanie jest haniebną, trudną do poskromienia bestią. Nie ruszajmy przeszłości. Ja tu dzisiaj przyszłam, żeby ci powiedzieć, że miałeś zostać przeniesiony do więzienia w Anglii, gdzie warunki są jeszcze surowsze niż tu. Ale kobieta, którą znałeś jako Urszulę Gordon — pamiętasz? — nakłoniła swego męża, bardzo bogatego Anglika i wysokiego dygnitarza, by przekreślił tę decyzję. Zostaniesz więc tu, a to pozwoli...

Urszula Gordon! Jeszcze jedno wspomnienie z dawnych lat w ojcowskim domu. Urszulę, podówczas młodziutką i czarującą kurtyzanę, pani du Maurier wybrała jako narzędzie zemsty. Wprowadzona do domu Winterów w charakterze panny z arystokratycznego rodu, Urszula miała uwieść Michała; pani du Maurier miała przyłapać młodą parę w kompromitującej sytuacji i dwie kobiety zamierzały zmusić starego Wintera do ożenienia syna ze „skrzywdzoną córką arystokratycznego rodu", której rzeczywiste pochodzenie ujawniłoby się dopiero po ślubie.

Ten melodramatyczny spisek odkryto w porę i obie kobiety musiały pośpiesznie opuścić dom Winterów.

Michał zwrócił się teraz do pani d'Angoûleme:

— Nie chcę niczego ani od pani, ani od Urszuli Gordon czy jak się teraz nazywa, ani od nikogo innego. Przypuszczam, że jestem pani winien podziękowanie za przysyłane mi do aresztu posiłki, a także za honorarium mecenasa Balla, które się zmarnowało. Dziękuję, chociaż byłbym wolał, żeby pani tego nie zrobiła. Teraz proszę odejść i zostawić mnie memu losowi.

Po raz pierwszy popatrzył uważniej na swego gościa. Trzymała się prosto, jak dawniej, wciąż urodziwa mimo zupełnie białych włosów i podeszłego wieku — musiała mieć blisko siedemdziesiątkę! — ale wydawała się łagodniejsza, mniej wyniosła. A ona dostrzegła, że Michałowi złość mija.

— Jak doszło do tego? — spytała. — Nie mam na myśli twoich powiązań z irlandzkimi powstańcami. Kochasz swoją irlandzką żonę, patriotkę i buntowniczkę, a to u mężczyzny twojego pokroju wyjaśnia wiele. Ale dlaczego postawiono cię przed sąd pod zarzutem, który jak cały Dublin wie, był sfabrykowany?

Michał przełknął gniew i gorycz. Ta kobieta nie przyszła, by z niego szydzić. Zmieniła się... A jeśli cały Dublin wie...?

— Slattery, sędzia ziemski z Kenmare — odrzekł — uwziął się na mnie już od lat. Właściwie nigdy nie wiedziałem, z jakiego powodu. Chyba dlatego, że jako Irlandczyka wysługującego się brytyjskiemu rządowi i arystokracji, upokarzał go Anglik stojący po stronie irlandzkiej. (Pat mogłaby podpowiedzieć inny jeszcze powód.) To — Michał dotknął pustego rękawa — jest także jego dziełem, chociaż nie jego ręką pociągnęła za cyngiel.

— Nigdy nie byłeś taki jak inni — zauważyła Elżbieta, spuszczając oczy, bo przypomniała sobie, jak odtrącił jej miłość, do czego nie przywykła. — A po tym jak się zachowałeś przed sądem, niejeden nazywał ciebie szaleńcem. Ja zrozumiałam, że chciałeś postępować zgodnie z tradycją irlandzkich buntowników, z których najdzielniejsi zawsze wyzywali angielskie sądownictwo. Przyznaję, że podziwiam twoją odwagę.

Michał puścił jej słowa mimo uszu, jak zwykle gdy mu prawiono komplementy.

— Więc koniec końcem Urszula złowiła sobie grubszą rybkę ode mnie? — powiedział i uśmiechnął się nareszcie.

— Czy kocha swego męża?

Elżbieta ściągnęła wargi, bawiła się przez chwilę torebką, wreszcie odparła:

— Najwyższy był czas, żeby weszła na drogę obyczajowości. Miłość, jak cnota, nigdy nie bywa tak szanowana jak pieniądze.

Drzwi do rozmównicy uchyliły się, strażnik wsunął głowę:

— Proszę wielmożnej pani, nie wolno mi dłużej... muszę odprowadzić więźnia.

Elżbieta podeszła do Michała i położyła mu dłoń na ramieniu.

— Wierz mi, że absolutnie szczerze chcę ci dopomóc...

— Chcę wierzyć — wtrącił Winter.

— Nie wiem jeszcze, co się da zrobić — ciągnęła. — Ale będę próbować.

— Jeśli można — odrzekł Michał — to proszę coś zrobić dla mojej żony.

— Wszystko co zrobię, będzie z korzyścią nie tylko dla ciebie, ale i dla twojej żony. O ile pamiętam, na imię jej Pat?

— Czas! — powiedział strażnik.

Odprowadził Wintera, a pani d'Angoûleme spuściła gęstą woalkę na twarz.

V

Proces więźniów, schwytanych po uwolnieniu z karetki więziennej pułkownika Kelly'ego i kapitana Deasy'ego, rozsławił trzy nazwiska znane w dziejach Irlandii pod wspólnym mianem Męczenników z Manchesteru. Byli to: William Allen, Philip Larkin i Michael O'Brien. Żaden z nich nie zastrzelił sierżanta policji Bretta. Człowiek, który oddał ów fatalny strzał, nazwiskiem Rice, umknął i później nie wyszedł z ukrycia, by stanąć przed sądem i oczyścić z tego zarzutu swoich towarzyszy.

Większą zbrodnią od oczywiście przypadkowego zabicia policjanta był proces, który doprowadził do wyroku śmierci, i sposób, w jaki wyrok wykonano. Zlekceważono szereg kłopotliwych przepisów prawnych, aby zapewnić skazanie i wyrok. Sędziów przysięgłych specjalnie dobrano, świadkowie bez wątpienia dopuścili się krzywoprzysięstwa.

Tragiczna groteska, jaką był proces, ujawniła się na przykładzie żołnierza o irlandzkim nazwisku, Thomasa Maguire'a. Skazano go na śmierć razem z tamtymi trzema, jak również Edwarda Condona, obywatela amerykańskiego, który zaplanował i zorganizował odbicie więźniów. Angielscy dziennikarze, obecni na procesie, byli absolutnie przekonani, że Maguire nie miał nic wspólnego z odbiciem ani w ogóle z fenianizmem. Niefortunny żołnierz przypadkiem znalazł się w pobliżu wiaduktu kolejowego w czasie całego zamieszania, no i miał nieszczęście posiadać irlandzkie nazwisko. Dziennikarze zaapelowali osobiście do ministra spraw wewnętrznych i wyrok na Maguire'a uchylono, a jego samego uwolniono od winy i kary. A przecież trzech, którzy oddali później życie na szubienicy, skazano na podstawie dokładnie tych samych dowodów, jakimi prokurator się posłużył przeciw Maguire'owi. Wyrok na Condona zamieniono na dożywotnie więzienie (zwolniono go po jedenastu latach i odesłano z powrotem do Stanów Zjednoczonych) z powodu ostrej interwencji amerykańskiego posła w Londynie. Pięciu ludzi ci sami świadkowie „zidentyfikowali", ta sama ława przysięgłych uznała ich winnymi, ten sam sędzia wydał wyrok śmierci. Dwóch z nich oszczędzono. Trzej ponieśli karę najwyższą. Trzej, którzy byli Irlandczykami i irlandzkimi patriotami. Wnioski narzucały się same.

Przed sądem skazani wyrazili żal z powodu śmierci policjanta Bretta — niezamierzonej, przypadkowej, jak uparcie twierdzili — ale poza tym zachowywali się wyzywająco, zgodnie z irlandzką tradycją. Najpierw wygłosili przemówienia przypominające sędziom i ławie przysięgłych fakty z historii Irlandii. Później Allen oznajmił:

— Nie chcę łaski. Nie przyjmę łaski. Umrę jak tysiące przede mną: dumnie i triumfalnie w obronie zasad republikańskich, w obronie wolności uciśnionego, zakutego w kajdany niewoli narodu.

O'Brien otwarcie oskarżał brytyjskie rządy:

— Spójrzcie na Irlandię, spójrzcie na setki i tysiące jej mieszkańców żyjących w nędzy i głodzie. Spójrzcie na tak zwane królewskie prawo z jednej strony, a odwieczną, skrajną niedolę szlachetnego narodu z drugiej strony. Co ma szanować młode pokolenie Irlandii: prawo, które sankcjonuje mordy i eksmisje ich rodaków, czy też próby położenia raz na zawsze kresu ich niedoli przez ustanowienie własnych autonomicznych rządów? Wierzę, że niebawem naród irlandzki odpowie na to pytanie ku własnej satysfakcji.

Condon, który przypuszczał, że podzieli los swoich towarzyszy, powiedział:

— Niczego nie żałuję, niczego nie odwołam, niczego bym nie cofnął. Mogę tylko powiedzieć — a te jego trzy słowa stały się na długo hasłem patriotów — Boże, zbaw Irlandię!

Peter Winter wysłuchał wiadomości o wyrokach na swych towarzyszy w głębokim strapieniu i wstydzie. Wydawało mu się, że ich w jakimś sensie zawiódł.

— Powinienem był stać razem z nimi przed tym sądem — mówił do matki. — Nie dla większej satysfakcji Anglii, ale dla większej chwały Irlandii.

— Irlandia ma dość chwały — odparła Pat. — Tylko byś pomnożył ofiary angielskiego bezprawia.

Gdyby była na miejscu Petera, z pewnością czułaby tak samo jak i on. Ale żeby jej ukochany pierworodny syn miał zawisnąć na szubienicy... Rebeliantka i patriotka — ale także kobieta i matka.

Nie tak łatwo było uśmierzyć gorycz i żal Petera.

— Za mój udział w uwolnieniu więźniów dostałem narzeczoną. A ci biedacy... — Przygryzł wargi i prędko wyszedł. Wiedział i jego matka wiedziała, i cała Irlandia wiedziała, że tych ludzi nie skazano za udział w akcji, która spowodowała przypadkową śmierć, ale za to, że walczyli o wolność swego kraju. W obliczu prawa byli winni przestępstwa, chociaż nie tego, jakie im zarzucano. Ale ostatnie słowa każdego z nich wyniosły ich czyny ponad rangę zwykłego zabójstwa. Dubliński „Freeman's Journal" donosił w artykule wstępnym: „W żadnym cywilizowanym państwie na świecie nie karze się tego rodzaju przestępstw, politycznych przestępstw, szubienicą".

W żadnym cywilizowanym państwie. Ale inaczej zdecydował rząd brytyjski drugiej połowy XIX wieku: trzeba dać odstraszający przykład.

Dnia 23 listopada 1867 roku odbyła się w Manchesterze publiczna egzekucja Allena, Larkina i O'Briena. Skazani przyjęli ostatnią komunię. Przed więzieniem, nazwanym chyba jak na ironię Belle Vue, wzniesiono szafot pod strażą szkockich regimentów. Szkoccy żołnierze obsadzili również wiadukt kolejowy, który odegrał tak ważną rolę w ucieczce pułkownika Kelly'ego i kapitana Deasy'ego. Liczne specjalnie sprowadzone oddziały wojskowe świadczyły o strachu władz przed ewentualnością ataku ze strony fenian.

Kat wysunął rygle, by opuścić zapadnię pod stopami skazańców. Nagły spadek złamał od razu szyję niskiego Allena. Natomiast O'Brien i Larkin byli wysokiego wzrostu. Dla nich zapadnia była za płytka. Ksiądz Gadd stał przy ofiarach, jeszcze żywych, jeszcze przytomnych, które powoli dusiła pętla. Dopiero w wiele lat później ksiądz Gadd ujawnił całą prawdę o tej ponurej, nieludzkiej aferze: kat Cartland, nieudolny partacz, zszedł pod szafot i tam dokończył roboty, którą sfuszerował. Zabił Larkina. Ksiądz wówczas zabronił Cartlandowi pod karą wiecznego potępienia dotknąć O'Briena i ten oddychał jeszcze przez trzy kwadranse, zanim skończyła się wreszcie męka agonii.

W Dublinie niepoliczone tłumy gromadziły się przed redakcjami gazet, gdzie wywieszano telegraficzne wiadomości o posępnych wydarzeniach w Manchesterze. Ludzie nie wiedzieli nic o podwójnej egzekucji Larkina ani o okropnej agonii O'Briena. Gdyby wiedzieli, może by pazurami rozszarpali, kamień po kamieniu, zamek dubliński, symbol brytyjskiego prawa, sprawiedliwości i cywilizacji w Irlandii. Dowiedziano się tylko, że trzy ciała zostały pogrzebane w dole z nielasowanym wapnem, co przyjęto jako świadomą zniewagę uczuć religijnych.

Gdy Pat odczytała sprawozdanie z egzekucji — takie, jakie podówczas podano do publicznej wiadomości — wybuchnęła płaczem i rzuciła się ściskać Petera.

Powinno było być jasne jak słońce dla każdego męża stanu, który nie był zupełnie ślepy i głuchy, że Allen, Larkin i O'Brien staną się w sercach irlandzkich na zawsze męczennikami za sprawę narodową. „Nigdy Irlandii nie poruszały tak głębokie uczucia bólu i gniewu" — stwierdzał naczelny redaktor dublińskiego „Nation" — tygodnika znanego z ostrożności. A Engels pisał: „Fenianom brakowało tylko męczenników. Teraz im ich dostarczono... Ludwik Napoleon... na czele swojej bandy awanturników zastrzelił w Boulogne (1840 r.) oficera w służbie... Za to (zastrzelenie policjanta) rząd brytyjski powiesił Allena i innych, ale angielska królowa całowała twarz Ludwika Napoleona, a angielska arystokracja i burżuazja całowały jego odwrotną stronę."

W całym kraju urządzono uroczystości żałobne. Chociaż prymas Irlandii, kardynał Cullen, nakazał, aby nie odprawiano publicznie mszy żałobnych ani nie śpiewano Requiem, w niedzielę po egzekucji księża dali się ponieść fali powszechnej żałoby. W każdym większym mieście Irlandii i w wielu mniejszych odprawiano uroczyste nabożeństwa żałobne. Kenmare poszło za przykładem Dublina, gdzie trzydzieści tysięcy ludzi maszerowało w kondukcie. Megaw, Pat Winterowa, McCail i Gerald Wolfe zorganizowali procesję, zamówili z Killarney dętą orkiestrę. Trzy puste trumny z nazwiskami: „Allen", „Larkin" i „O'Brien" niesiono uroczyście po wsiach i miasteczkach, wszędzie za nimi szły tłumy.

Cała rodzina Winterów towarzyszyła procesji od początku do końca, jak również ojciec Liam O'Connor. W Lanragh przyłączyli się O'Neillowie i przeszli do następnej wsi. Orkiestra grała marsze żałobne i tradycyjne irlandzkie treny. Po twarzy Petera płynęły łzy żalu za towarzyszami i nawet uścisk ramienia Dafne, idącej przy nim przez kilka mil, nie mógł go pocieszyć.

Procesja przeszła w pobliżu Kenmare Lodge. Artur i Irena Slattery przypatrywali się idącym z okna na piętrze. Nikt z maszerujących nie wiedział, aniby się spodziewał, że sędzia i jego żona stali trzymając się za ręce i że Slattery powiedział:

— Te egzekucje... to za wiele... za wiele! Anglicy posunęli się za daleko...

Ani też że Irena odpowiedziała:

— Ci wszyscy ludzie... tak strapieni. Czy nie myślisz, że może my... moglibyśmy coś dla nich zrobić?

— To ci sami, którzy nam dopiekli do żywego — burknął Slattery, ale nie powiedział tego z gniewem, raczej w zamyśleniu.

— Czyżby być mogło — zastanawiała się Irena — że mieli powód?

VI

W kuchni więziennej któregoś dnia, gdy strażnik jadł śniadanie, nachylił się do Wintera jeden ze współwięźniów politycznych i szeptem — rozmowy były zabronione — zapytał:

— Wypuszczą cię jutro?

— Kiepski żart — odmruknął Winter.

— Mnie wypuszczają. Podobno afera w Manchesterze i te demonstracje pogrzebowe nastraszyły trochę rząd. Chcieliby ludzi uspokoić. W tych dniach wychodzi na wolność sporo takich drobnych płotek feniańskich jak ja, co dostali niskie wyroki.

— Nie dostałem niskiego wyroku — skrzywił się Winter. — Ale cieszę się za ciebie. Wszystkiego dobrego. Z jakich stron jesteś?

— Z Donegalu, na północy. Dlaczego?

— O, nic. Gdybyś mieszkał gdzieś w południowych prowincjach, zabrałbyś może ode mnie list do żony. Wygląda na to, że tych, które stąd piszę, strażnicy wcale nie wysyłają.

— Chętnie bym to zrobił dla ciebie, Winter, bo tak mi się zdaje, że z nas wszystkich z tobą się najgorzej obeszli. Ale południowy zachód to za daleko dla mnie.

— Słuchaj, jak się człowiek czuje, kiedy wychodzi na wolność? — zaciekawił się Michał.

— Tym razem to jakby mnie kto na sto koni wsadził. Nie zasiedziałem się jeszcze. Poprzednio odwaliłem pięć lat i kiedy oni mi powiedzieli, że wychodzę, to mnie strach obleciał. Nie wiedziałem, czy sobie poradzę. Zapomniałem, jak się żyje na wolności. Podle się żyło w więzieniu, a bałem się wyjść. Głupie, co?

— Chyba to rozumiem — powiedział Winter. — Kiedy na mnie przyjdzie kolej... Ale nie chcę nawet myśleć o tym. Mam czterdzieści sześć lat. Będę starym człowiekiem, kiedy...

VII

Wieczorem tego samego dnia hrabina d'Angoûleme mówiła do swego gościa:

— Nie sprowadziłam pani z tak daleka do Dublina bez przyczyny. Jutro zobaczy pani swego męża. Wszystko jest załatwione.

Uśmiechała się nieco zagadkowo, bo zdecydowała, że nie poinformuje Pat Winterowej od razu o rezultacie wszystkich swoich wysiłków na rzecz Michała ani też wysiłków — co prawda dokonanych trochę pod presją — swojej przyjaciółki, dawnej Urszuli Gordon.

Perspektywa zobaczenia Michała, rozmawiania z nim, choćby dotknięcia jego ręki — napełniła Pat radością tak wielką, że dość było jak na jeden wieczór. Nie mówiąc już o tym, że tego wieczora oszołomiło ją mnóstwo wytrącających z równowagi wrażeń. Gdy dostała od hrabiny list wzywający ją do przyjazdu do Dublina i z poleceniem, by przypięła do płaszcza czerwoną wstążkę celem rozpoznania — Pat wyobrażała sobie, że przenocuje w jakimś hotelu lub zajeździe, a może nawet razem ze służbą nieznajomej, ale najwidoczniej wykształconej damy, która była jej korespondentką. Józef i Róża zaklinali siostrę, by nie jechała do Dublina.

— Nic nie wiesz o tej kobiecie, która nawet swoim nazwiskiem się nie podpisuje — mówiła Róża. — Może nastawia jakąś pułapkę na ciebie?

— Pisze, że mam przyjechać w związku ze sprawami męża — odparła Pat. — Zaryzykuję każdą pułapkę, jeśli jest szansa zrobienia czegoś dla Michała, a ufam, że o to właśnie chodzi!

Peter chciał towarzyszyć matce, ale się nie zgodziła, polecając mu oszczędzać pieniądze na wesele; list zawierał tylko jeden bilet pierwszej klasy na przejazd koleją żelazną do Dublina.

Na dworcu w Dublinie czekał na Pat Winterową stangret w liberii i wspaniały powóz. Zawieziono ją do domu hrabiny, który oczom Pat wydał się pałacem. Tam drzwi przed nią otworzył kamerdyner, a pokojowa — taksując bystrym spojrzeniem niemodny, prowincjonalny płaszcz nowo przybyłej — zabrała jej skromną torbę podróżną, pożyczoną od

Róży, i zaprowadziła do sypialni jak z bajki, całej w jedwabiach i brokatach. Dywan, w którym stopy tonęły, łóżko, umywalnia i szafa — białe ze złotymi ozdobami.

We własnym otoczeniu Pat była kobietą stanowczą i pewną siebie. Wiedziała, jak sobie radzić w warunkach Kenmare z tamtejszymi mieszkańcami, nawet z sędzią Slatterym. Ale te liberie i bogactwa wytrąciły ją z równowagi. Czuła się zdenerwowana, nie na swoim miejscu, bała się, że powie lub zrobi coś, co tam, w domu, byłoby zupełnie w porządku, ale tu — będzie jakąś okropną gafą.

— Czy mam nalać gorącej wody wielmożnej pani? — zapytała pokojówka ze śpiewnym irlandzkim akcentem, który mile zabrzmiał w uchu Pat. — Pani hrabina będzie czekała na wielmożną panią w salonie.

— Och! Ale czy nie mogłabyś zaczekać i pokazać, którędy mam iść? — Pat mówiła tonem niemal błagalnym. Każdy rys jej twarzy wyrażał oszołomienie.

Pokojówka wzięła się pod boki i uśmiechnęła przyjaźnie.

— Niech cię Matka Boska ma w swej opiece! — powiedziała odrzucając wszelki ceremoniał. — A z jakiej ty prowincji naszej nieszczęsnej wyspy pochodzisz? Bo głowę dam, że nie z miasta!

Pat klasnęła w ręce i zawołała:

— Och, dziękuję ci, że jesteś taka... taka zwyczajna jak każdy u nas! — Ulegając nagłemu impulsowi, przebiegła przez pokój i uścisnęła dziewczynę. — Tak mi się tu kłaniają, drzwi przede mną otwierają, lokaje i stangreci biegają naokoło, że już mnie zupełnie skołowali. Nie przywykłam do tego. Przyjeżdżam z Kenmare, małego miasteczka w hrabstwie Kerry.

— To i dobrze, kochaniutka! — Pokojówka trzepała dalej: — Rób wszystko, co ci powiem. Już ja obsługiwałam i przyglądałam się różnym takim, co się uważają za wielkie damy, dosyć długo, żeby wiedzieć jak i co. A co poniektóre wcale nie są takie znowu damy, wierz mi! Więc przyjeżdżasz taki kawał drogi, aż hen z zachodu! Ja nigdy nie byłam dalej jak dwadzieścia mil od Dublina. Ale co cię tu sprowadza? Plotkowali tam coś w kuchni, że twój mąż jest Anglikiem i siedzi w więzieniu. Ale różne rzeczy ludzie gadają, a zresztą w Irlandii pójść do więzienia to czasem honor. Ale pośpiesz się z tym myciem. A tutaj — otworzyła biało-złotą szafę — moja pani przyniosła z pół tuzina sukien. Powiedziała, że może któraś ci się nada i włożysz ją do obiadu.

— Och, ale przecież nie mogę... — Pat rada była z gadatliwej pokojowej, która wcale nie oczekiwała odpowiedzi na swoje pytania i wystarczało jej, że sama mówiła.

— Lepiej włóż, kochaniutka — doradzała. — Będziesz się głupio czuła, jeśli nie włożysz, mówię ci. Bo urodę masz jak ta lala, dawniej pewnie niejednemu w głowie zawróciłaś, tylko cię ubrać. Przymierzymy, a ja ci upnę włosy. Kiedy zejdziesz na obiad, rozpakuję twoje rzeczy.

— Ale ja tam nie mam właściwie nic do rozpakowywania... Boże, jakie to wszystko obce... Jak ci na imię?

— Ethel. Ethel Bransby. Mój ojciec wozi węgiel, a matka bierze pranie do domu. Nasza pani jest jej najlepszą klientką...

Nie przestając gadać ani na chwilę, dziewczyna zręcznie ubrała wzdragającą się Pat w czarną jedwabną suknię i ułożyła jej włosy. Chociaż była to stosunkowo skromna sukienka, Pat czuła się w niej nieswojo i chwyciła jeden przynajmniej własny szczegół garderoby: szal z pięknej starej irlandzkiej koronki, pożyczony na wyjazd przez Różę. W jej rodzinie przechodził z matki na córkę jak cenne dziedzictwo. Oszołomioną Pat pokojówka wypchnęła na korytarz, potem na schody i pokazała jej drzwi do salonu znajdującego się na parterze.

Żadne powstanie, żadna bitwa nigdy nie przerażały Pat tak bardzo jak te wielkie dębowe drzwi, do których teraz podeszła, by za nimi znaleźć... napotkać... co?... kogo?... Ale w każdym razie kogoś, kto się interesował sprawą Michała.

Pchnęła drzwi i weszła.

Hrabina zachowywała się naturalnie i po prostu. Pat za dziecinnych lat widywała w Kilegad kochankę dziedzica tylko z daleka i rzadko. Nie poznała więc tej siwowłosej damy, dystyngowanej i wystrojonej, jeszcze przystojnej, która powiedziała jej taktownie, że znała Michała z czasów, gdy był chłopcem, i starała się dopomóc w jego obecnych kłopotach. Odpowiadając na informację, że ma nazajutrz zobaczyć męża, Pat zasypała ją pytaniami:

— Ale jak? W Kilmainham? Czy mi pozwolą?

— Proszę to mnie zostawić — powiedziała hrabina. — A teraz przejdźmy do jadalni. Na pewno jest pani głodna. Proszę na obiad.

— Och! Ale czy nie mogłabym... bardzo proszę... czy nie mogłabym coś tam zjeść na górze w tym pięknym pokoju... Ja naprawdę bałabym się spotkać...

— Nikogo nie będzie na obiedzie oprócz mnie, a ja naprawdę nie gryzę!

— To świetnie — odparła Pat ze szczerą ulgą i zaraz się poprawiła: — Chciałam powiedzieć, to świetnie, że nie będzie nikogo. Ale proszę wielmożnej pani, to znaczy pani hrabiny...

— Może zachciałabyś nazywać mnie po prostu Elisabeth, a ja ciebie Pat. Po co mamy się bawić w takie ceregiele.

— W takim razie, proszę pani hra... Elisabeth... gdybyś mogła... bo kiedy lokaje będą podawać półmiski i w ogóle... gdybyś mogła mi nałożyć na talerz...

Dawną kurtyzanę oczarowała niewymuszona prostota i szczera bezpośredniość żony Michała Wintera.

— Wszystko będzie dobrze, Pat. Postawią nam półmiski na stole i ja sama ci podam.

Siedząc u szczytu ogromnego stołu, lśniącego od sreber i kryształowych świeczników, Elżbieta posługiwała się kolejno, pilnie obserwowana i naśladowana przez Pat, różnorodnymi nożami i widelcami. Rozmawiała przy tym o procesie Michała, o jego odwadze i śmiałości. Bez cienia wyższości czy dezaprobaty wypytywała Pat o jej dom i synów. Pat zmiękła, opowiedziała jej o Iveragh i o ataku powstańców na folwark, ale przemilczała przygody Petera w Anglii.

Gość nie bardzo się orientował, co właściwie zjada. Wszystko było przyprawione na ostro i zatopione w sosach albo na słodko i z kremem. Ale Pat rzeczywiście od wyjazdu z domu nic w ustach nie miała i była głodna. Przez jakiś czas jadła z apetytem. Nieoczekiwanie powiedziała:

— Nie dam rady, proszę Elisabeth. Z pewnością następne danie jest wyborne, ale ja już nie mogę jeść więcej. Najadłam się do pełności.

Hrabina ani okiem nie mrugnęła na to oświadczenie, które w jej kołach byłoby uznane za wulgarne.

— Jak chcesz, moja droga. Powróćmy więc do salonu na kawę. I może wypijesz ze mną kieliszek likieru.

Z dawnych przemytniczych dni Pat wiedziała, co to likier, ale nigdy tego trunku nie próbowała. I chociaż hrabina wydawała się naprawdę przyjacielska, Pat bardzo już chciała wrócić na górę, pozdejmować cudze piórka, ochłonąć i zastanowić się nad usłyszanymi informacjami.

— Proszę mi wybaczyć, Elisabeth, ale czy nie mogłabym już pójść się położyć? Jestem doprawdy bardzo...

— Oczywiście, moja droga, miałaś długą męczącą podróż. Ethel się tobą zajmie. A my się spotkamy z rana. Dobranoc, Pat, śpij dobrze. Widzę teraz, jaką Michał ma uroczą żonę. Pomaga mi to zrozumieć bardzo wiele.

Hrabina pochyliła się i ucałowała policzek wieśniaczki, żony angielskiego szlachcica skazanego za fenianizm, rebelianctwo i zdradę.

— Jeszcze w Kilegad słyszałam o twojej urodzie. Jeśli kobieta może prawić komplementy drugiej kobiecie, to powiem, że nadal jesteś urocza. Szczęśliwy Michał!

Pat potrząsnęła głową.

— To z powodu tej twojej wytwornej sukienki! — zauważyła.

VIII

Następnego dnia, wczesnym rankiem, nowa niespodzianka obudziła Pat. Wesoło trajkocąca Ethel podała jej do łóżka śniadanie, które Pat zjadła, wsparta o puchowe śnieżnobiałe poduszki. W tym samym czasie Michał, połknąwszy chciwie — jako że nie uczestniczył poprzedniego wieczora w luksusowym obiedzie u hrabiny — pajdę chleba posmarowaną jakimś zjełczałym tłuszczem i popiwszy kubkiem mętnego płynu, nazywanego pochlebnie herbatą, poszedł do kuchni. W jakiś czas później strażnik kazał mu wracać do celi, gdzie leżała jego własna odzież.

— Ubieraj się, a szybko! — burknął strażnik.

Winter, któremu myśl o zwolnieniu nie przyszła do głowy, a w ogóle ani nie oczekiwał, ani nie chciał żadnych faworów od swych ciemiężycieli, nie skojarzył tego początkowo z rozmową w kuchni poprzedniego dnia. Jego towarzysz mówił o zwalnianiu więźniów skazanych na łagodne kary. Dziesięć lat nie było krótkim terminem nawet według angielskiego kodeksu karnego.

— O co chodzi? — zapytał. — Znudziłem się wam? Przenosicie mnie do Anglii?

— Nie zadawaj pytań, a nie usłyszysz kłamstw — odparł strażnik. — Wskakuj w ubranie. Przyjdę po ciebie za pięć minut.

Dwaj strażnicy przyszli i poprowadzili Wintera długimi kamiennymi korytarzami. Echo odbijało ich kroki. Więzień rozmyślał posępnie, że opowieść Elżbiety du Maurier o tym, jak to Urszula załatwiła odwołanie decyzji o przeniesieniu go do angielskiego więzienia, była tylko pretekstem, by go odwiedzić.

...Popatrzeć chciała! Zawsze była podła i taka już została, chociaż się sama do tego przyznaje... — myślał.

Zatrzymali się w wielkiej sieni. Z biura wyszedł do niego zastępca gubernatora, Anglik.

— Otrzymałem z zamku rozkaz uwolnienia was — oznajmił szorstko, widocznie wcale nie znajdując przyjemności w przekazaniu dobrej nowiny. — Gdybym ja o tym decydował, wysłałbym was do osiedla karnego w Tasmanii. Ale rozkaz to rozkaz.

Wbrew chwilowemu zwątpieniu Wintera opowieść Elżbiety była prawdziwa. Co więcej, rozkaz, który zastępca gubernatora wykonywał z taką niechęcią, przekazano do Kilmainham za pośrednictwem Sir Geoffreya Herberta, zakochanego męża kobiety występującej niegdyś pod nazwiskiem Urszuli Gordon. Jednakże Urszula odegrała swą rolę w uwolnieniu Wintera niezupełnie dobrowolnie. Hrabina miała wprawę w stosowaniu drobnych szantaży. Zagroziła przyjaciółce, że Sir Geoffrey mógłby się dowiedzieć o jej przeszłości, o ile...

Tak więc na prośbę żony, a wcale nie dlatego iż żywił szczególną sympatię do Wintera, dygnitarz dublińskiego zamku obiecał zrobić, co będzie w jego mocy.

Sir Geoffrey Herbert był od dawna w służbie rządu, piastował różne odpowiedzialne i wysokie stanowiska. Nadal równie często przebywał z żoną w Londynie, jak i w stolicy Irlandii. Dowcipny, o dużym uroku osobistym, żonaty z niezwykle piękną kobietą, Sir Geoffrey był mile widzianym gościem w najmodniejszych salonach nad Tamizą. Gdy więc po jakimś proszonym obiedzie panie odeszły do salonu, a karafki zaczęły krążyć między pozostałymi przy stole mężczyznami, Sir Geoffrey przysiadł się do premiera rządu. Temu mężowi stanu miał nieraz sposobność oddać pewne usługi. Przy kielichu dobrego trunku podejmowano niejedną ważką decyzję, dobijano niejednego targu w sprawach politycznych. W atmosferze wonnych cygar, nad whisky i portwajnem, Sir Geoffrey, leciutko mijając się z prawdą, zakomunikował premierowi, że pewni angielscy dziennikarze w Dublinie grożą poruszeniem na łamach londyńskich czasopism afery Wintera. Mieli się wyrazić, jakoby skandalem było „skazywać człowieka na ciężkie roboty za przestępstwo nie większe od tego, jakie sami popełniali: jawne sympatyzowanie z Irland-czykami".

Akurat w owym czasie premier nie życzył sobie w prasie żadnego skandalu, który można było złożyć na karb rządu. Zbliżały się wybory powszechne. Przyrzekł więc, że każe dodać nazwisko Wintera do listy więźniów, których miano uwolnić. Spłacił w ten sposób dług wdzięczności Sir Geoffre-yowi i zakochany małżonek mógł zakomunikować żonie dobrą nowinę.

Na słowa zastępcy gubernatora Winter osłupiał. Patrzył z niedowierzaniem, brwi uniósł w górę, usta otworzył.

— Ruszaj! — wykrzyknął zirytowany urzędnik. — Nie będę tu stał cały dzień. Odźwierny, otwierać!

Winter odzyskał mowę i wyjąkał:

— Ale dlaczego... Nie chcę przyjmować łaski od...

Zastępca gubernatora dał znak strażnikom. Chwycili Wintera pod ramiona i brutalnie zawlekli go do otwartych drzwi i dalej do bramy.

— Jeśli tu wrócisz, to taką ci sprawię łaźnię... — krzyknął urzędnik.

Winter nie usłyszał już końca pogróżki. Złośliwym kop-niakiem strażnicy wyrzucili go na ulicę... prosto w otwarte ramiona Pat.

IX

— Niezły z ciebie w głębi serca człowiek, Luke — po-wiedział ojciec Liam O'Connor. — Ale jak można tak żyć? Czemu nie poszukasz sobie jakiejś stałej pracy?

O'Flaherty, który nieleniwie korzystał z hojnego zapasu trunków przygotowanych na uroczystości weselne, był już w tym przyjemnym przejściowym stanie między trzeźwością a pijaństwem.

— Ach, jakimż wspaniałym namiestnikiem Boga jest ojciec, skoro sobie zaprząta głowę nawet takimi mieszkańcami lasu jak Luke O'Flaherty. A z pewnością wasza świątobliwość wie, że ród O'Flahertych bił się w każdym...

— Wiem, Luke, wiem. Musiałbym doprawdy być głuchym, żeby nie wiedzieć. Ale o tej stałej pracy...

— Ach, ojcze, który jesteś takim świątobliwym człowiekiem, że widzę złotą aureolę wokół twej głowy... czyż zaledwie przed miesiącem albo trochę dawniej, może to było przed rokiem lub dwoma... czyż nie pytałem nadzorcy huty w Kenmare o jakąś robotę? I czyż mi nie odrzekł, że ma już tylu, ilu mu potrzeba do wszelkiej roboty? I czyż mu nie powiedziałem, że gdyby mnie tylko wpisał na listę płacy, to nawet nie zauważy tej odrobiny roboty, którą ja bym wykonał? I czy to zadowoliło tego spaśnego wieprza? Wcale nie, wasza świątobliwość. Więc Luke musi dalej żyć z ptaszkami leśnymi, musi, chociaż starzeje się już, starzeje!

Podniósł kieliszek pod światło i przypatrywał mu się jednym okiem, drugie zmrużywszy tak mocno, że zmarszczyła mu się twarz, brunatna od wiatrów i niepogody.

— Słaby trunek, whisky — powiedział. — W pojęciu Luke'a O'Flaherty'ego nic nie dorówna zacnej potinie.

— Wiesz, Luke, ja nigdy w życiu nawet nie spróbowałem potiny — zauważył ksiądz. — Powiedz mi, jak się pędzi potinę?

— To zależy, ojcze, od tego, kto ją pędzi. Ale najlepszą, jaka mi kiedykolwiek przepaliła gardło i wyżarła wnętrzności, przedestylowano ze zdechłego kota, pary starych butów, końskiego łajna i garnca czystego spirytusu.

Włóczęga przygarbił ramiona i trząsł się ze śmiechu, a ksiądz pośpiesznie odwrócił się do okna. Recepta Luke'a na potinę sprawiła, że przez chwilę nie mógł znieść widoku bogatego jadła, pod którym uginały się stoły w domu O'Neillów z racji weseliska Dafne i Petera.

Dom w Lanragh wypełniły tłumy gości: tych, którzy chcieli złożyć życzenia młodej parze, tych, dla których Winterowie

280

byli bohaterami, i tych, którzy przyszli wiedząc, że będą mieli pod dostatkiem wybornego jadła i zapewniony ból głowy z przepicia nazajutrz.

Gerald Wolfe, świeżo nawrócony wielbiciel Wintera, śmiał się słuchając jego z humorem przedstawianej relacji o więziennych doświadczeniach. George Keefe wspominał razem z Józefem O'Donovanem dawną wspólną służbę we dworze ojca Michała. Molly, po dobrych paru kieliszkach, powtarzała Peterowi różne nieprzystojne dowcipy na temat małżeńskiego łoża, którego rozkoszy miał zaznać niebawem. Roger Megaw, odstawiwszy kule za krzesło, słuchał Katarzyny O'Neill, wychwalającej dzisiejsze i dawne przyjęcia weselne. Peadar, uśmiechnięty od czubka łysiny aż po baniastą wypukłość brzucha, chodził wśród gości z butelką wina w jednej ręce, a whisky w drugiej. Joe McCail przepowiadał przyszłość Dafne: równo za dziewięć miesięcy od tej nocy cała obecna kompania zbierze się znowu, by winszować... Wielebny David Roberts dyskutował z Denisem sprawę jego przyszłych studiów na uniwersytecie w Cork. Denis zebrał się na odwagę — też pod wpływem oparów alkoholu — i zapytał, dlaczego tak zamiłowany teoretyk wszelkich nauk postanowił zostać pastorem. Usłyszał w odpowiedzi:

— No cóż, uczyć innych, jak żyć w cnocie, to jeszcze szlachetniejsze niż być cnotliwym samemu. I mniej kłopotliwe...

Pat Winterowa w wykwintnej czarnej sukni — do której przyjęcia zmusiła ją dublińska gospodyni — gasząc urodą wszystkie obecne na weselu kobiety, wyjąwszy może tylko Dafne o świeżym wdzięku dziewczęcym, opisywała Róży i Williamowi wspaniałości domu hrabiny d'Angoûleme. Ale myślami matka pana młodego wciąż wracała do tych, którzy by mogli być na dzisiejszym weselu... Wuj James Kernan, Kevin i syn Molly, Tom, a także Adela...

Najlepsze francuskie wina przysłał na przyjęcie Artur Slattery. Podczas powrotnej podróży z Dublina Pat opowiedziała mężowi, jak to Slattery i jego żona, niby za dotknięciem czarodziejskiej różdżki, przemienili się nagle w czułą parę, wciąż są razem, zagadani i uśmiechnięci; jak wieśniakom obniżono czynsze do poprzedniej wysokości, a tych, którzy i tego nie mogli płacić, bynajmniej nie eksmitowano. Co więcej, paru wyrzuconym dawniej dzierżawcom, którym udało się jakoś pozostać w okolicy, oddano z powrotem gospodarki i domy. Slattery zrezygnował z urzędu sędziego ziemskiego, a jego żona często odwiedzała wieśniaków.

Teraz, gdy Slattery przejeżdżał przez wieś albo ulicami Kenmare, nie witano go demonstracyjnym odwracaniem się ani też uniżonym i strachliwym ściąganiem czapek, ale głośnym, serdecznym pozdrowieniem: „Dzień dobry i Boże panu błogosław!".

— Kiedy kazał ciebie aresztować — opowiadała Pat — postanowiłam, że nie spocznę, dopóki nie zmuszę go do zrezygnowania z majątku i opuszczenia Irlandii.

Opisała, jak zerwano wszelkie stosunki ekonomiczne i społeczne ze Slatterym, i zakończyła:

— Nigdy mi do głowy nie przyszło, że rezultatem mego planu będzie taka zmiana w nim samym. To inny człowiek, jakby go magiczna moc przemieniła! Teraz nikt by go nie zechciał wypędzić z Irlandii.

Jej plan odizolowania Slattery'ego leżał rzeczywiście u korzeni tej przemiany, ale jeszcze coś innego wpłynęło na złagodzenie jego dawnej zawziętości i kazało mu ujrzeć siebie oczyma innych, a ujrzawszy zapragnąć, aby jego wizerunek był inny.

— Gdyby pan sędzia zawsze był przyzwoitym człowiekiem — śmiał się Michał — nigdy by nie zyskał takiej sławy. Zamiast powrotu marnotrawnego syna mamy nawrócenie marnotrawnego dziedzica...

— Tylko jedno — zauważyła Pat. — Folwark Iveragh. Oczywiście nie pytałam, czy nam go zwróci, ale też i on nic w tej sprawie nie zrobił.

Poprzez gwar i hałas weselnych gości w domu O'Neillów dał się słyszeć turkot podjeżdżającego powozu. W chwilę później jowialny głos Peadara O'Neilla:

— *Cead mile failte*!

Slattery we własnej osobie wszedł do pokoju z Ireną pod rękę, oboje uśmiechnięci, trochę niepewni, czy teraz od wszystkich usłyszą, jak od Peadara, tradycyjne irlandzkie pozdrowienie: „Tysiąckrotnie serdecznie witamy!". Przywitawszy panią domu, Slattery przeszedł przez pokój wprost do Michała.

— Panie Winter, winien jestem panu dług, którego nigdy spłacić nie zdołam...

Michał podał mu lewą rękę.

— Co minęło, to się nie liczy! Wierzę, że teraz zostaniemy dobrymi sąsiadami, panie Slattery.

— To bardzo wielkoduszne z pana strony — rzekł Slattery. — Zgadzam się z całego serca!

Uścisnął mocno podaną mu dłoń, a drugą ręką dotknął, jakby niechcący, pustego rękawa.

— Chciałbym tylko powiedzieć — dodał — że każdy, nawet właściciel ziemski i urzędnik państwowy, ma w sobie zadatek na przyzwoitego człowieka. I zwykle trzeba kobiety, by to odnalazła. Proszę się poznać z kobietą, która odszukała we mnie i rozwinęła zadatek na przyzwoitego człowieka.

Irena zaczerwieniła się nie mniej od Dafne, słuchając mocno pieprznych dowcipów Joego McCaila.

Slattery zwrócił się do Peadara:

— Zacny gospodarzu, czy mógłbym od razu powiedzieć tych parę słów, które chciałbym, aby wszyscy obecni usłyszeli?

— Posłuchamy chętnie i ufam, że zawsze będziemy gotowi pana słuchać! — odrzekł Peadar.

Katarzyna, by nie pozostać w tyle, dodała:

— I poczytujemy sobie za zaszczyt, że możemy gościć pana i pańską małżonkę w naszym ubogim domu, który mógłby być większy, piękniejszy, bardziej godny takich gości, gdyby mój mąż...

Ale resztę jej słów zagłuszył Peter, zawsze taktowny, wołaniem:

— Prosimy wszystkich o chwilę ciszy! Głos ma pan Artur Slattery.

Był to wielki dzień dla Petera z niejednego powodu. Spełnił swoją zapowiedź, kazał O'Neillom być dumnym z tego, że mają Wintera za zięcia.

— Wydaje mi się — zaczął były sędzia — że w tak uroczystym dniu ofiarowywanie podarków jest na czasie. Miałem przyjemność dołączyć mój drobny upominek dla szczęśliwej młodej pary. — Ten „drobny upominek" był czekiem na dwadzieścia funtów szterlingów. — Ale mam też podarunek, a właściwie nie podarunek, raczej restytucję, dla pani Patrycji Winter, którą wszyscy głęboko podziwiamy. — Zebrani przyklasnęli, a Slattery wydobył z kieszeni dokument. — Droga pani Winter, niniejszym publicznie przepraszam za spowodowanie tego, że należący do pani folwark Iveragh wraz z zabudowaniami został zniszczony...

— ...a przecież to ja go podpaliłem... — mruknął Denis do Petera.

— Ale to było, zanim odnaleziono we mnie zadatek na przyzwoitego człowieka. — Uśmiechnął się do Ireny. — Zniszczenie jest faktem. Jako symbol najlepszego zadośćuczynienia, jakie mogę uczynić, mam tutaj — machnął dokumentem — kontrakt podpisany z firmą budowlaną w Killarney na odbudowę moim kosztem domu i budynków gospodarczych folwarku Iveragh. Będą przywrócone do pierwotnego stanu, a nawet pod pewnymi względami lepszego, ponieważ przewidziałem pokrycie dachówką, a także wszelkie wygody, jakich pani będzie sobie życzyła. Oddaję kontrakt w pani ręce w dowód szczerej, dobrej woli i przyjaźni — świeżej, przyznaję to — do pani, prosząc zarazem, aby w razie jakichkolwiek kłopotów z przedsiębiorcą budowlanym zechciała go pani skierować do mnie. Nie potrzebuję chyba dodawać, że zrzekam się wszelkich pretensji, jakie niegdyś miałem do tej posiadłości, ogłaszając je niniejszym jako bezpodstawne. — Przerwał i rozejrzał się wokoło. — A teraz dziękując za prawdziwie irlandzkie powitanie mnie i mojej żony, pozostawimy was przy tej radosnej uroczystości, życząc młodej parze, pięknie reprezentującej nowe pokolenie Irlandczyków...

Katarzyna i Peadar O'Neillowie, Pat i Michał, Dafne i Peter, jak również inni goście otoczyli kołem dziedzica i jego żonę, serdecznie zapraszając i zatrzymując.

— Sama w to uwierzyć nie mogę — szepnęła Pat do Michała, gdy na chwilę znaleźli się razem w jakimś kącie. — Nigdy sobie nie wyobrażałam, że ja...

— Z tego, coś mi opowiadała o dotknięciu czarodziejskiej różdżki — odrzekł Michał — odgadywałem, że coś w tym rodzaju musi nastąpić wcześniej czy później. Chociaż przyznaję, że dachówek się nie spodziewałem!

Weselisko potoczyło się jeszcze huczniej, a we właściwym czasie kobiety wyszły w chłodną grudniową noc, by odprowadzić Dafne do pobliskiego domku, który Peadar O'Neill odnowił i pięknie urządził dla córki i nowego wspólnika w przedsiębiorstwie.

Tam w sypialni na piętrze, zgodnie z tradycją, kobiety obnażyły pannę młodą, podziwiając jej drobne, różowo zakończone piersi, płaski brzuch i okrągłe pośladki i zapewniając, że trudno by znaleźć piękniejszą do małżeńskiej łożnicy. Dziewczyna istotnie miała kształty zdolne obudzić pożądanie mężczyzny — ciemne włosy spadały bujną falą na białe plecy, postać drobna, ale ślicznie uformowana. Wkładając przez głowę Dafne koszulę nocną — tę samą haftowaną i obszytą koronkami koszulę nocną, którą w noc poślubną miała na sobie Katarzyna O'Neill, a przedtem jej matka — Molly nie mogła się powstrzymać, by nie powiedzieć:

— To tylko na chwileczkę, kochasiu. Zanim zamkniemy za sobą drzwi, ten twój młody byczek...

— Szszsz! — uciszyła ją matka panny młodej. — To nie uchodzi...

Ale Molly nie mogła poskromić nawet władcza Katarzyna O'Neill.

— Przecież nie po to mężczyzna idzie do łóżka, by pieścić choćby i najpiękniej haftowaną koszulę, no nie? — spytała, energicznym ruchem odrzucając w tył głowę.

Dafne niczego nie słyszała. Myślała, że za chwilę będzie w objęciach Petera — swego ukochanego błędnego rycerza, który zdobył ją dzielnością i odwagą tak romantycznie jak w średniowiecznych legendach.

Mężczyźni z hałasem i tupotem weszli na parter domu — wszyscy prócz katolickiego proboszcza i anglikańskiego pastora, którzy ramię w ramię powędrowali w dół ulicą, pełnym głosem wyśpiewując stare irlandzkie pieśni bojowe, w oparach alkoholu nie dbając o różnice religijne.

Petera, już w nocnej koszuli i wyraźnie zdenerwowanego — nie z powodu panny młodej, którą jego młoda krew mogła w pełni zaspokoić, ale z powodu tej jowialnie hałasującej kompanii — wprowadzono do sypialni małżeńskiej. Potem rozległ się rumor na schodach: George Keefe i Gerald Wolfe weszli, niosąc dziecinną kołyskę. Postawili ją uroczyście przed łóżkiem i solennym duetem oznajmili:

— Oto, kochani, wasz obowiązek i wasza rozkosz. Zapełnijcie ją!

Kieliszki, przyniesione przez Joego McCaila i młodego Williama, napełniono raz jeszcze. Artur Slattery, wznosząc kieliszek w stronę leżącej w łóżku młodej pary, mocno speszonej i zaambarasowanej, wzniósł tradycyjny toast weselny:

— Zdrowia i długiego życia, ziemi bez czynszu, dziecka co rok i jeśli nie zdołacie dostać się do nieba, to przynajmniej niech wam Bóg da umrzeć w Irlandii!

Molly ostatnia opuszczała sypialnię i wsunęła jeszcze raz głowę:

— Szybko do roboty, Peter! O ile się na tym znam, a chyba powinnam, to twoje pastwisko aż nadto gotowe do wypasu!

Goście z tupotem zbiegli po schodach i na ulicę, a Luke O'Flaherty — w takim samym stanie co poprzednio, chociaż nie żałował sobie dalszych libacji — zaczął opowiadać Keefe'owi i Megawowi o pewnym kowalu, którego przyniesiono do lekarza z mocno poharataną nogą. Gdy doktor zapytał o przyczynę wypadku, pacjent zaczął mówić, jak to przed trzydziestu laty był młodym czeladnikiem u majstra nazwiskiem Twomey w Ballinanaspickbuidhe. Doktor mu przerwał, bo nie miał czasu, chciał tylko wiedzieć, jakiemu wypadkowi uległa jego noga.

— To właśnie jest o mojej nodze — upierał się pacjent. — Widzi pan, doktorze, Twomey miał córkę, a można było na nią patrzeć takim okiem jak młody byczek na wiosenną trawę. Pierwszej nocy, jak tam byłem, ona przyszła do mnie, kiedy już leżałem w łóżku, i zapytała, czy mi czego nie trzeba, a ja powiedziałem, że nie. Drugiej nocy przyszła w nocnej koszuli i zapytała, czy nie mogłaby niczego dla mnie zrobić, a ja powiedziałem, że nie, że mi wygodnie jak pluskwie w kocu. Trzeciej nocy to przyszła tak, jak ją matka porodziła, i zapytała, czy nic dla mnie nie mogłaby zrobić, a ja nie chcąc jej zatrzymywać na zimnie i bez jednej nitki na sobie, powiedziałem, że nic.

Doktor się zniecierpliwił i zapytał, co to wszystko ma wspólnego z nogą kowala.

Więc kowal powtórzył:

— To właśnie jest o mojej nodze. Bo dopiero dziś rano ostatecznie wykombinowałem, co ta dziewczyna miała na myśli, i tak się na siebie zezłościłem, że rzuciłem swój dziesięciofuntowy młot o ścianę, a ten się odbił i uderzył mnie w nogę.

Noc była jasna, chłodna, gwiaździsta; wszyscy wędrowali z powrotem do domu O'Neillów na pożegnalny kieliszek. Pat i Michał, idąc pod rękę, wspominali swoją pierwszą wspólną noc w opuszczonej stodole po drodze z Kilegad do Kerry. Joe McCail, spoglądając na niebo, rzekł:

— Dzięki Bogu, piękna była pogoda na weselisko. Jutro będzie deszcz, bo mój odcisk boli aż w górę całej nogi.

Michał ścisnął rękę żony w swojej dłoni i bardzo odległy myślami od odcisku Joego, dumy całego Kenmare, zapytał:

— Czy to możliwe, Pat, aby tych dwoje kochanych dzieciaków było równie szczęśliwych ze sobą jak my?

————————